A TEXTBOOK OF
MODERN GREEK

For Beginners up to G.C.S.E.

6th REVISED EDITION

KYPROS TOFALLIS, M.A., Ph. D.
DIRECTOR OF THE GREEK INSTITUTE

A TEXTBOOK OF MODERN GREEK

COPYRIGHT: Dr. Kypros Tofallis 1977, 1991, 2001

Published and Distributed by The Greek Institute
34, Bush Hill Road, London, N21 2DS

6th Edition – 2001
ISBN : 0 905313 25 9

Printed in Greece by Athena AE Press, Athens

CONTENTS

PART 2 – READING AND LISTENING COMPREHENSION PASSAGES

5

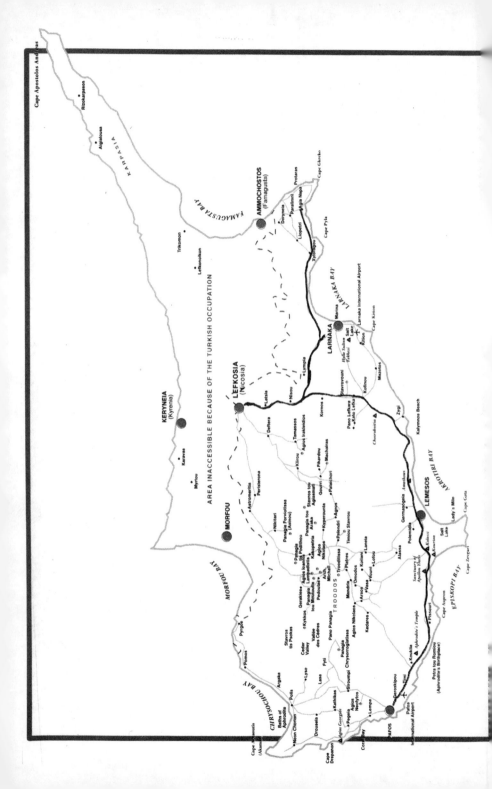

PREFACE

Modern Greek is spoken by some 17 million people. It is spoken by about 12 million in Greece and Cyprus, by about 3 million in the United States of America and by 2 million of various Greek communities scattered in many parts of the globe, notably in Australia, West Germany, Britain, France, Italy, Africa to name but only a few places.

In Britain alone, there are about 300,000 Greek-speaking people, mainly from Cyprus. The very existence of large Greek-speaking communities has encouraged many natives who are interested in the life and culture of the Greek immigrants to embark on the study of the Greek language. Thus, there has come about a dual demand for learning Greek: Firstly from the children of the Greek community who grow up in a non-Greek environment and therefore Greek ceases to be their actual mother-tongue and secondly from people who wish to visit Greece or Cyprus or have Greek friends and are interested in their language and culture.

This textbook of Modern Greek aims to help both groups – i.e. the immigrant Greek children who now learn Greek as a second language and all the others who are non-Greek speakers and wish to learn the language. The book assumes no previous knowledge of Greek. It starts from the very beginning, from the ABC and leads the students to the G.C.S.E. examination in Modern Greek or the early stages of the Greek Institute examinations. The main intention of the textbook is to help the reader to understand to speak, read, write and communicate in the Greek language.

The book has been divided into four parts: The first part covers the essential grammar because, as in all languages, grammar constitutes the backbone of Greek. The second part deals with everyday life topics, about the family, visits to places of interest, comprehension passages, and the writing of short essays in Greek. The third part consists of topics which will help students for their prepared talk and for writing short essays. The fourth part consists of G.C.S.E. level and Greek Institute examination passages.

The division of the book in four parts has been deliberate. Many books confuse the student by mixing everything up. The intention here is that the book can be used in Schools as a two year course. During the first year the grammar part could he covered and during the second year the rest of the book. Needless to say the textbook can be used as a crash-course in Greek for one year courses. The textbook is written is such a way that it could be studied by the students in their own or in a class.

The language of the book is the Demotic, i.e. the spoken, the living language of the Greek people. The Katharevousa (purist form of Greek) which dominated as the official language of Greece from 1829-1976 has now ceased to be used and Demotic has at long last become the official language of the country. In 1982 the Greek Government abolished the accents and the breathings and introduced the one Accent System thus simplifying the learning of the language.

The accents were invented by Aristophanes of Byzantium, an Alexandrian scholar, about 200 B.C. in order to teach foreigners the correct accent in pronouncing Greek.

In this new edition (2001) the book has been revised completely. A number of corrections have been made and new material has been added. The vocabulary has been extended.

My many thanks are due to my students, members and friends of the Greek Institute and Greek teachers for their constructive suggestions.

DR. KYPROS TOFALLIS

ACKNOWLEDGEMENT
The author wishes to acknowledge with thanks the EDEXCEL for their kind permission to use some GCSE passages from past examination papers in this book.

PART ONE
LESSON 1

The Greek language is the oldest language in Europe. The Modern Greek alphabet remains the same as the ancient Greek. There are 24 letters of which 7 are vowels and 17 are consonants.

1. THE ALPHABET

Capitals	Small		Name of the letter
Α	α	Ἄλφα	Alfa
Β	β	Βήτα	Vita
Γ	γ	Γάμμα	Ghama
Δ	δ	Δέλτα	Dhelta
Ε	ε	Ἔψιλον	Epsilon
Ζ	ζ	Ζήτα	Zita
Η	η	Ἦτα	Ita
Θ	θ	Θήτα	Thita
Ι	ι*	Γιότα	Iota
Κ	κ	Κάπα	Kapa
Λ	λ	Λάμδα	Lamdha
Μ	μ	Μι	Mi
Ν	ν	Νι	Ni
Ξ	ξ	Ξι	Ksi
Ο	ο	Ὄμικρον	Omikron
Π	π	Πι	Pi
Ρ	ϱ	Ρο	Ro
Σ	σ (ς)**	Σίγμα	Sighma
Τ	τ	Ταυ	Taf
Υ	υ	Ὗψιλον	Ipsilon
Φ	φ	Φι	Fi

X	χ	Χι	Khi
Ψ	ψ	Ψι	Psi
Ω	ω	Ωμέγα	Omegha.

* The ι is not dotted as in English. When it is, means a stress accent.
** (ς) is used only at the end of the word.

2. PRONUNCIATION OF THE GREEK LETTERS

Greek Letter	English equivalent	Example	English
α	a	Άννα (Anna)	Anne
β	v	βάζο (vazo)	vase
γ	gh	before α, ο, ω, ου and consonants Γαλλία (Ghallia)	France
	y	before ε, ι, αι, η, υ, ει, οι Γιάννης (Yiannis)	John
δ	dh	δράμα (dhrama)	drama
ε	e	Ελλάδα (Elladha)	Greece
ζ	z	ζωή (zoi)	life
η	i	ήλιος (ilios)	sun
θ	th	θέατρο (theatro)	theatre
ι	i	Ιταλία (Italia)	Italy
κ	k	Κύπρος (Kipros)	Cyprus
λ	l	Λονδίνο (Londhino)	London
μ	m	μητέρα (mitera)	mother
ν	n	νέος (neos)	youth
ξ	ks	ξένος (ksenos)	guest foreigner

12

ο	o	Ὅμηρος (Omiros)	Homer
π	p	Πέτρος (Petros)	Peter
ϱ	r	Ρόδος (Rodhos)	Rhodes
σ (ς)	s	Σπάρτη (Sparti)	Sparta
	z	before β, γ, δ, ζ, μ, ν, ϱ	
		Σμύϱνη (Zmirni)	Smyrna
τ	t	Τάμεσης (Tamesis)	Thames
υ	i	ύπνος (ipnos)	sleep
φ	f	φίλος (filos)	friend
χ	kh	before α, ο, ω, ου	
		and consonants	
		χοϱός (khoros)	dance
	h	before ε, αι, η, ι, υ, ει, οι	
		χέϱι (heri)	hand
ψ	ps	ψάϱι (psari)	fish
ω	o	ώϱα (ora)	hour

3. THE VOWELS

There are 7 vowels and we always place the accent on them.
These are: Α α, Ε ε, Η η, Ι ι, Ο ο, Υ υ, Ω ω.

Pronunciation of the vowels:

α	= a	as in apple, bag
ε	= e	as in egg, exit
η, ι, υ	= i	as in ink, lip
ο, ω	= o	as in ox, open

The other 17 letters are called consonants. These are:

Β β, Γ γ, Δ δ, Ζ ζ, Θ θ, Κ κ, Λ λ, Μ μ, Ν ν, Ξ ξ,

Π π, Ρ ρ, Σ σ, Τ τ, Φ φ, Χ χ, Ψ ψ.

4. Read the following syllables:

βα,	βε,	βη,	ιβ,	οβ,	υβ,	ωβ	ε-βί-βα = cheers
γα,	γε,	γη,	ιγ,	ογ,	υγ,	ωγ	γη = earth
δα,	δε,	δη,	ιδ,	οδ,	υδ,	ωδ	ε-δώ = here
ζα,	δε,	ζη,	ιζ,	οζ,	υζ,	ωζ	ζω-ή = life
θα,	θε,	θη,	ιθ,	οθ,	υθ,	ωθ	θέ-α = view
κα,	κε,	κη,	ικ,	οκ,	υκ,	ωκ	δέ-κα = ten
λα,	λε,	λη,	ιλ,	ολ,	υλ,	ωλ	έ-λα = come
μα,	με,	μη,	ιμ,	ομ,	υμ,	ωμ	μή-λο = apple
να,	νε,	νη,	ιν,	ον,	υν,	ων	έ-να = on
ξα,	ξε,	ξη,	ιξ,	οξ,	υξ,	ωξ	έ-ξω = outside
πα,	πε,	πη,	ιπ,	οπ,	υπ,	ωπ	πα-πάς = priest
ρα,	ρε,	ρη,	ιρ,	ορ,	υρ,	ωρ	ώ-ρα = time
σα,	σε,	ση,	ις,	ος,	υς,	ως	σύ-κο = fig
τα,	τε,	τη,	ιτ,	οτ,	υτ,	ωτ	τα-βέρ-να = taverna
φα,	φε,	φη,	ιφ,	οφ,	υφ,	ωφ	φί-λος = friend
χα,	χε,	χη,	ιχ,	οχ,	υχ,	ωχ	χέ-ρι = hand
ψα,	ψε,	ψη,	ιψ,	οψ,	υψ,	ωψ	ψά-ρι = fish

5. THE DIPHTHONGS (Double Vowels):

The word "diphthong" comes from the Greek which means two letters giving one single sound. These are:

αι = e	as in egg
αυ = af	as in after
av	as in avoid

14

ει = i   as in ink
ευ = ef   as in effect
    ev   as in evangelist
οι = i   as in ink
ου = u   as in rude

Read the following syllables:

και, ναι, λαι, παι, μαι
και – ρός = weather   παί – ζω = I play

καυ, ναυ, μαυ, παυ, γαυ
ναύ – της = sailor   μαύ - ρος = black

κει, λει, νει, μει, βει
ε – κεί = there   θέ – λει = He / She wants

κευ, λευ, νευ, μευ, γευ
λευ – κό = white   γεύ – μα = lunch

λοι, μοι, νοι, κοι, ροι
ξέ – νοι = guests (foreigners)   φί – λοι = friends

νου, μου, σου, του, βου
βου – νό = mountain   λου – λού – δι = flower

Examples:

αι   e   Αιγαίο (Egheo)   Aegean
αυ   af   before θ, κ, ξ, π

15

		σ, τ, φ, χ, ψ	
		Αυστρία (Afstria)	Austria
	av	elsewhere:	
		αύριο (avrio)	tomorrow
ει	i	ειρήνη (irini)	peace
ευ	ef	before θ, κ, ξ, π,	
		σ, τ, φ, χ, ψ	
		ευχαριστώ (efharisto)	Thanks
	ev	elsewhere:	
		Ευρώπη (Evropi)	Europe
οι	i	οικονομία (ikonomia)	Economy
ου	u	ουρανός (uranos)	sky

6. DOUBLE CONSONANTS

γγ	ng	Αγγλία (Anglia)	England
γκ	ng	άγκυρα (angira)	anchor
γχ	nkh	μελαγχολία (melankholia)	melancholy
μπ	b	when initial	
		μπίρα (bira)	beer
	mb	when medial Ολυμπία (Olimpia)	Olympia
ντ	d	when initial ντομάτα (domata)	tomato
	nd	when medial (dhondi)	tooth
τζ	dz	τζάμι (dzami)	window-pane

7. **PUNCTUATION:** All punctuation marks are the same as in English with only two exceptions. The question mark is (;) and the

semi-colon (·)

8. THE ACCENT: The one accent system was introduced in 1982. There is one accent in Modern Greek (´). It is used to stress a particular syllable. It serves as a good guide to pronunciation. The accent may be used only: (a) on the last syllable of the word, (b) on the second syllable from the end and (c) on the third syllable from the end.

Accent on the last syllable:
ο μαθητής = the pupil
ο ψαράς = the fisherman
ο αδελφός = the brother
η αδελφή = the sister
η καρδιά = the heart
το νερό = the water

Accent on the 2ⁿᵈ syllable from the end:
ο πατέρας = the father
ο ναύτης = the seaman
ο δρόμος = the road, street
η μητέρα = the mother
η πόλη = the city, town
το μήλο = the apple
το χέρι = the hand

Accent on the 3ʳᵈ syllable from the end:
ο δάσκαλος = the teacher
ο γείτονας = the neighbour
η ζάχαρη = the sugar
η σάλπιγγα = the trumpet

το παράθυρο = the window
το μάθημα = the lesson

Words with one syllable are not accented, with some exceptions.

με = with	ναι = yes	ποιος = who?
και = and	δεν = not	πως = that
πριν = before	που = that, which	

But πού = where?   πώς = how?

Notice the shift of the accent in the Genitive Case.

HANDWRITING

A	α	Αθήνα	N	ν	Νείλος
B	β	Βενετία	Ξ	ξ	Ξάνθη
Γ	γ	Γαλλία	O	ο	Ολυμπία
Δ	δ	Δάφνη	Π	π	Παρθενώνας
E	ε	Ελλάδα	P	ρ	Ρώμη
Z	ζ	Ζάκυνθος	Σ	σ (s)	Σαντορίνη
H	η	Ηράκλειο	T	τ	Τήνος
Θ	θ	Θήβα	Y	υ	Υμηττός
I	ι	Ιθάκη	Φ	φ	Φλώρινα
K	κ	Κύπρος	X	χ	Χίος
Λ	λ	Λουδίνο	Ψ	ψ	Ψαρά
M	μ	Μεσολόγγι	Ω	ω	Ωρωπός

ΚΑΛΩΣΟΡΙΣΑΤΕ ΣΤΗΝ ΕΛΛΑΔΑ - WELCOME TO GREECE

LESSON 2

THE DEFINITE ARTICLE: o, η, το = the

We can tell whether a word is Masculine, Feminine or Neuter by the article which goes before the word. Thus all nouns are preceded by the article as follows:

(α) Masculine words take the article: **o**

  e.g. ο πατέρας – the father

(b) Feminine words take the article: **η**

  e.g. η μητέρα – the mother

(c) Neuter words take the article: **το**

  e.g. το παιδί – the child

NOTE: The article is also used with Proper Nouns

  e.g. η Αθήνα, ο Κώστας.

The Definite article changes in the plural.
Masculine = **οι**, Feminine = **οι**, Neuter = **τα**

THE INDEFINITE ARTICLE:
ένας, μία (μια), ένα = a or an

Masc.: ένας άντρας – a man
  ένας Έλληνας – a Greek man

Fem. : μια γυναίκα – a woman
  μια Αγγλίδα – an English woman

Neut.:   ένα βιβλίο   – a book
         ένα μήλο   – an apple

The Indefinite Article, like the Definite Article declines. Notice the changes when you study the Genitive and Accusative case. There is no plural of the Indefinite Article.

Read the following words:

ο άντρας – the man
ο πατέρας – the father
ο ψαράς – the fisherman
ο ψωμάς – the baker
ο καφές – the coffee
ο μαθητής – the pupil
ο δάσκαλος – the teacher
ο ράφτης – the tailor

η γυναίκα – the woman
η μητέρα – the mother
η κουζίνα – the kitchen
η καρέκλα – the chair
η αδελφή – the sister
η δραχμή – the drachma
η πόλη – the city
η τιμή – the price

το μήλο – the apple
το σπίτι – the house
το τρένο – the train
το καφενείο – the cafe
το ψωμί – the bread
το νερό – the water
το τραπέζι – the table
το γάλα – the milk

Read the following words:

ένας άντρας – a man   μία γυναίκα – a woman

21

ένας ψαράς – a fisherman   μία κουζίνα – a kitchen
ένας μαθητής – a pupil   μία πόλη – a city
ένας ράφτης – a tailor   μία καρέκλα – a chair

ένα μήλο – an apple
ένα σπίτι – a house
ένα καφενείο – a cafe
ένα τραπέζι – a table

NOUNS

We can also tell whether a word is Masculine, Feminine or Neuter by its ending. It is important to remember that all words (nouns) always end as follows:

Masculine words end in:

- ος   ο κήπος – the garden
          ο φίλος – the friend
          ο άνθρωπος – the man, person

- ης   ο μαθητής – the pupil
          ο ράφτης – the tailor
          ο ναύτης – the sailor

- ας   ο πατέρας – the father
          ο ήρωας – the hero
          ο γείτονας – the neighbour

- ες   ο καφές– the coffee
          ο κεφτές– the meatball
          ο καναπές– the settee

22

- ους   ο παππούς – the grandfather
ο νους – the mind
ο Ιησούς – Jesus

Feminine words end in:

- α   η γυναίκα – the woman
η κοπέλα – the girl
η νύχτα – th night

- η   η αδελφή – the sister
η τιμή – the price
η πόλη – the city

- ος   η έξοδος – the exit
η οδός – the street
η είσοδος – the entrance

- ου   η αλεπού – the fox

- ω   η Δέσπω – Despo

Neuter words end in:

- ο   το βιβλίο – the book
το σχολείο – the school
το δέντρο – the tree

- ι   το χέρι – the hand
το παιδί – the child
το τυρί – the cheese

23

- μα	το μάθημα – the lesson
	το στόμα – the mouth
	το σώμα – the body

- ος	το δάσος – the forest
	το έθνος – the nation
	το τέλος – the end

| **- μο** | το δέσιμο – the binding |
| | το γράψιμο – the writing |

| **- ας** | το κρέας – the meat |

| **- ως** | το φως – the light |

- ον	το παρόν – the present
	το μέλλον – the future
	το παρελθόν – the past

Athens - The University

Read the following signs:

ΜΟΥΣΕΙΟ Museum	ΤΑΒΕΡΝΑ Taverna	ΚΑΦΕΝΕΙΟ Cafe
ΣΤΑΣΗ Bus Stop	ΤΡΑΠΕΖΑ Bank	ΦΑΡΜΑΚΕΙΟ Pharmacy

ΠΑΝΤΟΠΩΛΕΙΟ Grocery	ΤΑΧΥΔΡΟΜΕΙΟ Post Office
ΕΘΝΙΚΗ ΟΔΟΣ Motorway	ΕΣΤΙΑΤΟΡΙΟ Restaurant
ΞΕΝΟΔΟΧΕΙΟ Hotel	ΖΑΧΑΡΟΠΛΑΣΤΕΙΟ Patisserie

ΟΔΟΣ ΣΤΑΔΙΟΥ
Stadium Street

EXERCISE 1
Put the missing Definite article o, η, το = the

1. – Ελλάδα (Greece)
2. – τραπέζι (table)
3. – καρέκλα (chair)
4. – ούζο (ouzo)
5. – καφενείο (cafe)
6. – καφές (coffee)
7. – ψωμί (bread)
8. – νερό (water)
9. – ρετσίνα (retsina)
10. – άνθρωπος (man)
11. – μητέρα (mother)
12. – πατέρας (father)
13. – αδελφός (*) (brother)
14. – αδελφή (*) (sister)

15. – γαλατάς (milkman)
16. – ψαράς (fisherman)
17. – μπακάλης (grocer)
18. – κατάστημα (shop)
19. – σπίτι (house)

20. – κουζίνα (kitchen)
21. – τουαλέτα (toilet)
22. – τρένο (train)
23. – Αθήνα (Athens)
24. – καθηγητής
(professor)

EXERCISE 2
Put the missing Indefinite article ένας, μια, ένα = a, an

1. – τραπέζι (table)
2. – γυναίκα (woman)
3. – καφενείο (cafe)
4. – άντρας (man)
5. – δάσκαλος (teacher)
6. – ψαράς (fisherman)
7. – κουζίνα (kitchen)
8. – καρέκλα (chair)
9. – μπακάλης (grocer)
10. – αδελφός (brother)

11. – πόλη (city)
12. – ψωμί (bread)
13. – μαθητής (pupil)
14. – σπίτι (house)
15. – δραχμή (drachma)
16. – ψωμάς (baker)
17. – καφές (coffee)
18. – μήλο (apple)
19. – τουαλέτα (toilet)
20. – αδελφή (sister)

(*) Also αδερφός, αδερφή.

The Island of Mykonos

LESSON 3
DEMONSTRATIVE PRONOUNS/ADJECTIVES
This is AND That is

Demonstrative Words are used in pointing out a person, a place or thing, e.g. This is Athens, that is the Acropolis. When the Pronouns T h i s and T h a t are used with a Noun they are Demonstrative Adjectives. They may be used either alone or together with a noun (and article).

Α υ τ ό ς is used with Masculine words.
Α υ τ ή » » » Feminine » = T h i s.
Α υ τ ό » » » Neuter. »

Ε κ ε ί ν ο ς, ε κ ε ί ν η, ε κ ε ί ν ο = That, are used:

(1) To indicate a person or thing that is removed in time or place: Εκείνος έχτισε το σπίτι = He built the house.
(2) To indicate distinction: Αυτό είναι φτηνό· εκείνο είναι ακριβό = This is cheap; That is expensive.
The word **ε ί ν α ι** means **i s** in the singular and **a r e** in the plural.

NOTE: The Article is used with the Demonstrative Pronoun and Proper Nouns (unlike English) when we name people, places, or things, but sometimes the article is omitted when used with things (objects). The Demonstrative Pronouns are used in reply to questions like: What is this/ that? **Τι είναι αυτό / εκείνο;** OR who is this/that? **Ποιος είναι αυτός/εκείνος;** (masc.). **Ποια είναι αυτή/ εκείνη;** (femin.). **Ποιο είναι αυτό/εκείνο;** (Neuter).

Using the Word Ν α = Here is...

When we want to introduce or to point at someone or something we use the word **Να** with the appropriate word, e.g. **Να ο Χρή-στος** = Here is Christos, **Να η Ελένη** = Here is Eleni, **Να το εστιατόριο** = Here is the restaurant. The word **να** has many uses. It may act as a conjuction e.g. **θέλω να πάω** = I want to go or as a Demonstrative particle.

Να ο.....	**Να η.....**	**Να το.....**	= Here is (the)
Να ένας.....	**Να μια...**	**Να ένα...**	= Here is a / an

Examples

Να ο καφές = Here is the coffee.

Να ένας καφές = Here is a coffee.

Να η καρέκλα = Here is the chair.

Να μια καρέκλα = Here is a chair.

Να το τραπέζι = Here is the table.

Να ένα τραπέζι = Here is a table.

Να η ταβέρνα = Here is the taverna.

Να μια ταβέρνα = Here is a taverna.

Να το τηλέφωνο = Here is the telephone.

Να ένα τηλέφωνο = Here is a telephone.

Να ο Παρθενώνας = Here is the Parthenon.

Να ο Λευκός Πύργος = Here is the White Tower.

Να η θάλασσα = Here is the sea.

Να το ξενοδοχείο = Here is the hotel.

Να ο Μανόλης = Here is Manolis.

Να ο Στέλιος = Here is Stelios.

Να η Τζάνετ = Here is Janet.

Να η Χριστίνα = Here is Christina.

Using Αυτός, αυτή, αυτό = This
and Εκείνος, εκείνη, εκείνο = That

Αυτός είναι ο Νίκος = This is Nikos.
Αυτή είναι η Μαρία = This is Maria.
Αυτό είναι ένα βιβλίο = This is a book.

Εκείνος είναι ο Πέτρος = That is Petros.
Εκείνη είναι η Ζωή = That is Zoe.
Εκείνο είναι ένα βιβλίο = That is a book.

To ask a question

To convert a sentence into a question we simply add the question mark (;).

Αυτός είναι ο Νίκος;   = Is this Nikos ?
Αυτή είναι η Μαρία;   = Is this Maria ?
Αυτό είναι ένα βιβλίο;   = Is this a book ?
Εκείνος είναι ο Πέτρος;   = Is that Petros ?
Εκείνη είναι η Ζωή;   = Is that Zoe ?
Εκείνο είναι ένα βιβλίο; = Is that a book ?

Negative statements – Using the word δεν

The word **δεν** is used in negative statements, e.g. **Δεν θέλω τσάι, θέλω καφέ** = I don't want tea, I want coffee. It is also used to indicate that this is not the right person or object, or to indicate distinction, e.g.

Αυτός δεν είναι ο Νίκος, είναι ο Κώστας = This is not Nikos, it is Costas.

Αυτή δεν είναι η Μαρία, είναι η ´Ελλη = This is not Maria, it is Elli.

Αυτό δεν είναι ένα μήλο, είναι ένα αχλάδι = This is not an apple, it is a pear.

Αυτός **δεν** είναι ο Γιάννης = This is not John.

Αυτή **δεν** είναι η Θεοδώρα = This is not Theodora.

Αυτό **δεν** είναι το ρολόγι = This is not the watch.

Εκείνος **δεν** είναι ο Πέτρος = That is not Petros.

Εκείνη **δεν** είναι η Ζωή = That is not Zoe.

Εκείνο **δεν** είναι ένα βιβλίο = That is not a book.

EXERCISE 3 – For Oral Practice.

Change the following sentences first into negative statements and then into questions.

Example: **Αυτό είναι ένα μήλο** = This is an apple.

Αυτό δεν είναι ένα μήλο = This is not an apple.

Αυτό είναι ένα μήλο; = Is this an apple?

1. Αυτός είναι ο Πειραιάς. = This is Pireas.
2. Αυτή είναι η Κρήτη. = This is Crete.
3. Αυτή είναι η Κέρκυρα. =This is Kerkyra (Corfu).
4. Αυτό είναι το Μουσείο. = This is the Museum.
5. Αυτή είναι η ταβέρνα. = This is the taverna.
6. Αυτό είναι το ξενοδοχείο. = This is the hotel.
7. Αυτή είναι η εκκλησία. = This is the church.
8. Αυτός είναι ο παπάς. = This is the priest.
9. Αυτό είναι το χωριό. = This is the village.

10. Αυτό είναι το σχολείο.   = This is the school.
11. Αυτός είναι ο δάσκαλος.   = This is the teacher.
12. Αυτό είναι το σπίτι.   = This is the house.
13. Αυτή είναι η τράπεζα.   = This is the bank.
14. Αυτό είναι το εστιατόριο. = This is the restaurant.
15. Αυτή είναι η γιαγιά.   = This is (the) grandmother.
16. Αυτός είναι ο παππούς.   = This is (the) grandfather.
17. Αυτή είναι η αγορά.   = This is the market.
18. Αυτό είναι το ανθοπωλείο. = This is the florist (shop).
19. Αυτό είναι το ταχυδρομείο. = This is the post office.
20. Αυτό είναι το σουπερμάρκετ.= This is the supermarket.

The Island of Paros

LESSON 4
ASKING QUESTIONS
Τι είναι αυτό; What is this?
Τι είναι εκείνο; What is that?

VOCABULARY

το φλιτζάνι = cup
η κουζίνα = kitchen
το τραπέζι = table
η καρέκλα = chair
το ποτήρι = glass
το πιάτο = plate
το πιρούνι = fork
το κουτάλι = spoon
ο καφές = coffee
το τσάι = tea
το ψωμί = bread
το νερό = water
το μαχαίρι = knife
η τάξη = class

το βιβλίο = book
το μολύβι = pencil
η πένα = pen, penny
ο χάρτης = map
το χαρτί = paper
ο δάσκαλος = teacher
η δασκάλα = lady teacher
ο πίνακας = blackboard
ο μαθητής = pupil
ο Αντρέας = Andreas
η Ελένη = Helen
η Άννα = Anna
η Αθήνα = Athens
η Αθηνά = Athena

Examples:

Τι είναι αυτό;
What is this?
Τι είναι εκείνο;
What is that?

Αυτό είναι ένα βιβλίο.
This is a book.
Εκείνο είναι ένα αυτοκίνητο.
That is a car.

Τι είναι αυτό;

(1)   τραπέζι = table
(2)   καρέκλα = chair

33

(3) πιάτο = plate
(4) ποτήρι = glass
(5) μαχαίρι = knife
(6) πιρούνι = fork
(7) κουτάλι = spoon
(8) φλιτζάνι = cup

Τι είναι εκείνο;

(1) ρολόγι = watch, clock
(2) χάρτης = map
(3) περιοδικό = magazine
(4) περίπτερο = kiosk
(5) καπέλο = hat
(6) εφημερίδα = newspaper

Ποιος είναι αυτός; Ποια είναι αυτή; Who is this (refering to persons, places)

Αυτός, Αυτή είναι

(1) ο Μίκης Θεοδωράκης
(2) η Ελευθερία Αρβανιτάκη
(3) ο Γιώργος Νταλάρας
(4) ο Δημήτρης Μητροπάνος
(5) η Μαρία Φαραντούρη
(6) ο Αλέκος Αλεξανδράκης
(7) η Ελένη Μενεγάκη
(8) ο Κώστας Βουτσάς
(9) η Χάρις Αλεξίου
(10) η Κατερίνα Κούκα

34

Ποιος είναι εκείνος; Ποια είναι εκείνη; Who is that?

Εκείνος, Εκείνη είναι

(1) ο Πρόεδρος = the President
(2) ο Κώστας Σημίτης
(3) ο Κώστας Καραμανλής
(4) η Αλέκα Παπαρήγα
(5) η Διδώ Σωτηρίου
(6) ο Αντώνης Σαμαράκης

NOTE: Remember we use **Ποιος** (m), **Ποια** (f), **Ποιο** (n) = who, to find out about people and things.
We use **Τι** (what) to find about things. Remember to use **Αυτός** / **Εκείνος** with masculine words. **Αυτή** / **Εκείνη** with feminine words and **Αυτό** / **Εκείνο** with neuter words.

EXERCISE 4
Complete the following sentences:

**Αυτός, η, ο
Εκείνος, η, ο
είναι...**

1. Αυτό είναι ένα .... (a glass)
2. Αυτή είναι μία .... (a pen)
3. Εκείνο είναι ένα .... (a cup)
4. .... (a spoon)
5. .... (the bread)
6. .... (the chair)
7. .... (the kitchen)
8. .... (the pupil)
9. .... (Andrew)
10. .... (Helen)
11. .... (Anna)
12. .... (the water)
13. .... (a fork)

35

Αυτός, η, ο
Εκείνος, η, ο
είναι...

14. .... (the blackboard)
15. .... (Christina)
16. .... (the teacher)
17. .... (the mother)
18. .... (the tea)
19. .... (a plate)
20. .... (a pencil)

USING Ναι = Yes   AND   Όχι = No

When we want to confirm that something is correct we say Ναι είναι = Yes it is. When it is incorrect we say Όχι δεν είναι = No it is not.

Examples:

Αυτό είναι ένα βιβλίο;   Ναι, είναι ένα βιβλίο.
Is this a book?   Yes, it is a book.

Αυτή είναι η Άννα;   Όχι, δεν είναι η Άννα.
Is this Anna?   No, it is not Anna.

Εκείνος είναι ο Πέτρος; Ναί, είναι ο Πέτρος.
Is that Peter?   Yes, it is Peter.

EXERCISE 5
Answer the questions using the words Ναι / Όχι

Example:
Αυτό είναι ένα τραπέζι; Όχι δεν είναι ένα τραπέζι.
Is this a table? No it is not a table.

1. Αυτό είναι ένα βιβλίο;
2. Αυτή είναι η Ελένη;
3. Αυτός είναι ο Τζακ;
4. Αυτή είναι η Σάντρα;
5. Εκείνος είναι ο Γιάννης;
6. Αυτό είναι ένα τραπέζι;
7. Αυτό είναι ένα μολύβι;
8. Αυτή είναι μία πένα;   Ναί είναι ....
9. Αυτή είναι μία καρέκλα;
10. Αυτό είναι ένα χαρτί;   Όχι, δεν είναι ....
11. Εκείνος είναι ένας χάρτης;
12. Αυτός είναι ο δάσκαλος;
13. Αυτό είναι ένα ψωμί;
14. Αυτός είναι ένας καφές;
15. Εκείνο είναι ένα τσάι;
16. Εκείνο είναι ένα φλιτζάνι;
17. Αυτό είναι ένα ποτήρι;
18. Εκείνη είναι η Αθηνά;
19. Αυτός είναι ο Αντρέας;
20. Εκείνη είναι η Άννα;

The Island of Tenos

LESSON 5
Greetings and Introductions

Γεια σου / Γεια σας = Hello
Πώς σε λένε; / Πώς σας λένε; = What is your name?

The most common greeting in Greek is **Γεια σου** if you are addressing one person or **Γεια σας** if you are addressing more than one person. The second greeting is also the more polite (formal expression) we use if we do not know the person.

To find out about someone's name we say: **Πώς σε λένε;** (informal) or **Πώς σας λένε;** (formal). All Greek male names end in **-ς**, e.g. Νίκος, Αντρέας, Γιάννης. This final letter (**s**) is dropped when you say: Με λένε.......... (I am called) or Τον λένε .... (He is called).

Γεια σου = Hello, goodbye (informal)
Γεια σας = Hello, goodbye (formal)
Χαίρετε = Hello, Goodbye, Good afternoon
Καλημέρα = Good morning
Καλησπέρα = Good evening
Αντίο = Goodbye
Καληνύχτα = Good night
Παρακαλώ = Please
Ευχαριστώ = Thank you
Λέγομαι = I am called
Πώς σε λένε; = What is your name? (informal)
Πώς σας λένε; = What is your name? (formal)

39

Με λένε = I am called
Πώς τον λένε; = What do they call him?
Πώς την λένε; = What do they call her?
Πώς το λένε; = What do they call it?
Πώς λέγεστε; = What is your name?
Λέγομαι = I am called
Λέγεται = He, She, It is called

Είμαι = I am   Είσαι = You are   Είναι = He, She, It is

Εγώ = I   Εσύ = You   Αυτός = This (masc)
Αυτή = This (fem)   Αυτό = This (neuter)

Χαίρω πολύ = I am very pleased
Τι = What
Τι είναι; = What is it?
Το όνομα = the name
Το όνομα μου = My name
Το όνομα σου = Your name
Τι είναι το όνομα σου; = What is your name?
Το όνομα μου είναι = My name is
Τι είναι αυτό; = What is this?
Τι είναι εκείνο; = What is that?
Τι κάνεις; = How are you? (informal)
Τι κάνετε; = How are you? (formal)
Πολύ καλά = Very well
Έτσι και έτσι = so, so

40

Examples:

Πώς σε λένε;
What is your name?

Με λένε Αντρέα
Με λένε Άννα
Με λένε Βασίλη
Με λένε Βασιλική
Με λένε Γιώργο
Με λένε Δημήτρη
Με λένε Δήμητρα
Με λένε Δάφνη

Πώς τον / την λένε;
What is he / she called?

Τον λένε Αντώνη
Την λένε Ελευθερία
Την λένε Όλγα
Τον λένε Ζαχαρία
Την λένε Δέσποινα
Τον λένε Αλέκο

Πώς το λένε (αυτό);
What do they call it?
(i.e. this thing)

το λένε μήλο = apple
το λένε αχλάδι = pear
το λένε καρπούζι = water-melon
το λένε κρασί = wine
το λένε ψωμί = bread
το λένε νερό = water
το λένε ούζο = ouzo
το λένε ρετσίνα = retsina
το λένε παγωτό = ice cream

ASKING AND ANSWERING QUESTIONS

Τι κάνεις Πώς είσαι Τι γίνεσαι (How are you)	Σάντρα; Πέτρο; Σούζαν; Μαργαρίτα;	Είμαι πολύ καλά, ευχαριστώ. Δεν είμαι πολύ καλά. Έτσι και έτσι. (so, so) Μια χαρά. (very well)
Τι κάνει Πώς είναι Τι γίνεται (How is)	ο πατέρας σου; η μητέρα σου; η αδελφή σου; ο αδελφός σου; η γυναίκα σου; ο άντρας σου, ο φίλος / η φίλη σου;	Είναι καλά ευχαριστώ Δεν είναι πολύ καλά Έτσι και έτσι

Διάλογος - Conversation

1. Λέγομαι Άριστος Βενέζης
2. Με λένε Άριστο Βενέζη   = I am Aristos Venezis
3. Είμαι ο Άριστος Βενέζης

Άννα Νικήτα, χαίρω πολύ = I am Anna Nikita, I am very pleased.

Αυτός είναι ο Νίκος = This is Nikos.

Γεια σου Νίκο = Hello, Nikos.

Αυτή είναι η Ελένη = This is Eleni.

Γεια σου Ελένη = Hello, Eleni.

Διάλογος - Conversation

Καλημέρα Άννα = Good morning Anna

Καλημέρα Γιώργο = Good morning Yiorgos

Τι κάνεις Άννα; = How are you Anna?

Πολύ καλά, ευχαριστώ, εσύ; = Very well, thank you, and you?

Πολύ καλά = Very well.

Διάλογος - Conversation

Καλησπέρα Δέσποινα = Good evening Despina.

Καλησπέρα Αντρέα = Good evening Andreas.

Τι κάνεις Αντρέα; = How are you Andreas?

Καλά, ευχαριστώ, εσύ; = Fine, and yourself?

Μια χαρά! = Fine ! (lit. Joyfully).

Aghios Nikolaos in Crete

43

LESSON 6

NOUNS - SINGULARS AND PLURALS

The masculine article **o** changes into **οι** in the plural. The Feminine article **η** changes into **οι** and the Neuter article **το** changes into **τα**.

THE CASES: There are four Cases:
1. **The Nominative** is used when we name someone or something.
2. **The Genitive** is used to indicate dependence or possession.
3. **The Accusative** is used to indicate something as an object.
4. **The Vocative** is used when we want to call someone or something.

THE NONINATIVE CASE

We use the nominative case when we make sentences naming people, places or things; e.g. John is Greek; Athens is a capital; The car is red. We also use it to respond to questions like; Who is? Ποιος / Ποια είναι; Also in response to questions like What is this? Τι είναι αυτό;

Examples:

Ποιος είναι αυτός;
Who is it?

Αυτός είναι ο Γιάννης.
This is John.

Ποια είναι αυτή;
Who is it?

Αυτή είναι η Άννα.
This is Anna.

Τι είναι αυτό;
What is this?

Αυτό είναι το βιβλίο.
This is the book.

A. Masculine words:

Singular   **Plural**

All masculine words end in **-ς**

1. Ending in **- ος**	Ending in **- οι**
ο φίλος - friend	οι φίλοι - friends
ο άνθρωπος - man	οι άνθρωποι - men
ο γέρος - old man	οι γέροι - old men
ο Άγγλος - Englishman	οι Άγγλοι - Englishmen
ο γιατρός - doctor	οι γιατροί - doctors
ο βοσκός - shepherd	οι βοσκοί - shepherds

2. Ending in **- ης**	Ending in **- ες**
ο μαθητής - pupil	οι μαθητές - pupils
ο ναύτης - sailor	οι ναύτες - sailors
ο εργάτης - worker	οι εργάτες - workers
ο πολίτης - citizen	οι πολίτες - citizens

3. Ending in **- ας**	Ending in **- ες**
ο πατέρας - father	οι πατέρες - fathers
ο ήρωας - hero	οι ήρωες - heroes
ο γείτονας - neighbour	οι γείτονες - neighbours
ο Έλληνας - Greek (man)	οι Έλληνες - Greeks

4. Ending in **- ες**	Ending in **- έδες**
ο καφές - coffee	οι καφέδες - coffees
ο κεφτές - meatball	οι κεφτέδες - meatballs
ο καναπές - settee	οι καναπέδες - settees
ο μεζές - snack	οι μεζέδες - snacks

5. Ending in - **έας**   Ending in - **εις**
ο κουρέας - barber   οι κουρείς - barbers
ο γραμματέας - secretary   οι γραμματείς - secretaries
ο συγγραφέας - author   οι συγγραφείς - authors

6. Some occupational nouns ending in - **ης** change into - **ηδες** in the plural.
ο μπακάλης - grocer   οι μπακάληδες - grocers
ο μανάβης - greengrocer   οι μανάβηδες - greengrocers
ο καφετζής - cafe owner   οι καφετζήδες - cafe owners

7. Most occupational nouns accented on the last syllable and ending in - **ας** change into - **άδες** in the plural.
ο ψωμάς - baker   οι ψωμάδες - bakers
ο ψαράς - fisherman   οι ψαράδες - fishermen
ο γαλατάς - milkman   οι γαλατάδες - milkmen
ο παπάς - priest   οι παπάδες - priests

Other words accented on the last syllable change the final - **ας** into - **άδες**.
ο καβγάς - quarrel   οι καβγάδες - quarrels
ο κουβάς - bucket   οι κουβάδες - buckets

8. Ending in - **ους**   - **ούδες**
ο παππούς - grandfather   οι παππούδες - grandfathers

NOTE: The most common endings in Masculine words are **-ος**, **-ης** and **-ας**.

46

B. Feminine Words:

Singular	Plural
1. Ending in **-α**	Ending in **-ες**
η πόρτα - door	οι πόρτες - doors
η θάλασσα - sea	οι θάλασσες - seas
η γυναίκα - woman	οι γυναίκες - women
η μητέρα - mother	οι μητέρες - mothers
η καρδιά - heart	οι καρδιές - hearts
η κουζίνα - kitchen	οι κουζίνες - kitchens
η χώρα - country	οι χώρες - countries
η γριά - old woman	οι γριές - old women.

Very few words accented on the last letter take an additional **-δες** in the plural.

η γιαγιά - grandmother	οι γιαγιάδες - grandmothers
η μαμά - mother	οι μαμάδες - mothers

2. Ending in **-η**	Ending in **-ες**
η αδελφή - sister	οι αδελφές - sisters
η ζωή - life	οι ζωές - lives
η τιμή - price	οι τιμές - prices
η τέχνη - art	οι τέχνες - arts
η φυλακή - prison	οι φυλακές - prisons
η δραχμή - drachma	οι δραχμές - drachmas

3. Some words ending in **-η** have kept the archaic plural **-εις**

η λέξη - word	οι λέξεις - words
η πόλη - city	οι πόλεις - cities
η τάξη - class	οι τάξεις - classes

η επίσκεψη - visit   οι επισκέψεις - visits

4. Ending in **-ος**   Ending in **-οι**
η οδός - street   οι οδοί - streets
η είσοδος - entrance   οι είσοδοι - entrances
η έξοδος - exit   οι έξοδοι - exits

Also names: η Κύπρος - Cyprus, η Ρόδος - Rhodes,
η Μύκονος - Mykonos.

5. Some names end in **-ω.**
η Αργυρώ, η Φρόσω, η Δέσπω, η Κλειώ, η Λητώ.

6. Ending in **-ου**
η αλεπού - fox   οι αλεπούδες - foxes

NOTE: The most common endings in Feminine words are -α
and -η

C. Neuter Words

Singular   **Plural**

1. Ending in **-ο**   Ending in **-α**
το βιβλίο - book   τα βιβλία - books
το μήλο - apple   τα μήλα - apples
το βουνό - mountain   τα βουνά - mountains
το λεωφορείο - bus   τα λεωφορεία - buses
το καφενείο - cafe   τα καφενεία - cafes

2. Ending in **-ι**	Ending in **-ια**
το χέρι - hand	τα χέρια - hands
το ψωμί - bread	τα ψωμιά - breads
το δόντι - tooth	τα δόντια - teeth
το λεμόνι - lemon	τα λεμόνια - lemons
το μολύβι - pencil	τα μολύβια - pencils
το ψάρι - fish	τα ψάρια - fish
το πόδι - foot, leg	τα πόδια - feet, legs

3. Ending in **-μα**	Ending in **-ματα**
το μάθημα - lesson	τα μαθήματα - lessons
το δέμα - parcel	τα δέματα - parcels
το γράμμα - letter	τα γράμματα - letters
το σώμα - body	τα σώματα - bodies
το χρώμα - colour	τα χρώματα - colours

4. Ending in **-ος**	Ending in **-η**
το δάσος - forest	τα δάση - forests
το έθνος - nation	τα έθνη - nations
το βάρος - weight	τα βάρη - weights
το λάθος - mistake	τα λάθη - mistakes

NOTE: When the word is accented on the last letter like το γεγονός -event, the plural ending is τα γεγονότα - events.

5. Very few Neuter words end in **-ας** and **-ως**

το κρέας - meat	τα κρέατα - meat
το φως - light	τα φώτα - lights

6. Ending in **-ιμο**
το γράψιμο - writing
το δέσιμο - binding

Ending in **-ματα**
τα γραψίματα - writings
τα δεσίματα - bindings

7. Ending in **-ον**
το καθήκον - duty
το προϊόν - product

Ending in **-οντα**
τα καθήκοντα - duties
τα προϊόντα - products

> NOTE: The most common endings in Neuter words are **-ο, -ι** and **-μα.**

EXERCISE 6
Give the plural of the following words:

Masculine	Feminine	Neuter
1. δάσκαλος teacher	11. η κοπέλα girl	21. το ξενοδοχείο hotel
2. ο χτίστης builder	12. η ταβέρνα tavern	22. το εστιατόριο restaurant
3. ο ράφτης tailor	13. η κουζίνα kitchen	23. το μάθημα lesson
4. ο ταχυδρόμος postman	14. η μύτη nose	24. το λουλούδι flower
5. ο εργάτης worker	15. η μηχανή engine	25. το καρπούζι watermelon
6. ο πατέρας father	16. η κάρτα card	26. το αχλάδι pear
7. ο μανάβης greengrocer	17. η μέρα day	27. το μάτι eye

8. ο αδελφός	18. η τράπεζα	28. το ψωμί
brother	bank	bread
9. ο ταμίας	19. η δραχμή	29. το λεωφορείο
cashier	drachma	bus
10. ο ψαράς	20. η τιμή	30. το γράμμα
fisherman	price	letter

EXERCISE 7
Give the singular of the following words:

Remember: Masculine words usually end in -ος, -ης and -ας
Feminine endings are -α or -η
Neuter endings are -ο, -ι or -μα

Masculine	Feminine	Neuter
1. οι Έλληνες	11. οι ταβέρνες	21. τα φρούτα
Greeks	taverns	fruit
2. οι άντρες	12. οι πόλεις	22. τα ψάρια
men	cities	fish
3. οι οδηγοί	13. οι τάξεις	23. τα βιβλία
drivers	classes	books
4. οι δάσκαλοι	14. οι εκκλησίες	24. τα χρώματα
teachers	churches	colours
5. οι βοσκοί	15. οι πατάτες	25. τα πόδια
shepherds	potatoes	feet
6. οι ναύτες	16. οι εφημερίδες	26. τα δόντια
sailors	newspapers	teeth
7. οι μαθητές	17. οι βάρκες	27. τα λεωφορεία
pupils	boats	buses

8. οι γιατροί	18. οι ντομάτες	28. τα μήλα
doctors	tomatoes	apples
9. οι ψωμάδες	19. οι δραχμές	29. τα καφενεία
bakers	drachmas	cafes
10. οι γείτονες	20. οι τιμές	30. τα βουνά
neighbours	prices	mountains

The Island of Kalymnos

Β
Α Σ Ι Α
ΑΤΛΑΝΤΙΚΟΣ ΩΚΕΑΝΟΣ
Ρεϋκιαβίκ
ΙΣΛΑΝΔΙΑ
Νορβηγική Θάλασσα
ΝΟΡΒΗΓΙΑ
ΣΟΥΗΔΙΑ
ΦΙΝΛΑΝΔΙΑ
Βοθνικός Κ.
Ονέγκα
Λαντόγκα
Λευκή Θάλ.
Ελσίνκι
Όσλο
Στοκχόλμη
Ταλίν
ΕΣΘΟΝΙΑ
Ρίγα
ΛΕΤΤΟΝΙΑ
ΛΙΘΟΥΑΝΙΑ
Βαλτική Θάλ.
ΡΩΣΙΑ (Ευρ.)
Μόσχα
ΙΡΛΑΝΔΙΑ
Δουβλίνο
ΜΕΓΑΛΗ ΒΡΕΤΑΝΙΑ
Λονδίνο
Βόρεια Θάλασσα
ΔΑΝΙΑ
Κοπεγχάγη
ΚΟΙΝΟΠΟΛΙΤΕΙΑ ΑΝΕΞΑΡΤΗΤΩΝ ΚΡΑΤΩΝ (ΕΥΡ.)
Βίλνα
Μινσκ
ΟΛΛΑΝΔΙΑ
Άμστερνταμ
Θάλασσα της Μάγχης
Βρυξέλλες
ΒΕΛΓΙΟ
Βόννη
ΓΕΡΜΑΝΙΑ
Βαρσοβία
ΠΟΛΩΝΙΑ
ΛΕΥΚΟΡΩΣΙΑ
Αράλη
ΛΟΥΞΕΜΒΟΥΡΓΟ
Παρίσι
Πράγα
ΤΣΕΧΟΣΛΟΒΑΚΙΑ
Κίεβο
ΟΥΚΡΑΝΙΑ
Βισκαϊκός Κόλπος
Βιέννη
Βέρνη
ΛΙΧΤΕΝΣΤΑΪΝ
ΕΛΒΕΤΙΑ
ΑΥΣΤΡΙΑ
Βουδαπέστη
ΟΥΓΓΑΡΙΑ
ΜΟΛΔΑΒΙΑ
Κισινέφ
Κασπία Θάλασσα
ΓΑΛΛΙΑ
ΡΟΥΜΑΝΙΑ
ΓΕΩΡΓΙΑ
Τιφλίδα
Μπακού
ΜΟΝΑΚΟ
ΑΓΙΟΣ ΜΑΡΙΝΟΣ
Βελιγράδι
Βουκουρέστι
Μαύρη Θάλασσα
Εύξεινος Πόντος
ΑΡΜΕΝΙΑ
ΑΖΕΡΜΠΑΪΖΑΝ
ΑΝΔΟΡΡΑ
ΠΙΟΥΓΚΟΣΛΑΒΙΑ
ΒΟΥΛΓΑΡΙΑ
Ερεβάν
Λισσαβώνα
ΠΟΡΤΟΓΑΛΙΑ
Μαδρίτη
Ν. Κορσική
Αδριατική Θάλ.
Σόφια
ΒΑΤΙΚΑΝΟ
Ρώμη
ΙΤΑΛΙΑ
Τίρανα
ΑΛΒΑΝΙΑ
ΤΟΥΡΚΙΑ (Ευρ.)
ΙΣΠΑΝΙΑ
Ν. Βαλεαρίδες
ΕΛΛΑΔΑ
Αιγαίο Π.
Ν. Σαρδηνία
ΓΙΒΡΑΛΤΑΡ (Βρετ.)
Αθήνα
Ν. Σικελία
Ν. Ρόδος
ΜΑΛΤΑ
ΚΥΠΡΟΣ
Λευκωσία
Ν. Κρήτη
Μ Ε Σ Ο Γ Ε Ι Ο Σ   Θ Α Λ Α Σ Σ Α
Α Φ Ρ Ι Κ Η
Χιλιόμετρα 200 0 200 400 600 800 Χιλιόμετρα
10° 5° 0° 5° 10° 15° 20° 25° 30° 35° 40° 45° 50°
55° 50° 45° 40° 35° 30°

LESSON 7

THE VERB "TO BE"
USING Ναι = Yes AND Όχι = No

Είμαι = I am	Είμαστε = We are
Είσαι = You are	Είστε (είσαστε) = You are
Είναι = He, She, It is	Είναι = They are

NOTE: The word είναι has a singular and plular meaning. It means is and are.

VOCABULARY

ο Έλληνας,	η Ελληνίδα	= Greek
ο Κύπριος,	η Κυπρία	= Cypriot
ο Άγγλος,	η Αγγλίδα	= English
ο Βρετανός,	η Βρετανίδα	= British
ο Γάλλος,	η Γαλλίδα	= French
ο Γερμανός,	η Γερμανίδα	= German
ο Ιταλός,	η Ιταλίδα	= Italian
ο Αμερικανός,	η Αμερικάνα (ίδα)	= American
ο Ιρλανδός,	η Ιρλανδέζα	= Irish
ο Σκωτσέζος,	η Σκωτσέζα	= Scottish
ο Ουαλός,	η Ουαλέζα	= Welsh
ο Σουηδός,	η Σουηδέζα	= Swedish

Examples:

Είμαι Έλληνας / Ελληνίδα	= I am Greek
Είσαι Άγγλος / Αγγλίδα	= You are English
Είναι Γάλλος / Γαλλίδα	= He / She is French

54

Είμαστε ΄Ελληνες / Ελληνίδες = We are Greeks
Είστε Άγγλοι / Αγγλίδες = You are English
Είναι Γάλλοι / Γαλλίδες = They are French

1. The word **Ναι** means yes; the word **μάλιστα** means certainly.
2. The word **όχι** means No or not. The word όχι is used in statements, e.g. Θέλω καφέ, **όχι** τσάι = I want coffee not tea.
3. The word δεν is a negative particle meaning not, e.g. δεν θέλω = I do not want.
4. The word **μην (μη)** is also negative meaning do not and is used with commands, e.g. Μην καπνίζεις = Do not smoke.

QUESTIONS AND ANSWERS - ABOUT YOURSELF

We use **είσαι** - i.e. the 2nd person singular, if we want to ask in an informal way.
We use **είστε** or **είσαστε** - i.e. the 2nd person plural, if we want to ask in a formal way.

Question	Answer
Είσαι ΄Ελληνας; Are you Greek?	Ναι, είμαι ΄Ελληνας. Yes, I am Greek.
Είσαι Άγγλος; Are you English?	Ναι, είμαι Άγγλος. Yes, I am English.
Είσαι Αγγλίδα;	Ναι, είμαι Αγγλίδα.

55

Are you English?	Yes, I am English.
Είσαι Ιταλός;	Όχι, δεν είμαι Ιταλός.
Are you Italian?	No, I am not Italian.
Είστε Γερμανίδα;	Όχι, δεν είμαι Γερμανίδα.
Are you German?	No, I am not German.
Είστε Γαλλίδα;	Όχι, δεν είμαι Γαλλίδα.
Are you French?	No, I am not French.
Είστε Κύπριος;	Ναι, είμαι Κύπριος.
Are you Cypriot?	Yes, I am Cypriot.

PERSONAL PRONOUNS

The Personal Pronoun in the Nominative case is used to indicate emphasis.

		(Singular)	(Plural)
1st person		εγώ = I	εμείς = we
2nd »		εσύ = you	εσείς = you
3rd »	(M)	αυτός = he	αυτοί = they
	(F)	αυτή = she	αυτές = they
	(N)	αυτό = it	αυτά = they

Expamples:

Εγώ είμαι Έλληνας/ίδα = I am Greek.
Εσύ είσαι Άγγλος/ίδα = You are English.
Αυτός είναι Γάλλος = He is French.
Αυτή είναι Αγγλίδα = She is English.

Εμείς είμαστε Έλληνες = We are Greeks.
Εσείς είστε Αμερικανοί = You are American.
Αυτοί είναι Άγγλοι = They are English.

EXERCISE 8

Complete the following sentences:
Example: Εγώ είμαι..................... (Greek)
Answer: Εγώ είμαι Έλληνας / Ελληνίδα.

1. Εγώ είμαι .... (English)
2. Εσύ είσαι .... (Cypriot)
3. Αυτός είναι .... (French)
4. Αυτή είναι .... (Italian)
5. Εμείς είμαστε .... (British)
6. Εσείς είστε / είσαστε .... (Greeks)
7. Αυτοί είναι .... (Cypriots)
8. Αυτές είναι .... (English)
9. Εγώ είμαι .... (Welsh)
10. Εσύ είσαι .... (Irish)
11. Αυτός είναι .... (Scottish)
12. Αυτή είναι .... (German)
13. Εμείς είμαστε .... (American)
14. Εσείς είστε .... (English)
15. Αυτοί είναι .... (Swedish)

MORE QUESTIONS and ANSWERS - ABOUT OTHERS

Examples:
Ο Κώστας είναι Έλληνας;   Ναι, είναι Έλληνας.

57

Is Costas Greek?	Yes, he is Greek.
Η Σάντρα είναι Γαλλίδα; Is Sandra French?	Όχι, δεν είναι Γαλλίδα. No, she is not French.
Ο Γιάννης είναι Άγγλος; Is John English?	Όχι, δεν είναι Άγγλος. No, he is not English.
Η Ελένη είναι Αγγλίδα; Is Helen English?	Ναι, είναι Αγγλίδα. Yes, she is English.
Ο Ρόμπερτ είναι Έλληνας; Is Robert Greek?	Όχι, δεν είναι Έλληνας. No, he is not Greek.
Η Τερέζα είναι Ιταλίδα; Is Tereza Italian?	Ναι, είναι Ιταλίδα. Yes, she is Italian.

EXERCISE 9
Answer the following questions:
Example:

Ο Κώστας είναι Άγγλος; Is Costas English?	Όχι, δεν είναι Άγγλος. No, he is not English.
1. Η Σούζαν είναι Αγγλίδα; Is Susan English?	Ναι, είναι .... Yes, she is English.
2. Ο Πέτρος είναι Ιταλός; Is Peter Italian?	Όχι, δεν είναι......... No, He is not Italian.
3. Ο Μάρκος είναι Γάλλος; Is Mark French?	Ναι .... Yes, he is French.

4. Η Γεωργία είναι Κυπρία;   Ναι ....
Is Georgia Cypriot?   Yes, she is a Cypriot.

5. Ο Κάρολος είναι Γερμανός;   Όχι ....
Is Charles German?   No he is not.

6. Ο Κάρτερ είναι Αμερικανός;   Ναι ....
Is Carter American?   Yes ....

7. Η Χριστίνα είναι Ελληνίδα;   Ναι ....
Is Christina Greek?   Yes ....

8. Ο Θωμάς είναι Ισπανός;   Όχι ....
Is Thomas Spanish?   No ....

9. Ο Βύρωνας είναι Άγγλος;   Ναι ....
Is Byron English?   Yes he is English.

10. Ο Καζαντζάκης είναι Έλληνας;   Ναι ....
Is Kazantzakis Greek?   Yes ....

59

Athens - Omonia Square

Aristotle Square - Thessaloniki

LESSON 8

ASKING FOR DIRECTIONS

Πού είναι; Where is?

VOCABULARY

το μουσείο = museum
το εστιατόριο = restaurant
η τράπεζα = bank
το ταχυδρομείο = post office
η ταβέρνα = taverna
η πλατεία = square
το στάδιο = stadium
το περίπτερο = kiosk
η εκκλησία = church
ο φούρνος = bakery
το ζαχαροπλαστείο = patisserie
το θέατρο = theatre
πρώτος, η, ο = first
δεύτερος, η, ο = second
τρίτος, η, ο = third
τέταρτος, η, ο = fourth
με συγχωρείτε = excuse me
στον, στην, στο, στα = in, on, to, at
εκεί = there

masc
fem   neut plural
              neut.

απέναντι = opposite, across
η τουαλέτα = toilet
η αγορά = market
αριστερά = left
δεξιά = right
κοντά = near
μακριά = far
ευθεία = straight
το στενό = turning · also narrow
                        or side street
η οδός = street
το κατάστημα = shop
με τα πόδια = on foot
το λεωφορείο = bus
η πλαζ = beach
παρακαλώ = please
εδώ = here
η πισίνα = swimming pool
η στάση = bus stop
υπάρχει; = Is there?

61

Examples

Πού είναι το μουσείο παρακαλώ; Where is the museum please?
Είναι στα δεξιά.   It is on the right.

Πού είναι η τράπεζα παρακαλώ; Where is the bank please?
Είναι στα αριστερά.   It is on the left.

Πού είναι το ταχυδρομείο παρακαλώ; Where is the post office?
Είναι στο πρώτο στενό, δεξιά. It is on the first turning on the right.

Πού είναι η ταβέρνα παρακαλώ; Where is the taverna please?
Είναι στην πλατεία.   It is in the square.

Πού είναι η πλατεία;   Where is the square?
Είναι στο τρίτο στενό, αριστερά. It is on the third turning on the
                                          left.

Η πλαζ είναι μακριά;   Is the beach far away?
Όχι, είναι πέντε λεπτά με τα πόδια. No, it is five minutes on foot.

Το θέατρο είναι εδώ κοντά;   Is the theatre near here?
Ναι, είναι ευθεία.   Yes, it is straight ahead.

Πού είναι η στάση παρακαλώ;   Where is the bus stop please?
Είναι εκεί, στα δεξιά.   It is there, on the right.

Με συγχωρείτε, υπάρχει τουαλέτα εδώ κοντά;
Excuse me, is there a toilet near here?

Ναι, είναι εκεί στα αριστερά. Yes, it is there on the left.

EXERCISE 10.
Complete the following sentences:

1. Το ταχυδρομείο είναι .... (on the left).
2. Η εκκλησία είναι .... (on the right).
3. Το θέατρο είναι .... (sraight ahead).
4. Το εστιατόριο είναι .... (near here).
5. Η πλαζ είναι .... (far away).
6. Το κατάστημα είναι .... (on the left).
7. Η αγορά είναι .... (2nd turning on the left).
8. Το ζαχαροπλαστείο είναι .... (3rd turning on the right).
9. Το περίπτερο είναι .... (opposite, across the road).
10. Ο φούρνος είναι .... (straight ahead).
11. Το στάδιο είναι .... (5 minutes on the bus).
12. Η τράπεζα είναι .... (4th turning on the left).

Εθνικές Ενδυμασίες - National Costumes

63

ΧΑΡΤΗΣ ΤΗΣ ΑΘΗΝΑΣ

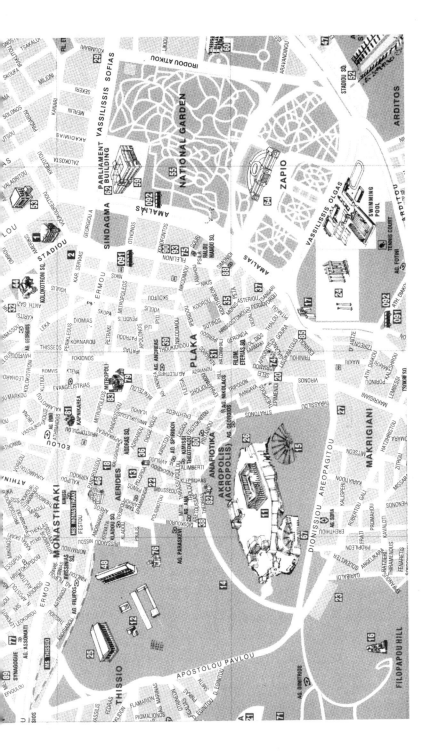

LESSON 9

THE NUMBERS – Οι Αριθμοί

0 = μηδέν *neut* *masc* *fem*
1 = ένα (ένας, μία)*
2 = δύο *neut* *masc+fem*
3 = τρία (τρεις)*
4 = τέσσερα (τέσσερις)*
5 = πέντε
6 = έξι
7 = εφτά (επτά)
8 = οχτώ (οκτώ)
9 = εννέα (εννιά)
10 = δέκα

11 = ένδεκα (έντεκα)
12 = δώδεκα
13 = δεκατρία (*)
14 = δεκατέσσερα (*)
15 = δεκαπέντε
16 = δεκαέξι
17 = δεκαεφτά } *can use either*
(δεκαεπτά) } *No difference in meaning.*
18 = δεκαοχτώ
19 = δεκαεννιά
20 = είκοσι

(*) Note: The word ένας refers to masculine words, μια refers to feminine words and ένα refers to neuter words. The words τρία and τέσσερα refer to neuter words and τρεις and τέσσερις refer to masculine and feminine words. This also applies to all numbers ending in three or four.

Examples – You order the following:

Ένα παγωτό = One ice cream
Δύο παγωτά = Two ice creams
Τρία παγωτά = Three ice creams
Μία μπίρα = One beer
Δύο μπίρες = Two beers
Τρεις μπίρες = Three beers

έναν καφέ = One coffee
δύο καφέδες = Two coffees
τρεις καφέδες = Three coffees
μία πορτοκαλάδα = One orangeade
δύο λεμονάδες = Two lemonades
τρεις κόκα-κόλα = Three coca-cola

At the greengrocer's. You order the following:

Μισό κιλό μανιτάρια = half a kilo of mushrooms
Ένα κιλό ροδάκινα = a kilo of peaches
Δύο κιλά κεράσια = two kilos of cherries
Τρία κιλά μήλα = three kilos of apples
Τρία κιλά αχλάδια = three kilos of pears
Τέσσερα κιλά ντομάτες = four kilos of tomatoes
Πέντε κιλά πορτοκάλια = five kilos of oranges
Έξι κιλά κρεμμύδια = six kilos of onions
Εφτά κιλά πατάτες = seven kilos of potatoes

More Numbers....

10 = δέκα	600 = εξακόσια
20 = είκοσι	700 = εφτακόσια
30 = τριάντα	800 = οχτακόσια
40 = σαράντα	900 = εννιακόσια
50 = πενήντα	1,000 = χίλια, -οι, -ες *next, max, fem*
60 = εξήντα	2,000 = δύο χιλιάδες
70 = εβδομήντα	3,000 = τρεις χιλιάδες
80 = ογδόντα	10,000 = δέκα χιλιάδες
90 = ενενήντα	50,000 = πενήντα χιλιάδες
100 = εκατόν(ν)*	500,000 = πεντακόσιες
200 = διακόσια	χιλιάδες
300 = τριακόσια	1,000,000 = ένα εκατομμύριο
400 = τετρακόσια	2,000,000 = δύο εκατομμύρια
500 = πεντακόσια	

(*) The final ν is used when the next word begins with a vowel. - but only when the next word is a number.

67

N.B. The numbers from 200 to 1000 end according to the gender, e.g.

masc	*fem*	*neut*
διακόσιοι άντρες,	διακόσιες γυναίκες,	διακόσια παιδιά
τριακόσιοι »	τριακόσιες »	τριακόσια »
τετρακόσιοι »	τετρακόσιες »	τετρακόσια »
πεντακόσιοι »	πεντακόσιες »	πεντακόσια »
χίλιοι »	χίλιες »	χίλια »

When we want to refer to the age of a person, we say that he / she is:

εικοσάρης	– εικοσάρα	= in his / her	20's
τριαντάρης	– τριαντάρα	= »	30's
σαραντάρης	– σαραντάρα	= »	40's
πενηντάρης	– πενηντάρα	= »	50's
εξηντάρης	– εξηντάρα	= »	60's
εβδομηντάρης	– εβδομηντάρα	= »	70's
ογδοντάρης	– ογδοντάρα	= »	80's

ORDINALS – TAKTIKA — Singular

πρώτος, η, ο = first	ένατος, η, ο = 9th
δεύτερος, η, ο = second	δέκατος, η, ο = 10th
τρίτος, η, ο = third	ενδέκατος, η, ο = 11th
τέταρτος, η, ο = 4th	δωδέκατος, η, ο = 12th
πέμπτος, η, ο = 5th	δέκατος τρίτος = 13th
έκτος, η, ο = 6th	δέκατος τέταρτος = 14th
έβδομος, η, ο = 7th	δέκατος πέμπτος = 15th
όγδοος, η, ο = 8th	εικοστός = 20th

εικοστός πρώτος = 21st   πεντηκοστός = 50th
εικοστός δεύτερος = 22nd   εκατοστός = 100th
τριακοστός = 30th   διακοσιοστός = 200th
τεσσαρακοστός = 40th   χιλιοστός = 1000 th

Examples
Ο Γενάρης είναι **ο πρώτος** μήνας του χρόνου =
January is the first month of the year.

Ο Φλεβάρης είναι **ο δεύτερος** μήνας του χρόνου =
February is the second month of the year

Ο Μάρτιος είναι **ο τρίτος** μήνας του χρόνου =
March is the third month of the year

Ο Απρίλιος είναι **ο τέταρτος** μήνας του χρόνου =
April is the fourth month of the year.

EXERCISE 11
Basic Arithmetic – Απλή Αριθμητική

Example:
ένα και ένα κάνουν δύο = One add one makes two.

Complete the following:
1. Ένα και δύο κάνουν .....
2. Δύο και τρία κάνουν ....
3. Τρία και τρία κάνουν ....
4. Τρία και τέσσερα κάνουν .....
5. Τέσσερα και ένα κάνουν ......
6. Πέντε και δύο κάνουν ....

7. Πέντε και τρία κάνουν ....

8. Πέντε και τέσσερα κάνουν ...

9. Έξι και δύο κάνουν ....

10. Έξι και τρία κάνουν ....

11. Έξι και τέσσερα κάνουν .....

12. Εφτά και οκτώ κάνουν ......

13. Οκτώ και εννέα κάνουν .....

14. Εννέα και πέντε κάνουν ....

15. Δέκα και έξι κάνουν .....

16. Δώδεκα και οκτώ κάνουν ..

17. Δεκατρία και τέσσερα κάνουν ....

18. Δεκαπέντε και εφτά κάνουν ...

Κως - ερείπια Ασκληπιείου

LESSON 10
THE DAYS OF THE WEEK
Οι μέρες της εβδομάδας

η Κυριακή	= Sunday	η Πέμπτη	= Thursday	
η Δευτέρα	= Monday	η Παρασκευή	= Friday	
η Τρίτη	= Tuesday	το Σάββατο	= Saturday	
η Τετάρτη	= Wednesday			

Οι μήνες – The months

ο Ιανουάριος	Γενάρης	= January
ο Φεβρουάριος	Φλεβάρης	= February
ο Μάρτιος	Μάρτης	= March
ο Απρίλιος	Απρίλης	= April
ο Μάιος	Μάης	= May
ο Ιούνιος	Ιούνης	= June
ο Ιούλιος	Ιούλης	= July
ο Αύγουστος	–	= August
ο Σεπτέμβριος	Σεπτέμβρης	= September
ο Οκτώβριος	Οκτώβρης	= October
ο Νοέμβριος	Νοέμβρης	= November
ο Δεκέμβριος	Δεκέμβρης	= December

Οι εποχές – The seasons

η Άνοιξη	= Spring
το Καλοκαίρι	= Summer
το Φθινόπωρο	= Autumn
ο Χειμώνας	= Winter

71

Examples:

Σήμερα είναι Δευτέρα = Today is Monday.
Σήμερα είναι Τρίτη = Today is Tuesday.
Σήμερα είναι Τετάρτη = Today is Wednesday.

Αύριο θα είναι Κυριακή = Tomorrow will be Sunday.
Αύριο θα είναι Πέμπτη = Tomorrow will be Thursday.
Αύριο θα είναι Παρασκευή = Tomorrow will be Friday.

Χτες (Χθες) ήταν Σάββατο = Yesterday was Saturday.
Χτες ήταν Δευτέρα = Yesterday was Monday.
Χτες ήταν Τρίτη = Yesterday was Tuesday.

Σήμερα είναι Today is	Κυριακή Δευτέρα Τρίτη Τετάρτη Πέμπτη Παρασκευή Σάββατο	Αύριο θα είναι .... <hr>Tomorrow will be

Οι μήνες = The months

Τώρα είναι .... Now it is	Γενάρης Φλεβάρης Μάρτης Απρίλης Μάης Ιούνης Ιούλης	Μετά θα είναι .... Then it will be ....

Αύγουστος
Σεπτέμβρης
Οκτώβρης
Νοέμβρης
Δεκέμβρης

Γεννήθηκα τον
I was born in

ΙΑΝΟΥΑΡΙΟ
ΦΕΒΡΟΥΑΡΙΟ
ΜΑΡΤΙΟ
ΑΠΡΙΛΙΟ
ΜΑΪΟ
ΙΟΥΝΙΟ
ΙΟΥΛΙΟ

οτέ γεννήθηκες *when* you were born ΑΥΓΟΥΣΤΟ
ΣΕΠΤΕΜΒΡΙΟ
ΟΚΤΩΒΡΙΟ
ΝΟΕΜΒΡΙΟ
ΔΕΚΕΜΒΡΙΟ

Examples:

1. Κάθε Κυριακή πηγαίνω στην εκκλησία.
Every Sunday I go to the church.

2. Τη Δευτέρα πηγαίνω στη δουλειά.
On Monday I go to work.

3. Τον Ιούλιο πηγαίνω στην Ελλάδα.
In July I go to Greece.

73

4. Το καλοκαίρι κάνει ζέστη στην Ελλάδα.
It is hot in Greece in the Summer.

5. Το χειμώνα κάνει κρύο στην Αγγλία.
It is cold in England in the Winter.

6. Σήμερα είναι Κυριακή 15 Μαρτίου.
Today is Sunday 15th March.

EXERCISE 12
Practise using the months

Τα ζώδια = Signs of the Zodiac

> Γεννήθηκα τον ....
> είμαι ....
> I was born in ....
> I am ....

ΚΡΙΟΣ	= Aries	21.3	-	20.4
ΤΑΥΡΟΣ	= Taurus	21.4	-	20.5
ΔΙΔΥΜΟΙ	= Gemini	21.5	-	21.6
ΚΑΡΚΙΝΟΣ	= Cancer	22.6	-	23.7
ΛΕΩΝ	= Leo	24.7	-	23.8
ΠΑΡΘΕΝΟΣ	= Virgo	24.8	-	23.9
ΖΥΓΟΣ	= Libra	24.9	-	23.10
ΣΚΟΡΠΙΟΣ	= Scorpio	24.10	-	22.11
ΤΟΞΟΤΗΣ	= Sagittarius	23.11	-	21.12
ΑΙΓΟΚΕΡΩΣ	= Capricorn	22.12	-	20.1
ΥΔΡΟΧΟΟΣ	= Aquarius	21.1	-	19.2
ΙΧΘΥΕΣ	= Pisces	20.2	-	20.3

Larnaca, Cyprus

LESSON 11
Ο καιρός - The weather
Τι καιρό κάνει; What is the weather like?

VOCABULARY

η ζέστη = heat, warmth
κάνει ζέστη = It's hot
ο ήλιος = sun
έχει ήλιο = It's sunny
η δροσιά = cool, coolness
έχει δροσιά = It's cool
η λιακάδα =sunshine
η βροχή = rain
βρέχει = It's raining
η θερμοκρασία = temperature
η βροντή = thunder

το κρύο = cold
κάνει κρύο = It's cold
το σύννεφο = cloud
έχει συννεφιά = It's cloudy
φυσάει = It's windy
ο άνεμος = wind
το χιόνι = snow
χιονίζει = It's snowing
ο βαθμός = degree
η αστραπή = lightning

Examples

Την άνοιξη έχει δροσιά	-	It is cool in the spring
Το καλοκαίρι κάνει ζέστη	-	It is hot in the summer
Το φθινόπωρο βρέχει	-	It is raining in the autumn
Το χειμώνα κάνει κρύο	-	It is cold in the winter
Τον Ιανουάριο χιονίζει	-	It snows in January

Questions and Answers

Τι καιρό κάνει σήμερα;
What is the weather like today?

(α) Βρέχει
It's raining.

Τι καιρό κάνει στην Ελλάδα;

(β) Κάνει ζέστη

What is the weather like in Greece?	It's hot.
Τι καιρό κάνει στην Αγγλία; What is the weather like in England?	(γ) Χιονίζει It's snowing.
Τι καιρό κάνει στην Κύπρο; What is the weather like in Cyprus?	(δ) Έχει δροσιά It's cool.
Τι καιρό κάνει τον Δεκέμβριο; What is the weather like in December?	(ε) Φυσάει It's windy.

Using the above examples practise by using the months or different parts of Britain or Greece:

Τι καιρό κάνει; What is the weather like?

1. στο Λονδίνο; (London)
2. στο Έσσεξ; (Essex)
3. στην Σκωτία; (Scotland)
4. στην Ουαλία; (Wales)
5. στο Ντόρσετ; (Dorset)
6. στο Λίβερπουλ; (Liverpool)
7. στο Μάντσεστερ; (Manchester)
8 στην Κορνουάλη; (Cornwall)
9. στο Σάσσεξ; (Sussex)
10. στο Ντέβον; (Devon)

11. στο Μπλάκπουλ; (Blackpool)
12. στο Νιουκάσλ; (Newcastle)
13. στο Μπρίστολ; (Bristol)
14. στο Γιόρκσαϊρ; (Yorkshire)
15. στο Μπέρμιγχαμ; (Birmingham)
16. στην Κρήτη; (Crete)
17. στη Ρόδο; (Rhodes)
18. στην Πάτρα; (Patra)
19. στην Κέρκυρα; (Corfu)
20. στη Θεσσαλονίκη; (Salonica)

Τι καιρό θα έχουμε; What's the weather going to be like?

Τι καιρό θα έχουμε αύριο;
What's the weather going to be like tomorrow?

Αύριο θα έχουμε λιακάδα.
Tomorrow it will be sunny. (lit. we'll have sunshine).

Τι καιρό θα έχουμε την Κυριακή;
What's the weather going to be like on Sunday?

Την Κυριακή θα βρέχει.
On Sunday it will be raining.

Τι καιρό θα έχουμε την Τρίτη;
What's the weather going to be like on Tuesday?

Την Τρίτη θα έχει συννεφιά.
On Tuesday it will be cloudy.

Τι καιρό θα έχουμε την Πέμπτη;
What's the weather going to be like on Thursday?

Την Πέμπτη θα έχουμε τριάντα βαθμούς.
On Thursday it will be (lit. we'll have) 30 degrees.

Διάλογος 1
Στο τηλέφωνο - On the telephone

Γιώργος : Καλημέρα Τζάνετ.
Τζάνετ : Καλημέρα Γιώργο, τι κάνεις;

Γιώργος : Πολύ καλά, ευχαριστώ, εσύ;
Τζάνετ : Μια χαρά. Πώς είναι η οικογένειά σου;
Γιώργος : Είναι όλοι καλά, ευχαριστώ. Τι καιρό κάνει
στο Λονδίνο;
Τζάνετ : Σήμερα βρέχει. Στην Αθήνα;
Γιώργος : Εδώ έχουμε λιακάδα.

Διάλογος 2
Στο κινητό - On the mobile

Άννα : Γεια σου Κώστα, τι κάνεις;
Κώστας : Γεια σου Άννα, πολύ καλά, ευχαριστώ, εσύ;
Άννα : Καλά, είμαι λίγο κουρασμένη; Τι καιρό κάνει
στο Μάντσεστερ;
Κώστας : Το πρωί είχαμε συννεφιά, τώρα βρέχει. Στο
Λονδίνο;
Άννα : Το πρωί είχαμε λιακάδα, τώρα έχει συννεφιά.

Notes: η οικογένεια = family   κουρασμένος = tired
είχαμε λιακάδα = we had sunshine (i.e. it was sunny)
είχαμε συννεφιά = we had a cloudy weather (i.e. it was
cloudy)

Practise these dialogues by asking about the weather in different parts of the country.

Χάρτης του Μετρό της Αθήνας
Athens Underground

ΓΡΑΜΜΗ 1 - LINE 1
ΚΗΦΙΣΙΑ - ΠΕΙΡΑΙΑΣ

ΓΡΑΜΜΗ 2 - LINE 2
ΠΕΡΙΣΤΕΡΙ - ΗΛΙΟΥΠΟΛΗ

ΓΡΑΜΜΗ 3 - LINE 3
ΣΤΑΥΡΟΣ - ΑΙΓΑΛΕΩ

Σκηνή από χιονοδρομικό κέντρο της Ηπείρου

LESSON 12

GREEK MONEY – ΤΑ ΕΛΛΗΝΙΚΑ ΛΕΦΤΑ
ASKING THE PRICE

Πόσο κάνει; Πόσο κάνουν(ε);
How much does it cost?   **How much do they cost?**

There are four ways to ask about the price of one item. You can say:

1. **Πόσο κάνει;** 2. **Πόσο κοστίζει;** 3. **Πόσο έχει;**
4. **Πόσο στοιχίζει;** = How much does it cost?

Examples:

	ο καφές;	How much does the coffee cost?
Πόσο κάνει	η μπίρα;	How much does the beer cost?
	αυτό το φόρεμα;	How much does this dress cost?

To ask about the price of more than one item, you can say:

1. **Πόσο κάνουν(ε);** 2. **Πόσο κοστίζουν;** 3. **Πόσο έχουν;** 4. **Πόσο στοιχίζουν;** = How much do they cost?

Examples:

	οι ντομάτες;	How much do the tomatoes cost?
Πόσο κάνουν	τα μήλα;	How much do the apples cost?
	τα αχλάδια;	How much do the pears cost?

ORDERING VARIOUS THINGS

Ένα κιλό ντομάτες παρακαλώ = A kilo of tomatoes
please.

Ένα μπουκάλι ρετσίνα = A bottle or retsina.

Δύο κιλά μήλα = Two kilos of apples.
Δέκα κιλά πατάτες = Ten kilos of potatoes.
Μισό κιλό φασόλια = Half a kilo of beans.
Ένα τέταρτο μανιτάρια = A quarter (of a kilo) of
mushrooms.
Θέλω ένα πεπόνι = I want a sweet melon.
Μια κασέτα παρακαλώ = A cassette please.
Μια ελληνική βιντεοκασέτα = A Greek video cassette.

NOTE: το κιλό = The kilo, per kilo
το μισό κιλό = half a kilo

ΤΟ ΕΥΡΩ = THE EURO

The **Ευρώ** - the Euro is the new unit of currency of Greece as from the 1st January 2002. The Euro replaced the Greek Drachma. The Greek **Ευρώ** is divided into 100 **Λεπτά**.

The following banknotes and coins are in circulation:

Coins	Banknotes
1 λεπτό	5 ευρώ
2 λεπτά	10 ευρώ
5 λεπτά	20 ευρώ
10 λεπτά	50 ευρώ
20 λεπτά	100 ευρώ
50 λεπτά	200 ευρώ
1 ευρώ	500 ευρώ
2 ευρώ	

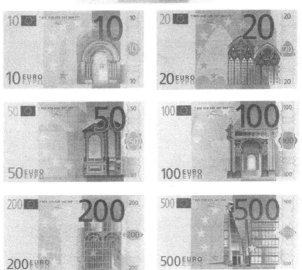

ΔΙΑΛΟΓΟΣ: Στα καταστήματα = At the shops.

Πελάτης: Σας παρακαλώ, πόσο κάνει αυτό το πανταλόνι;

Υπάλληλος: Ποιο πανταλόνι; Αυτό εκεί το γκρίζο;

Π: Όχι, αυτό το μπλε παρακαλώ.

Υ: Κοστίζει 58 ευρώ.

Π: Θέλω και ένα άσπρο πουκάμισο.

Υ: Θέλετε μεταξωτό ή συνθετικό;

Π: Προτιμώ το συνθετικό, γιατί είναι πιο πρακτικό.

Υ: Θέλετε τίποτα άλλο;

Π: Α! Ναί, ξέχασα, μια κόκκινη γραβάτα ριγέ, παρακαλώ. Πόσο κάνουν όλα μαζί;

Υ: 130 ευρώ, παρακαλώ.

CYPRUS MONEY = ΚΥΠΡΙΑΚΑ ΛΕΦΤΑ

The Cyprus unit of currency is the Pound = **η Λίρα.** One Cyprus Pound has 100 cents. The following banknotes and coins are in circulation:

Bank notes: £20, £10, £5,   £1

Coins cents: 50,   20,   10,   5,   2,   1

Στο Μανάβικο - At the Greengrocer's
Πόσο κάνει; - How much does it cost?
Πόσο κάνουν; - How much do they cost?
The prices are in Ευρώ = Euro.
Note that the singular and plural of Ευρώ is the same

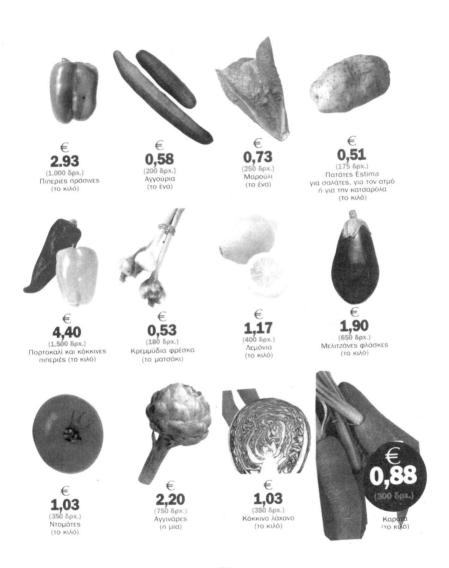

€
2.93
(1.000 δρχ.)
Πιπεριές πράσινες
(το κιλό)

€
0,58
(200 δρχ.)
Αγγούρια
(το ένα)

€
0,73
(250 δρχ.)
Μαρούλι
(το ένα)

€
0,51
(175 δρχ.)
Πατάτες Estima
για σαλάτες, για τον ατμό
ή για την κατσαρόλα
(το κιλό)

€
4,40
(1.500 δρχ.)
Πορτοκαλί και κόκκινες
πιπεριές (το κιλό)

€
0,53
(180 δρχ.)
Κρεμμύδια φρέσκα
(το ματσάκι)

€
1,17
(400 δρχ.)
Λεμόνια
(το κιλό)

€
1,90
(650 δρχ.)
Μελιτζάνες φλάσκες
(το κιλό)

€
1,03
(350 δρχ.)
Ντομάτες
(το κιλό)

€
2,20
(750 δρχ.)
Αγγινάρες
(η μία)

€
1,03
(350 δρχ.)
Κόκκινο λάχανο
(το κιλό)

€
0,88
(300 δρχ.)
Καρότα
(το κιλό)

Στο Μπακάλικο - At the Grocer's
Πόσο κάνει; - How much does it cost?
Πόσο κάνουν; - How much do they cost?
The prices are in Ευρώ = Euro.
Note that the singular and plural of Ευρώ is the same

€
0,53
(180 δρx.)
Χαρτοπετσέτες
(το πακέτο)

€
2,05
(700 δρx.)
Αβγά ειδικής α΄ ποιότητας
(το πακέτο των έξι τεμαχίων)

€
1,57
(535 δρx.)
Υγρό για τα πιάτα

€
12,47
(4.250 δρx.)
Τυρί ροκφόρ
(το κιλό)

€
1,42
(485 δρx.)
Αναψυκτικό,
(το ενάμισι λίτρο)

€
1,32
(450 δρx.)
Απορρυπαντικό ρούχων
(τα 450 γραμμάρια)

€
1,13
(385 δρx.)
Φρέσκο γάλα
(το ένα λίτρο)

€
0,82
(280 δρx.)
Γάλα εβαπορέ

€
0,79
(269 δρx.)
Μακαρόνια
(τα 500 γραμμάρια)

EXERCISE 13

The prices are given in numbers in Ευρώ and Λεπτά and are not real.

Πόσο κάνει / έχει / στοιχίζει / κοστίζει;
Πόσο κάνουν / έχουν / στοιχίζουν / κοστίζουν;

1. Ένα κιλό ψωμί (0,50)
2. Μισό λίτρο γάλα (0,52)
3. Ένα κιλό χοιρινό κρέας (3,45)
4. Πέντε λίτρα ελαιόλαδο (13,5)
5. Ένα εισιτήριο λεωφορείου (0,45)
6. Μια δωδεκάδα αβγά (2,50)
7. Ένα εισιτήριο Μετρό (0,75)
8. Ένα λίτρο χύμα κρασί (0,90)
9. Ένα κιλό ρύζι χύμα (1,20)
10. Ένα κιλό πορτοκάλια (0,60)
11. Μία εφημερίδα (0,73)
12. Μία φιάλη ουίσκι (10,25)
13. Ένα ζευγάρι γυναικεία παπούτσια (58,70)
14. Ένα τζιν πανταλόνι (52,85)
15. Ένα λεπτό κινητής τηλεφωνίας (0,30)
16. Ένα κιλό ντομάτες (1,20)
17. Ένα εισιτήριο στο σινεμά (5,90)
18. Μια φρατζόλα ψωμί (0,45)
19. Ένα γραμματόσημο (0,80)
20. Δέκα λίτρα βενζίνη (35,00)

LESSON 13

TELLING THE TIME
Τι ώρα είναι; What is the time?

η ώρα = the hour, time
το λεπτό = minute
το δευτερόλεπτο = second
και = and, past
τα μεσάνυχτα = midnight
μετά το μεσημέρι = p.m.

μισός, η, ο = half
το τέταρτο = quarter
παρά = less, to
το μεσημέρι = midday
πριν το μεσημέρι = a.m.
ακριβώς = precisely

1.00 Μία
2.00 Δύο
3.00 Τρεις
4.00 Τέσσερις
5.00 Πέντε
6.00 Έξι
7.00 Εφτά
8.00 Οχτώ
9.00 Εννιά
10.00 Δέκα
11.00 Έντεκα
12.00 Δώδεκα
1.30 Μία και μισή (μιάμιση)
2.30 Δύο και μισή (δυόμισι)

3.30 Τρεις και μισή
    (τρεισήμισι)
4.30 Τέσσερις και μισή
    (τεσσερεσήμισι)
5.30 Πέντε και μισή
    (πεντέμισι)
6.30 Έξι και μισή (εξίμισι)
7.30 Εφτά και μισή
    (εφτάμισι)
8.30 Οχτώ και μισή
    (οχτώμισι)
9.30 Εννιά και μισή
    (εννιάμισι)
10.30 Δέκα και μισή

11.30 Έντεκα και μισή 12.30 Δώδεκα και μισή
(εντεκάμισι) (δωδεκάμισι)

Τι ώρα είναι; What is the time?

Είναι εφτά		+	
	και	πέντε	7.05
		δέκα	7.10
		τέταρτο	7.15
		είκοσι	7.20
		είκοσι πέντε	7.25
Είναι εφτά	και	μισή	7.30

Είναι οχτώ		-	
	παρά	είκοσι πέντε	7.35
		είκοσι	7.40
		τέταρτο	7.45
		δέκα	7.50
		πέντε	7.55

Π.Μ. = Πριν το μεσημέρι = A.M.
Μ.Μ. = Μετά το μεσημέρι = P.M.

Examples:

1. Τι ώρα είναι; = What time is it?
2. Είναι πέντε = It is five.
3. Είναι έξι και δέκα = It is ten past six.
4. Είναι οκτώ παρά τέταρτο = It is a quarter to eight.
5. Είναι δέκα και μισή = It is half past ten.
6. Είναι ακριβώς δώδεκα = It is twelve exactly.
7. Είναι μιάμιση = It is half past one.
8. Είναι τρεις και είκοσι = It is twenty past three.

91

VOCABULARY

η άφιξη = arrival
η αναχώρηση = departure
το αεροδρόμιο = airport
η πτήση = flight
το αεροπλάνο = aeroplane
το Λονδίνο = London
το Παρίσι = Paris
η Ρώμη = Rome
το Βερολίνο = Berlin

η Μαδρίτη = Madrid
η Μόσχα = Moscow
η Βιέννη = Vienna
η Λάρνακα = Larnaca
η Νέα Υόρκη = New York
το Κάιρο = Cairo
η Θεσσαλονίκη = Thessaloniki

Στο Αεροδρόμιο – At the Airport

Τι ώρα έρχεται / φτάνει το αεροπλάνο από το Λονδίνο;
What time does the aeroplane arrive from London?
Το αεροπλάνο από το Λονδίνο έρχεται / φτάνει στις 7.15.
The aeroplane from London arrives at 7.15.
Τι ώρα φεύγει το αεροπλάνο για τη Θεσσαλονίκη;
What time does the aeroplane depart for Thessaloniki?
Το αεροπλάνο για τη Θεσσαλονίκη φεύγει στις 10.20.
The aeroplane for Thessaloniki departs at 10.20.

EXERCISE 14

ΑΦΙΞΕΙΣ = ARRIVALS	ΑΝΑΧΩΡΗΣΕΙΣ = DEPARTURES
Τι ώρα έρχεται; What time does it arrive (land)	**Τι ώρα φεύγει;** What time does it depart

ΑΦΙΞΕΙΣ		ΑΝΑΧΩΡΗΣΕΙΣ	
ΛΟΝΔΙΝΟ	7.15	ΛΟΝΔΙΝΟ	10.30
ΑΘΗΝΑ	10.20	ΑΘΗΝΑ	11.15
ΠΑΡΙΣΙ	7.45	ΠΑΡΙΣΙ	10.55
ΡΩΜΗ	8.10	ΡΩΜΗ	11.05
ΜΟΝΑΧΟ	8.25	ΜΟΝΑΧΟ	11.45
ΜΑΔΡΙΤΗ	8.40	ΜΑΔΡΙΤΗ	12.10
ΜΟΣΧΑ	0.05	ΜΟΣΧΑ	13.20
ΒΙΕΝΝΗ	9.20	ΒΙΕΝΝΗ	13.50
ΛΑΡΝΑΚΑ	10.15	ΛΑΡΝΑΚΑ	14.10
ΚΑΪΡΟ	10.30	ΚΑΪΡΟ	14.25
ΝΕΑ ΥΟΡΚΗ	11.40	ΝΕΑ ΥΟΡΚΗ	15.15

LESSON 14
THE ADJECTIVES – SINGULAR

The Adjectives describe the Nouns. Adjectives like Nouns have a gender and number, i.e. they can be masculine, feminine or neuter and they can be singular or plural in order to agree with the Noun they describe.

Adjectives in the Singular:

If there is a consonant before the final –oς then the fiminine ending is –η e.g. καλός – καλή (good), κοντός – κοντή (short). Also if before the final –oς there is a vowel but with no accent on it the feminine ending changes into –η e.g. βέβαιος – βέβαιη (sure, certain) όγδοος –όγδοη (eighth).

1. | Masculine | Feminine | Neuter | |
   |-----------|----------|--------|--|
   | καλός | καλή | καλό | = good |
   | ακριβός | ακριβή | ακριβό | = expensive |
   | φτηνός | φτηνή | φτηνό | = cheap |
   | μικρός | μικρή | μικρό | = small |
   | ζεστός | ζεστή | ζεστό | = hot |
   | ψηλός | ψηλή | ψηλό | = tall |

2. If there is a vowel with an accent before the final –oς of the Masculine, or if the ending is – ιος then the Feminine ending is – α.

νέος	νέα	νέο	= young, new
ωραίος	ωραία	ωραίο	= beautiful
πλούσιος	πλούσια	πλούσιο	= rich
γενναίος	γενναία	γενναίο	= brave

94

άγριος	άγρια	άγριο	= wild

Examples with Masculine Adjectives

1. Ο Γιάννης είναι **καλός** – John is good.
2. Ο μανάβης είναι **ακριβός** – The greengrocer is expensive.
3. Ο μπακάλης είναι **φτηνός** – The grocer is cheap.
4. Ο καφές είναι **ζεστός** – The coffee is hot.
5. Ο ψαράς είναι **ψηλός** – The fisherman is tall.

Examples with Feminine Adjectives

1. Η μητέρα είναι **καλή** – Mother is good.
2. Η ταβέρνα είναι **ακριβή** – The tavern is expensive.
3. Η γραβάτα είναι **φτηνή** – The tie is cheap.
4. Η σούπα είναι **ζεστή** – The soup is hot.
5. Η Μαρία είναι **ψηλή** – Maria is tall.

Examples with Neuter Adjectives

1. Το ξενοδοχείο είναι **καλό** – The hotel is good.
2. Το εστιατόριο είναι **ακριβό** – The restaurant is expensive.
3. Το καφενείο είναι **φτηνό** – The cafe is cheap.
4. Το τσάι είναι **ζεστό** – The tea is hot.
5. Το δέντρο είναι **ψηλό** – The tree is tall (high).

3. If the Masculine adjective ends in **–υς,** then the feminine ending is **–ια** and the Neuter ending is **–υ.**

βαθύς	βαθιά	βαθύ	= deep
βαρύς	βαριά	βαρύ	= heavy
πλατύς	πλατιά	πλατύ	= wide

4. If the Masculine ending is **–ης** and not accented on the last syllable, the Feminine ending becomes **–α** and the Neuter ending becomes **–ικο.**

τεμπέλης	τεμπέλα	τεμπέλικο	= lazy
ζηλιάρης	ζηλιάρα	ζηλιάρικο	= jealous
πεισματάρης	πεισματάρα	πεισματάρικο	= stubborn

5. Some adjectives change their Feminine ending into either **–ια** or **–η** e.g. ξανθιά – ξανθή (blonde).

φτωχός	φτωχιά	φτωχό	= poor
ξανθός	ξανθιά	ξανθό	= blonde
κακός	κακιά	κακό	= bad
γλυκός	γλυκιά	γλυκό	= sweet

6. **Colour adjectives** which end in **–ης** and accented on the last syllable change their Feminine ending into **–ια** and their Neuter ending into **–ι.**

πορτοκαλής	πορτοκαλιά	πορτοκαλί	= orange coloured

7. **Some irregular adjectives** end in **–ης** with the exception of πολύς.

πολύς	πολλή	πολύ	= a lot, many
ακριβής	ακριβής	ακριβές	= exact, precise
διεθνής	διεθνής	διεθνές	= international

8. Adjectives from Nouns:

Some Adjectives derive from Nouns. They have the following endings:

(a) –ιος, –ια, –ιο

noun   adjective

η τιμή = honesty   τίμιος, α, ο = honest
η αξία = value, worthiness   άξιος, α, ο = worthy
ο Νότος = South   νότιος, α, ο = southern
ο Βοριάς = North   βόρειος, α, ο = northern

(b) –ικός, –ική, –ικό

ο Άγγλος = English (man) αγγλικός, η, ο = English — *not to describe people-only things*
ο Έλληνας = Greek (man) ελληνικός, η, ο = Greek
ο Γάλλος = French (man) γαλλικός, η, ο = French
η Ευρώπη = Europe   ευρωπαϊκός, η, ο = European
η Ανατολή = East   ανατολικός, η, ο = eastern
η Δύση = West   δυτικός, η, ο = western

Examples

Ο καφές είναι ελληνικός   = The coffee is Greek.
Η σημαία είναι ελληνική   = The flag is Greek.
Το κρασί είναι γαλλικό   = The wine is French.
Ο αγγλικός καιρός   = The English weather.
Η μπίρα είναι αγγλική   = The beer is English.
Το εστιατόριο είναι ιταλικό   = The restaurant is Italian.

NOTE: The adjectives of places do not take a capital letter.

97

adjective.

nan (c) **–ιμος, –ιμη, –ιμο**
η χρήση – χρήσιμος, η, ο   = useful
The use.

(d) **–ινος, –ινη, –ινο**
το ξύλο - ξύλινος, η, ο   = wooden
το χαρτί - χάρτινος, η, ο   = paper
Bull το βόδι - βοδινός, η, ο   = beef
το μαλλί - μάλλινος, η, ο   = woollen
wool -

(e) **–ίσιος, –ίσια, –ίσιο**
το αρνί - αρνίσιος, α, ο   = lamb
το βουνό - βουνίσιος, α, ο   = mountainous

(f) **–ωτός, –ωτή, –ωτό**
το μετάξι -μεταξωτός, η, ο   = silk

(g) **–ένιος, –ένια, –ένιο**
το ασήμι = silver   ασημένιος, α, ο = silvery
το σίδερο = metal   σιδερένιος, α, ο = metalic

(h) A few nouns accented on the third syllable from the end can
also appear as adjectives e.g. ο άρρωστος = the sick man, το
άρρωστο παιδί = the sick child, η άρρωστη γυναίκα = the
sick woman.

VOCABULARY

ανοιχτός, η, ο = open   κοντός, η, ο = short
κλειστός, η, ο = shut closed   ωραίος, α, ο = beautiful, nice
καλός, η, ο = good   φτηνός, η, ο = cheap
ψηλός, η, ο = tall   ακριβός, η, ο = expensive

98

γαλάζιος, α, ο = blue
γαλανός, η, ο = for sky, eyes
κόκκινος, η, ο = red
κίτρινος, η, ο = yellow
χοντρός, η, ο = fat
λεπτός, η, ο = slim, thin
πράσινος, η, ο = green
άσπρος, η, ο = white
ξανθός, η, (ια), ο = blonde
πλούσιος, ια, ο = rich
ζεστός, η, ο = hot

η ταβέρνα = tavern
το εστιατόριο = restaurant
το κρασί = wine
η λεμονάδα = lemonade
η μπίρα = beer
το φαγητό = food
η φούστα = skirt
το δέντρο = tree
η σημαία = flag
το σχολείο = school
η τράπεζα = bank

EXERCISE 15

Complete the following sentences:
Example: Ο Νίκος είναι .... (tall)
Answer: Ο Νίκος είναι ψηλός

MASCULINE ADJECTIVES

1. Ο Γιώργος είναι .... (short)
2. Ο Μάρκος είναι .... (good)
3. Ο Ζαχαρίας είναι .... (fat)
4. Ο καφές είναι .... (hot)
5. Ο μπακάλης είναι .... (expensive)
6. Ο μανάβης είναι .... (cheap)
7. Ο ψαράς είναι .... (tall)
8. Ο κήπος είναι .... (nice)
9. Ο Πέτρος είναι ....(poor)
10. Ο Κώστας είναι .... (rich)

FEMININE ADJECTIVES

11. Η Ελένη είναι ....(tall)
12. Η Μαρία είναι .... (short)
13. Η Χριστίνα είναι .... (slim)
14. Η ταβέρνα είναι .... (cheap)
15. Η εκκλησία είναι .... (open)
16. Η τράπεζα είναι .... (closed)
17. Η Άννα είναι .... (blonde)
18. Η θάλασσα είναι .... (blue)
19. Η φούστα είναι .... (short)
20. Η σημαία είναι .... (Greek)

NEUTER ADJECTIVES

21. Το βιβλίο είναι .... (good)
22. Το μήλο είναι .... (red)
23. Το αχλάδι είναι .... (green)
24. Το πεπόνι είναι .... (yellow)
25. Το καρπούζι είναι .... (green)
26. Το κρασί είναι .... (cheap)
27. Το ξενοδοχείο είναι .... (expensive)
28. Το σχολείο είναι .... (open)
29. Το φαγητό είναι .... (hot)
30. Το εστιατόριο είναι .... (closed)

Eleftheria Square, Nicosia, Cyprus

The Cyprus Museum, Nicosia

LESSON 15

ADJECTIVES IN THE PLURAL

Singular adjectives describe singular nouns. Similarly, plural adjectives describe plural nouns. Remember: the Adjective must agree with the noun in gender and number.

Masculine Examples:

Ο δάσκαλος είναι **καλός**.
The teacher is good.

Οι δάσκαλοι είναι **καλοί**.
The teachers are good.

Ο ψαράς είναι **ψηλός**.
The fisherman is tall.

Οι ψαράδες είναι **ψηλοί**.
The fishermen are tall.

Ο κήπος είναι **ωραίος**.
The garden is nice.

Οι κήποι είναι **ωραίοι**.
The gardens are nice.

Ο μαθητής είναι **έξυπνος**.
The pupil is clever.

Οι μαθητές είναι **έξυπνοι**.
The pupils are clever.

Feminine Examples:

Η δασκάλα είναι **καλή**.
The teacher (fem.) is good.

Οι δασκάλες είναι **καλές**.
The teachers (fem.) are good.

Η ταβέρνα είναι **ανοιχτή**.
The taverna is open.

Οι ταβέρνες είναι **ανοιχτές**.
The tavernas are open.

Η σημαία είναι **ελληνική**.
The flag is Greek.

Οι σημαίες είναι **ελληνικές**.
The flags are Greek.

Η γυναίκα είναι **νέα**.
The woman is young.

Οι γυναίκες είναι **νέες**.
The women are young.

Neuter examples:

Το καφενείο είναι **ανοιχτό**.
The cafe is open.

Τα καφενεία είναι **ανοιχτά**.
The cafes are open.

Το μουσείο είναι **κλειστό**.
Τα μουσεία είναι **κλειστά**.

The museum is closed.	The museums are closed.
Το μήλο είναι **κόκκινο**.	Τα μήλα είναι **κόκκινα**.
The apple is red.	The apples are red.
Το ξενοδοχείο είναι **ακριβό**.	Τα ξενοδοχεία είναι **ακριβά**.
The hotel is expensive.	The hotels are expensive.

To form the plural endings of adjectives we change their singular endings as follows:

(1) Masculine Adjectives   **Plural endings**

-ος	-οι
-υς	-ιοι
-ής (with accent)	-ιοι
-ης	-ηδες

Examples:

έξυπνος	-έξυπνοι	= clever
καλός	-καλοί	= good
βαθύς	-βαθιοί	= deep
πορτοκαλής	-πορτοκαλιοί	= orange
τεμπέλης	-τεμπέληδες	= lazy

(2) Feminine Adjectives   **Plural endings**

-α	-ες
-η	-ες

Examples:

νέα	-νέες	= young, new
άσπρη	-άσπρες	= white
καλή	-καλές	= good
έξυπνη	-έξυπνες	= clever

(3) Neuter Adjectives   **Plural endings**

    -ο   -α

    -υ   -ια

    -ι   -ια

Examples:

καλό	-καλά	= good
άσπρο	-άσπρα	= white
βαθύ	-βαθιά	= deep
πορτοκαλί	-πορτοκαλιά	= orange
έξυπνο	-έξυπνα	= clever

Singular	Αυτός	Αυτή	Αυτό	= This
	Εκείνος	Εκείνη	Εκείνο	= That
Plural	Αυτοί	Αυτές	Αυτά	= These
	Εκείνοι	Εκείνες	Εκείνα	= Those

ADJECTIVES – AGREEMENT

An adjective agrees with its noun in **Gender, Number** and **Case.** This rule is simple when only one noun is involved; when more than one is involved things become more complicated.

1. The **Masculine** takes precedence **if people or animals are involved:**

Άντρες, γυναίκες και παιδιά ήταν όλοι **χαρούμενοι.**
= All men, women and children were **happy.**

2. The **Neuter** takes precedence **if inanimate things are involved:**
Και το ούζο και η ρετσίνα είναι **φτηνά.**
= Both ouzo and retsina are **cheap.**

3. The problem may sometimes be avoided by having the Adjective modify an all-inclusive word such as "thing".
Ο έρωτας και τα λεφτά είναι **καλό πράγμα** (Love and money are good things – lit. good thing).

4. The problem disappears if the adjective is repeated: **Καλός** είναι ο έρωτας, **καλά** και τα λεφτά.

VOCABULARY
The Colours: Τα Χρώματα

Singular	Plural	
κόκκινος, η, ο	κόκκινοι, ες, α	= red
άσπρος, η, ο	άσπροι, ες, α	= white
πράσινος, η, ο	πράσινοι, ες, α	= green
γαλάζιος, ια, ο	γαλάζιοι, ες, α	= blue
γαλανός, η, ο	γαλανοί, ες, α	= blue (for sky, eyes)
κίτρινος, η, ο	κίτρινοι, ες, α	= yellow
μαύρος, η, ο	μαύροι, ες, α	= black
γκρίζος, α, ο	γκρίζοι, ες, α	= grey
καφέ	καφέ	= brown
ροζ	ροζ	= pink
πορτοκαλής, ιά, ι	πορτοκαλιοί, ες, α	= orange

Clothes - Τα Ρούχα:
το πουκάμισο = shirt
το πανταλόνι = trousers
το παπούτσι = shoe
η γραβάτα = tie
η κάλτσα = stocking, sock

το παλτό = overcoat
το φόρεμα = dress
η φούστα = skirt
η μπλούζα = blouse
το μαντίλι = handkerchief

το σπίτι = house
μεγάλος, η, ο = large
μικρός, η, ο = small
το βάζο = vase
το μαχαίρι = knife
τηγανητός, η, ο = fried
βραστός, η, ο = boiled
ζεστός, η, ο = hot

καθαρός, η, ο = clean
φιλόξενος, η, ο = hospitable
η φρυγανιά = toast *a in fra = inhospit
το αυτοκίνητο = car
η γάτα = cat
ο σκύλος = dog
το αβγό = egg
στο (pl. στα) = on, at, in, to

EXERCISE 16

Change the following sentences into the Plural.

Example: Answer:

Το φόρεμα είναι κόκκινο   Τα φορέματα είναι κόκκινα

1. Το φόρεμα είναι γαλάζιο.
2. Το πανταλόνι είναι γκρίζο.
3. Η μπλούζα είναι άσπρη.
4. Το παλτό είναι γαλάζιο.
5. Το πουκάμισο είναι άσπρο.
6. Η γραβάτα είναι κόκκινη.
7. Το παπούτσι είναι καφέ.
8. Το μαντίλι είναι ροζ.
9. Η φούστα είναι πράσινη.
10. Το πανταλόνι είναι γαλάζιο.
11. Η μπλούζα είναι πορτοκαλιά.
12. Η γραβάτα είναι γκρίζα.
13. Το πουκάμισο είναι κίτρινο.
14. Το παπούτσι είναι μαύρο.

15. Το μαντίλι είναι άσπρο.
16. Ο ράφτης είναι κοντός.
17. Ο Έλληνας είναι φιλόξενος.
18. Ο γιατρός είναι ψηλός.
19. Ο δάσκαλος είναι καλός.
20. Ο μαθητής είναι έξυπνος.

TO ASK A QUESTION: To ask about the colour of something we say: Τι χρώμα είναι / έχει; (what colour is / has?).

Example:
Τι χρώμα είναι το βιβλίο; **or** Τι χρώμα έχει το βιβλίο;
Το βιβλίο είναι κόκκινο.

EXERCISE 17
Complete the following sentences.

1. Το φόρεμα είναι (red)
2. Το παλτό είναι (grey)
3. Το πουκάμισο είναι (white)
4. Το μαντίλι είναι (blue)
5. Η πένα είναι (green)
6. Η μπλούζα είναι (black)
7. Η γραβάτα είναι (red)
8. Το βιβλίο είναι (orange)
9. Το μολύβι είναι (green)
10. Το παπούτσι είναι (black)
11. Η φούστα είναι (black)
12. Το αυτοκίνητο είναι (yellow)
13. Το πανταλόνι είναι (brown)
14. Το μήλο είναι (red)
15. Ο σκύλος είναι (white)
16. Η γάτα είναι (black)

EXERCISE 18
Change the following sentences into the plural:

1. Το σπίτι είναι μεγάλο.
2. Η κουζίνα δεν είναι μικρή.

3. Ο κήπος είναι ωραίος.
4. Το τραπέζι δεν είναι μεγάλο.
5. Η καρέκλα είναι άσπρη.
6. Το βάζο είναι στο τραπέζι.
7. Αυτό δεν είναι ένα μαχαίρι.
8. Αυτό είναι ένα πιρούνι.
9. Εκείνο δεν είναι ένα κουτάλι.

10. Εκείνο δεν είναι ένα πιάτο.
11. Αυτό είναι ένα πιάτο.
12. Η φρυγανιά είναι στο πιάτο.
13. Το αβγό δεν είναι τηγανητό.
14. Το αβγό είναι βραστό.
15. Το τσάι είναι ζεστό.
16. Ο καφές είναι ζεστός.

EXERCISE 19
Change the following sentences into the singular.

1. Αυτά είναι κουτάλια.
2. Εκείνα είναι φλιτζάνια.
3. Τα σπίτια δεν είναι μικρά.
4. Τα αυγά είναι άσπρα.
5. Αυτοί είναι Άγγλοι.
6. Οι καφέδες δεν είναι ζεστοί.
7. Εκείνα είναι τα πιρούνια.
8. Τα ψάρια είναι τηγανητά.
9. Εκείνες είναι καρέκλες.
10. Τα πιάτα είναι καθαρά.

11. Τα ποτήρια δεν είναι γεμάτα κρασί.
12. Οι ταβέρνες είναι γεμάτες.
13. Οι κουζίνες είναι μεγάλες.
14. Οι καρέκλες είναι μικρές.
15. Οι γυναίκες δεν είναι Αγγλίδες.
16. Οι άντρες είναι Έλληνες.
17. Αυτοί είναι τουρίστες.
18. Αυτοί είναι Γάλλοι.

Nicosia, Cyprus

LESSON 16

POSSESSIVE PRONOUNS
Mine, Yours, His, Hers, etc.

The Possessive Pronoun **δικός μου** = mine, is inflected. Possessive Pronouns are formed with the adjective **δικός, δική, δικό** (belongs to), and with the Unemphatic form of the Genitive of the Personal Pronouns. They are used to indicate that something belongs to someone. They may be used as Possessive adjectives.

Possessive Adjectives Unemphatic			Possessive Pronouns Emphatic
1st		μου=My	δικός μου = mine
2nd		σου=Your	δικός σου = yours
3rd	(m)	του=His	δικός του = his
	(f)	της=Her	δικός της = hers
	(n)	του=Its	δικός του = its
1st		μας=Our	δικός μας = ours
2nd		σας=Your	δικός σας = yours
3rd		τους=Their	δικός τους = theirs

Examples:

το σπίτι μου = My house

το σπίτι σου = Your house

το σπίτι του = His house

το σπίτι της = Her house

το σπίτι του = Its house

το σπίτι μας = Our house

το σπίτι σας = Your house

το σπίτι τους = Their house

ο καφές μου =My coffee

ο καφές σου =Your coffee

ο καφές του = His coffee

ο καφές της =Her coffee

ο καφές του = Its coffee

ο καφές μας = Our coffee

ο καφές σας = Your coffee

ο καφές τους = Their coffee

το όνομά μου = My name   το όνομά του = Its name
το όνομά σου = Your name   το όνομά μας = Our name
το όνομά του = His name   το όνομά σας = Your name
το όνομά της = Her name   το όνομά τους = Their name

NOTE: If the word is accented on the third syllable from the end then an additional accent is used on the last syllable if the word is followed by μου, σου, του etc.

Όλοι μένουν στην οδό Λόρδου Βύρωνα!
They all live in Lord Byron Street !

Η διεύθυνσή **μου** είναι Λόρδου Βύρωνα 1.
Η διεύθυνσή **σου** είναι Λόρδου Βύρωνα 2.
Η διεύθυνσή **του** είναι Λόρδου Βύρωνα 3.
Η διεύθυνσή **της** είναι Λόρδου Βύρωνα 4.
Η διεύθυνσή **του** είναι Λόρδου Βύρωνα 5.
Η διεύθυνσή **μας** είναι Λόρδου Βύρωνα 6.
Η διεύθυνσή **σας** είναι Λόρδου Βύρωνα 7.
Η διεύθυνσή **τους** είναι Λόρδου Βύρωνα 8.

Our Telephone Number – Practice the numbers

Το τηλέφωνό **μου** είναι   01234567
Το τηλέφωνό **σου** είναι   78901234
Το τηλέφωνό **του** είναι   56789012
Το τηλέφωνό **της** είναι   34567891
Το τηλέφωνό **του** είναι   23456789
Το τηλέφωνό **μας** είναι   98765432
Το τηλέφωνό **σας** είναι   55663322
Το τηλέφωνό **τους** είναι 33887711

Τα γενέθλιά μου είναι .... My birthday is on ....
Τα γενέθλιά σου είναι .... Your birthday is on ....
Τα γενέθλιά του είναι .... His birthday is on ....
Τα γενέθλιά της είναι .... Her birthday is on ....

Emphatic:
When we want to stress that something belongs to someone, or to identify the owner, we use the adjective **δικός, δική, δικό.**

Masculine	Feminine	Neuter	
δικός μου	δική μου	δικό μου	= Mine
» σου	» σου	» σου	= Yours
» του	» του	» του	= His
» της	,» της	» της	= Hers
» του	» του	» του	= Its
» μας	» μας	» μας	= Ours
» σας	» σας	» σας	= Yours
» τους	» τους	» τους	= Theirs

Plural form: δικοί μου, δικές μου, δικά μου

Examples:
Αυτό το σπίτι είναι **δικό μου** = This house is mine.
Αυτό το σπίτι είναι **δικό σου** = This house is yours.
Αυτό το σπίτι είναι **δικό του** = This house is his.
Αυτό το σπίτι είναι **δικό της** = This house is hers.
Αυτό το σπίτι είναι **δικό μας** = This house is ours.
Αυτό το σπίτι είναι **δικό σας** = This house is yours.
Αυτό το σπίτι είναι **δικό τους** = This house is theirs.

Unemphatic Examples:
Αυτό είναι το βιβλίο μου = This is my book.
Αυτός είναι ο καφές μου = This is my coffee.
Αυτή είναι η πένα μου = This is my pen.
Αυτή είναι η γραβάτα σου = This is your tie.
Αυτό είναι το τσάι του = This is his tea.

Emphatic Examples:
Αυτό είναι το δικό μου βιβλίο / Αυτό το βιβλίο είναι δικό μου
= This book is mine.
Αυτός είναι ο δικός μου καφές / Αυτός ο καφές είναι δικός
μου = This coffee is mine.
Αυτή είναι η δική μου πένα / Αυτή η πένα είναι δική μου =
This pen is mine.
Αυτή είναι η δική σου γραβάτα / Αυτή η γραβάτα είναι δική
σου = This tie is yours.
Αυτό είναι το δικό του τσάι / Αυτό το τσάι είναι δικό του =
This tea is his.

NOTE: The unemphatic forms are unaccented and come imme-
diately after the noun they modify. The emphatic forms may be
added to the unemphatic forms to strengthen them..

Emphasis is also expresssed by using the unemphatic.

μου		εμένα
σου		εσένα
του		αυτού
της	followed by	αυτής
του		αυτού
μας		εμάς
σας		εσάς
τους		αυτούς

113

Examples

Η γραβάτα **μου εμένα** είναι ακριβή = My tie is expensive.
Η γραβάτα **σου εσένα** είναι φτηνή = Your tie is cheap.
Το σπίτι **μας εμάς** είναι στην Αθήνα = Our house is in Athens.
Το σπίτι **σας εσάς** είναι στην Κόρινθο = Your house is in
                                                                           Corinth.
Η ταβέρνα **του αυτού** είναι ακριβή = His tavern is expensive.
Η ταβέρνα **της αυτής** είναι φτηνή = Her tavern is cheap.
Το όνομά **μου εμένα** είναι Νίκος = My name is Nikos.
Το όνομά **σου εσένα** είναι Δάφνη = Your name is Daphne.

VOCABULARY

ο θείος = uncle
η θεία = aunt
ο ξάδερφος, η = cousin
και = and
ο διευθυντής = manager
ο, η γραμματέας = secretary
ξανθός, η (ια) = blonde
τα μαλλιά = hair
τα μάτια = eyes
μεγάλος = large, big

ο ανεψιός = nephew
η ανεψιά = niece
μικρός, η, ο = small, little
η γιαγιά = grandmother
νέος, α = young person
η φίλη / φιλενάδα =lady friend
ο παππούς = grandfather
το φαγητό = food

EXERCISE 20
Complete the sentences
1. Το σπίτι .... είναι μεγάλο (my)
2. Ο πατέρας .... είναι Έλληνας (your)
3. Η μητέρα .... είναι Αγγλίδα (his)
4. Το σχολείο .... είναι μικρό (her)

5. Η γιαγιά .... είναι καλή (our)
6. Ο παππούς .... είναι γέρος (your)
7. Η θεία .... είναι πλούσια (their)
8. Ο φίλος .... είναι Άγγλος (his)
9. Τα μάτια .... είναι γαλανά (our)
10. Τα μαλλιά .... είναι ξανθά (their)
11. Το βιβλίο .... είναι ελληνικό (my)
12. Η αδελφή .... είναι έξυπνη (your)
13. Ο ξάδερφος .... είναι νέος (her)
14. Οι φίλοι .... είναι φιλόξενοι (your)
15. Η φιλενάδα .... είναι Αγγλίδα (his)

EXERCISE 21
Complete the sentences:

1. .... είναι Έλληνας (my friend)
2. .... είναι Αγγλίδα (your friend)
3. .... είναι Μάρκος (his name)
4. .... είναι Ελένη (her name)
5. .... είναι κόκκινο (her dress)
6. .... είναι άσπρο (his shirt)
7. ....είναι κόκκινη (his tie)
8. .... είναι νέα (my aunt)
9. .... είναι νέος (your uncle)
10. .... είναι δάσκαλος (her brother)
11. .... είναι δασκάλα (our mother)
12. .... είναι ψηλός (their uncle)
13. .... είναι λεπτή (their sister)
14. .... είναι ωραίο (our book)
15. .... είναι γκρίζο (his trousers)

16. .... είναι ακριβό (your car)
17. .... είναι μαύρη (her skirt)
18. .... είναι μαύρα (our shoes)
19. .... είναι γαλανά (their eyes)
20. .... είναι Έλληνες (your friends)

EXERCISE 22
Complete the following sentences:

1. Ο πατέρας σου είναι .... (English)
2. Η μητέρα σου είναι .... (English)
3. Ο αδελφός σου είναι .... (fat)
4. Η αδελφή σου είναι .... (tall)
5. Ο θείος σου είναι .... (short)
6. Η γιαγιά σου είναι .... (young)
7. Ο παππούς σου είναι .... (tall)
8. Ο φίλος σου είναι .... (Greek)
9. Η ξαδέρφη σου είναι .... (secretary)
10. Ο ξάδερφός σου είναι .... (teacher)
11. Η φίλη σου είναι .... (blonde)
12. Το πανταλόνι σου είναι .... (black)
13. Το φόρεμά της είναι .... (red)
14. Η γραβάτα του είναι .... (blue)
15. Τα μαλλιά σου είναι .... (black)
16. Η μητέρα σου είναι .... (slim)

ASKING AND ANSWERING QUESTIONS
USING δικός μου etc.

The words δικός μου, δική μου, δικό μου are used in the singular –i.e. they refer to the ownership of one thing. The plural of these words are : δικοί μου, δικές μου, δικά μου.

Examples:
Αυτά τα βιβλία είναι δικά μου = These books are mine.
Αυτοί οι καφέδες είναι δικοί μου = These coffees are mine.
Αυτές οι κάρτες είναι δικές μου = These cards are mine.

ASKING QUESTIONS:
Αυτό το βιβλίο είναι δικό σου; = Is this book yours?
Αυτός ο καφές είναι δικός της; = Is this coffee hers?
Αυτή η ταβέρνα είναι δική του; = Is this tavern his?
Αυτά τα φρούτα είναι δικά σας; = Are these fruit yours?

> **REMEMBER:** We use μου, σου, του, της, μας, σας, τους
> for Unemphatic Statements. We use δικός μου, δικός σου
> etc. for Emphatic Statements.

ATHENS 2004

LESSON 17
LIKES AND DISLIKES
Μ' αρέσει = I like (it) Δεν μ' αρέσει = I don't like (it)

In order to show that we like or dislike something or someone, we use the verb **αρέσω** (please, give pleasure) in the 3rd person singular or plural together with the Personal Pronoun **μου, σου, του, της, μας, σας, τους.**

Μου αρέσει / μ' αρέσει = I like (it) [it pleases me]
Σου αρέσει / σ' αρέσει = You like
Του αρέσει / τ' αρέσει = He likes
Της αρέσει = She likes
Του αρέσει = It likes
Μας αρέσει = We like
Σας αρέσει = You like
Τους αρέσει = They like

For the negative we use **δεν** at the beginning, e.g. Δεν μ' αρέσει = I don't like (it).

Positive Examples
Μ' αρέσει η Ελλάδα = I like Greece.
Σ' αρέσει η Κύπρος = You like Cyprus.
Τ' αρέσει η Κρήτη = He likes Crete.
Της αρέσει η Ρόδος = She likes Rhodes.
Μας αρέσει η Κέρκυρα = We like Corfu.
Σας αρέσει η Θεσσαλονίκη = You like Salonica.
Τους αρέσει η Πελοπόννησος = They like the Peloponnese.

Negative Examples
Δεν μ' αρέσει το ούζο = I don't like ouzo.
Δεν μ' αρέσει το ψάρι = I don't like fish.
Δεν μ' αρέσει το χοιρινό = I don't like pork (meat).
Δεν μ' αρέσει το κάπνισμα = I don't like smoking.

For emphasis: We use **πολύ** = much and **πάρα πολύ** = very much.

Emphatic Positive Examples:

Μου αρέσει η Ελλάδα πάρα πολύ = I like Greece very much.

Μου αρέσει πολύ η ρετσίνα = I like retsina very much.

Μου αρέσει η Κρήτη πάρα πολύ = I like Crete very much.

For negative emphasis: We use **καθόλου** = not at all.

Emphatic Negative Examples:

Δεν μ' αρέσει καθόλου το κονιάκ = I don't like brandy at all.

Δεν μ' αρέσει καθόλου ο χειμώνας = I don't like winter at all.

To ask if you like something or someone, we say:

Σου αρέσει / σ' αρέσει; or Σας αρέσει;

Questions and Answers:

Σ' αρέσει ο καφές;	Ναι, μ' αρέσει.
Do you like coffee?	Yes, I like it.
Σ' αρέσει το τσάι;	Όχι, δεν μ' αρέσει.
Do you like tea?	No, I don't like it.
Σας αρέσει η Ελλάδα;	Ναι, μ' αρέσει πάρα πολύ.
Do you like Greece?	Yes, I like (Greece) very much.
Σας αρέσει το χιόνι;	Όχι, δεν μ' αρέσει καθόλου.
Do you like snow?	No, I don't like it at all.

EXERCISE 23
Answer the following questions:

119

| Σ' αρέσει /
Σας αρέσει
Do you like | 1. η θάλασσα = sea
2. ο ήλιος = sun
3. η δουλειά = work
4. το κρασί = wine
5. η μπίρα = beer
6. ο καφές = coffee
7. το τσάι = tea
8. ο μουσακάς = mousaka
9. το ψάρι = fish
10. το χοιρινό = pork
11. το μοσχάρι = veal
12. ο χειμώνας = winter
13. το χιόνι = snow
14. η βροχή = rain
15. το βουνό = mountain
16. ο Αντρέας = Andreas
17. η Άννα = Anna
18. η Αθήνα = Athens
19. το θέατρο = theatre
20. ο χορός = dance | Ναι, μ' αρέσει πολύ / πάρα πολύ Yes, I like it, much / very much

Όχι, δεν μ' αρέσει καθόλου. No, I don't like it at all. |

A Corfu dance

Which football team do you like?

Ποδοσφαιρικές ομάδες = Football teams

Question	Answer	Αγγλικές ομάδες – English teams
Ποια ομάδα σ' αρέσει;	Μ' αρέσει I like	1. η Άρσεναλ = Arsenal 2. η Λίβερπουλ = Liverpool 3. η Τόττενχαμ = Tottenham 4. η ´Εβερτον = Everton 5. η Μάντσεστερ = Manchester 6. η Νόττινχαμ = Nottingham 7. η ´Οξφορντ = Oxford
Which team do you like?	Δεν μ' αρέσει I don't like	Ελληνικές ομάδες – Greek teams 1. ο Παναθηναϊκός = Panathenaikos 2. ο Ολυμπιακός = Olympiakos 3. ο ΠΑΟΚ = ΡΑ.Ο.Κ. 4. ο Άρης = Aris 5. η ΑΕΚ = Α.Ε.Κ. 6. ο Εθνικός = Ethnikos 7. ο Ηρακλής = Iraklis
		Κυπριακές ομάδες – Cypriot teams 1. η Ομόνοια = Omonia 2. το ΑΠΟΕΛ = Apoel 3. η Σαλαμίνα = Salamina 4. η Ανόρθωση = Anorthosi 5. η ΑΕΛ = AEL 6. ο Απόλλων = Apollo 7. η ΑΕΚ = AEK

Plural Examples (Positive)

Μου αρέσουν / μ' αρέσουν = I like (them)
Μου αρέσουν πολύ = I like them much
Μ' αρέσουν πάρα πολύ = I like them very much

Negative Examples

Δεν μ' αρέσουν = I don't like them
Δεν μ' αρέσουν πολύ = I don't like them much
Δεν μ' αρέσουν καθόλου = I don't like them at all
Μου αρέσουν / μ' αρέσουν = I like them
Σου αρέσουν / σ' αρέσουν = You like them
Του αρέσουν / τ' αρέσουν = He likes them
Της αρέσουν = She likes them
Του αρέσουν / τ' αρέσουν = It likes them*
Μας αρέσουν = We like them
Σας αρέσουν = You like them
Τους αρέσουν = They like them

Questions and Answers:

Σας αρέσουν τα μήλα; Ναι, μ' αρέσουν.
Do you like apples? Yes, I like them.

Σ' αρέσουν τα αχλάδια; Όχι, δεν μ' αρέσουν.
Do you like pears? No, I don't like them.

Σας αρέσουν τα βιβλία; Ναι, μ' αρέσουν.
Do you like books? Yes, I like them.

Σ' αρέσουν τα ψάρια; Όχι, δεν μ' αρέσουν.
Do you like fish? No, I don't like them.

---

* Referring to Neuter examples.

EXERCISE 24

Answer the following questions:

| Σ' αρέσουν
Σας αρέσουν
Do you like | 1. οι κεφτέδες = meatballs
2. οι ελιές = olives
3. οι ντομάτες = tomatoes
4. οι μελιτζάνες = aubergines
5. οι εφημερίδες = newspapers
6. οι μεζέδες = snacks
7. οι μπανάνες = bananas
8. τα χιόνια = snow (plural)
9. οι βροχές = rain (plural)
10. οι βροντές = thunders
11. τα βουνά = mountains
12. τα ψέματα = lies
13. οι χοροί = dances
14. οι ταβέρνες = taverns
15. οι δουλειές = work (plural)
16. οι πολιτικοί = politicians
17. τα λεφτά = money
18. οι γιατροί = doctors
19. οι οδοντογιατροί = dentists
20. οι κωμικοί = comedians
21. τα ελληνικά νησιά = Greek
Islands | Ναι, μ' αρέσουν
πολύ/πάρα πολύ
Yes I like them
much / very much

Δεν μ' αρέσουν
καθόλου.
No, I don't like
them, at all. |

The Flag of Cyrpus

Limassol, Cyprus

LESSON 18

THE GENITIVE CASE - SINGULAR

The Genitive Case indicates dependence or possession. We also use the Genitive to respond to questions introduced by the Interrogative Pronoun Whose =**Ποιου** (or **ποιανού**) for Masculine words, **ποιας** (or ποιανής) for Feminine words. The word **Τίνος**=Whose, is also used in all genders of the Genitive Singular.

1. The Definite Article changes as follows:

M. ο   becomes   **του**
F. η   »   **της**
N. το   »   **του**

2. The Indefinite Article changes:

M. **ένας** becomes **ενός**. F. **μια** becomes **μιας** N. **ένα** becomes **ενός**.

Ένας άντρας   - ενός άντρα   - a man's
Μια γυναίκα   - μιας γυναίκας   - a woman's
Ένα παιδί   - ενός παιδιού   - a child's

Masculine Examples

Question	Answer
Ποιου είναι αυτός ο καφές;	Είναι **του Γιάννη**.
Whose coffee is this?	Its John's.
Τίνος είναι αυτό το βιβλίο;	Είναι **του Αντρέα**.
Whose book is this?	Its Andreas'.
Ποιου είναι αυτό το αυτοκίνητο;	Είναι **του Πέτρου**.
Whose car is this?	Its Peter's.
Τίνος είναι αυτό το ποδήλατο;	Είναι **του Γιώργου**.
Whose bicycle is this?	Its George's.

Feminine Examples

Ποιας (ποιανής) είναι αυτή η τσάντα;
Whose handbag is this?

Είναι **της Μαρίας.**
Its Maria's.

Ποιας (ποιανής) είναι αυτή η
φούστα;
Whose skirt is this?

Είναι **της Ελένης.**
Its Helen's.

Ποιας (ποιανής) είναι αυτό το
καπέλο;
Whose hat is this?

Είναι **της Άννας.**
Its Anna's.

Neuter Examples

Ποιου είναι αυτά τα βιβλία;
Whose books are these?

Είναι **του παιδιού.**
They are the child's.

Τίνος είναι αυτά τα πιάτα;
Whose plates are these?

Είναι **του εστιατορίου.**
They are the
restaurant's.

Ποιου είναι αυτά τα μολύβια;
Whose pencils are these?

Είναι **του σχολείου.**
They are the school's.

NOTE: In general we use **ποιου**=Whose, to refer to both Masculine and Feminine questions.

The Genitive in Masculine Words:

The final **ς** is dropped in the Genitive Singular of Masculine Words ending in **-ας** and **-ης**. Words ending in **-ος** change into **- ου**

ο κήπος	**του** κήπου	(of the garden)
ο πατέρας	**του** πατέρα	(of the father)
ο μαθητής	**του** μαθητή	(of the pupil)
ο Πειραιάς	**του** Πειραιά	(of Pireas)
ο παππούς	**του** παππού	(of the grandfather)

The Genitive in Feminine Words:

The final ς is added in the Genitive Singular of Feminine Words, ending in –α or –η

η μητέρα	της μητέρας	(of the mother)
η αδελφή	της αδελφής	(of the sister)
η Αθήνα	της Αθήνας	(of Athens)
η οδός	της οδού	(of the street)
η πόλη	της πόλης	(of the city)

The Genitive in Neuter Words:

το παιδί	του παιδιού	(of the child)
το βιβλίο	του βιβλίου	(of the book)
το φόρεμα	του φορέματος	(of the dress)
το δάσος	του δάσους	(of the forest)
το μέλλον	του μέλλοντος	(of the future)

Examples in the Singular:

1 Τα λουλούδια του κήπου.	=The flowers of the garden
2. Το καπέλο του πατέρα.	= Father's hat.
3. Το βιβλίο του μαθητή.	= The pupil's book
4. Τα μάτια της Άννας.	=Anna's eyes.
5. Η τσάντα της Ελένης.	=Helen's handbag.
6. Τα μαλλιά του παιδιού.	=The child's hair.
7. Η εικόνα του βιβλίου.	=The picture of the book.
8. Τα δέντρα του δάσους.	=The trees of the forest.
9. Η θάλασσα της Ελλάδας.	=The sea of Greece.
10.Η ταβέρνα της Πλάκας.	=The tavern of Plaka.
11.Το λιμάνι του Πειραιά.	=The port of Pireas.
12.Ο Πύργος της Θεσσαλονίκης.	=Salonica's Tower.

VOCABULARY

το φρούτο=fruit
το καρπούζι=watermelon
το μήλο=apple
το αχλάδι=pear
η μπανάνα=banana
το σταφύλι=grapes
το πορτοκάλι=orange
το λεμόνι=lemon
η ντομάτα=tomato
η πατάτα=potato
το αγγούρι=cucumber
το φασόλι=bean
το μπιζέλι=peas
ο κρεοπώλης=butcher
ο ψωμάς=baker
το καρότο=carrot
το καπέλο=hat
πίνω=I drink
νόστιμος,η,ο=delicious
καθαρός,η,ο=clean
κοντός,η,ο=short
το ροδάκινο=peach

το πεπόνι=melon
η εφημερίδα=newspaper
τρώω=I eat
το κοτόπουλο=chicken
το κρέας=meat
το χοιρινό=pork
το αρνί=lamb
το βοδινό=beef
το ψάρι=fish
το μοσχάρι=veal
το χοιρομέρι=bacon
το ζαμπόν=ham
η ομπρέλα=umbrella
το μπιφτέκι=steak
υπέροχος,η,ο=wonderful
το βούτυρο=butter
το τυρί=cheese
το μαχαίρι=knife
το πρόσωπο=face
η κιθάρα=guitar
ο καιρός=weather
χαρούμενος,η,ο=happy

EXERCISE 25

Answer the following questions.
Example:
Ποιου είναι αυτός ο καφές; Είναι του Γιώργου.
Whose coffee is this?   Its George's

Ποιου/ Τίνος είναι;	1. η ομπρέλα; 2. η πένα; 3. το ούζο; 4. η μπίρα; 5. το αυτοκίνητο; 6. το φόρεμα; 7. το τσάι; 8. το πανταλόνι; 9. τα βιβλία; 10. τα ψάρια; 11. τα ψωμιά; 12. τα φρούτα; 13. η κιθάρα; 14. τα κοτόπουλα; 15. τα μήλα; 16. το καπέλο; 17. τα ροδάκινα; 18. η ταβέρνα; 19. ο καφές; 20. το ξενοδοχείο;	Είναι του /της	(Maria's) (Anna's) (Nicos') (John's) (father's) (mother's) (Helen's) (child' s) (teacher's) (fisherman's) (baker's) (greengrocer's) (George's) (butcher's) (Mark's) (grandfather's) (grandmother's) (Christos') (Christina's) (Peter's)

Remember to use **του** before Masculine words, **της** before Feminine and **του** before Neuter words.

EXERCISE 26
Put the missing article: του, της, του

1. Το καπέλο .... Κώστα είναι άσπρο.
2. Η γραβάτα .... Γιάννη δεν είναι κόκκινη.
3. Το φόρεμα .... Μαρίας είναι γαλάζιο.
4. Τα μάτια .... Ελένης είναι γαλανά.
5. Το αυτοκίνητο .... Κώστα δεν είναι πράσινο.
6. Τα μήλα .... μανάβη είναι κόκκινα.
7. Το ψάρι .... Πέτρου είναι τηγανιτό.

129

8. Τα ροδάκινα .... Ελλάδας είναι νόστιμα.
9. Τα σταφύλια .... Κύπρου είναι ωραία.
10. Τα σταφύλια .... μανάβη είναι ακριβά.
11. Το μοσχάρι .... κρεοπώλη είναι ακριβό.
12. Τα μπιφτέκια .... ταβέρνας είναι υπέροχα.
13. Το τυρί .... Ελλάδας είναι καλό.
14. Το τραπέζι .... κουζίνας δεν είναι μεγάλο.
15. Τα ψάρια .... ταβέρνας είναι ωραία.
16. Η φούστα .... Σοφίας είναι άσπρη.
17. Το πανταλόνι .... Δημήτρη δεν είναι γκρίζο.
18. Η ομπρέλα .... κοπέλας είναι κόκκινη.

Greek Dancing

LESSON 19
THE GENITIVE CASE - PLURAL
The Definite Article changes as follows:

M. οι becomes των
F. οι » των
N. τα » των

The Interrogative Pronoun Whose=Ποιου becomes ποιων or ποιανών in the Genitive Plural.

Genitive Plural (Masculine Words)

οι άντρες	των αντρών	of the men
οι πατέρες	των πατέρων	of the fathers
οι κήποι	των κήπων	of the gardens
οι μαθητές	των μαθητών	of the pupils
οι παππούδες	των παππούδων	of the grandfathers

Genitive Plural (Feminine Words)

οι γυναίκες	των γυναικών	of the women
οι μητέρες	των μητέρων	of the mothers
οι αδελφές	των αδελφών	of the sisters
οι οδοί	των οδών	of the streets
οι πόλεις	των πόλεων	of the cities

Some words have kept the archaic plural in the genitive **–εων.**

Genitive Plural (Neuter Words)

τα παιδιά	των παιδιών	of the children
τα βιβλία	των βιβλίων	of the books
τα καταστήματα	των καταστημάτων	of the shops
τα δάση	των δασών	of the forests

NOTE: The ending of the Genitive plural in all genders is **–ων**

Masculine Examples

Ποιων είναι αυτά τα βιβλία;   Είναι **των** δασκάλων.
Whose books are these?   They are the teachers'.

Ποιων είναι αυτά τα μολύβια;   Είναι **των** μαθητών.
Whose pencils are these?   They are the pupils'.

Feminine Examples

Ποιανών είναι αυτές οι τσάντες;   Είναι **των** γυναικών.
Whose handbags are these?   They are the women's.

Ποιανών είναι αυτά τα φορέματα; Είναι **των** γυναικών.
Whose dresses are these?   They are the women's.

Neuter Examples

Ποιων είναι αυτά τα παιχνίδια;   Είναι **των** παιδιών.
Whose toys are these?   They are the children's.

Ποιων είναι αυτά τα ποδήλατα;   Είναι **των** παιδιών.
Whose bicycles are these?   They are the children's.

Examples in the Plural:
1. Τα λουλούδια των κήπων   =The flowers of the gardens.
2. Τα καπέλα των πατέρων   =The hats of the fathers.
3. Τα βιβλία των μαθητών   =The books of the pupils.
4. Τα μάτια των μητέρων   =The eyes of the mothers.
5. Οι τσάντες των γυναικών   =The handbags of the
                                           women.

6. Τα μαλλιά των παιδιών   =The hair of the children.
7. Οι εικόνες των βιβλίων   =The pictures of the books.
8. Τα δέντρα των δασών   =The trees of the forests.

Movement of the accent in the Genitive plural:
A. Masculine Words:
1. In 2- syllable words ending in –ας and in words ending in –ιας the accent is shifted on the last syllable.

ο άντρας=man	των αντρών
ο μήνας=month	των μηνών
ο ταμίας=treasurer	των ταμιών

2. In words accented on the 3rd syllabe from the end, the accent is moved to the 2nd syllable from the end.

ο Έλληνας=Greek	των Ελλήνων
ο γείτονας=neighbour	των γειτόνων

3. In words ending in –ης and accented on the 2rd syllable from the end, the accent is moved to the last syllable.

ο εργάτης=worker	των εργατών
ο ράφτης=tailor	των ραφτών

4. In occupational nouns and accented on –ας and in other words of similar endings (but not occupational) the ending becomes – άδων.

ο ψαράς=fisherman	των ψαράδων
ο γαλατάς=milkman	των γαλατάδων
ο βοριάς=north wind	των βοριάδων

5. In occupational nouns ending in –ης the accent is kept on the same letter as in the Nominative.

ο μανάβης=greengrocer	των μανάβηδων
ο καφετζής=cafι owner	των καφετζήδων
ο παπουτσής=shoemaker	των παπουτσήδων

6. In three syllable words ending in –oς and accented on the 3rd syllable from the end the accent is moved to the 2nd syllable from the end.

ο άγγελος=angel   των αγγέλων
ο δάσκαλος=teacher   των δασκάλων

B. Feminine Words:

1. In some words ending in –α and accented on the 2nd or 3rd syllable from the end the accent is moved to the last syllable.

η χώρα=country   των χωρών
η γυναίκα=woman   των γυναικών
η θάλασσα=sea   των θαλασσών

2. In all other words the accent is kept on the original letter.

η εφημερίδα=newspaper   των εφημερίδων
η πατρίδα=homeland   των πατρίδων

In some words ending in –η and accented on the 2nd syllable from the end, the accent is moved to the last syllable.

η τέχνη=art   των τεχνών
η ανάγκη=necessity   των αναγκών

3. In words which have kept the ancient declension the ending is –εων.

η πόλη=city   των πόλεων
η κυβέρνηση=government   των κυβερνήσεων

4. In words ending in –oς and accented on the 3rd syllable from the end the accent is moved to the 2nd syllable from the end.

η έξοδος=exit   των εξόδων

C. Neuter words:

1. In some words ending in –o and accented on the 3rd syllable from the end the accent is moved to the 2nd syllable.

Το άλογο=horse	των αλόγων
Το έπιπλο=furniture	των επίπλων

2. In words ending in –ι and accented on the 2nd syllable from the end the accent is moved to the last syllable.

Το τραγούδι=song	των τραγουδιών
Το λουλούδι=flower	των λουλουδιών

3. In words ending in –μα or –μο the ending is –ματων

το μάθημα=lesson	των μαθημάτων
το γράμμα=letter	των γραμμάτων
το γράψιμο=writing	των γραψιμάτων

VOCABULARY

ο γονέας (γονιός)=parent   η κουρτίνα=curtain
η τιμή=price   το παράθυρο=window

EXERCISE 27

1. Τα ψάρια .... (of the fishermen)
2. Τα βιβλία... (of the children)
3. Τα φορέματα...(of the women)
4. Τα μήλα.. (of the greengrocers)
5. Τα τραπέζια.. (of the hotels)
6. Οι καρέκλες.. (of the taverns)
7. Οι γονείς.. (of the pupils)
8. Οι μητέρες..(of the children)
9. Τα παράθυρα...(of the houses)
10. Οι κουρτίνες...(of the windows)
11. Οι τιμές..(of the fruit)
12. Τα φαγητά.. (of the Greeks)

Aghios Georgios, Corfu.

LESSON 20
THE ACCUSATIVE CASE - SINGULAR

The Accusative Case tells us about the object. We also use the Accusative to respond to questions introduced by the Interrogative Pronoun Whom=Ποιον (for Masculine words), Ποιαν (for Feminine words) ποιο (for Neuter Words) or Τι =What. Example: Ξέρω το Γιάννη=I know John; Ξέρω την Ελένη=I know Helen.

1. The Definite Article changes as follows:
M. o   becomes   τον
F. η   »   την
N. το   »   το

2. The Indefinite Article
M. ένας   becomes έναν
F. μια   »   μια
N. ένα   »   ένα

The Accusative in Masculine Words:

ο άνθρωπος	τον άνθρωπο	man
ο φίλος	το φίλο	friend
ο πατέρας	τον πατέρα	father
ο μαθητής	το μαθητή	pupil
ο παππούς	τον παππού	grandfather

NOTE: The final (ς) is dropped in the Singular.

The Accusative in Feminine words:

η αγορά	την αγορά	market
η μητέρα	τη μητέρα	mother
η αδελφή	την αδελφή	sister

| η γιαγιά | τη γιαγιά | grandmother |
| η πόλη | την πόλη | city |

NOTE 2: The words remain exactly the same. Only the Accusative article is added.

NOTE 3: The final ν of the Definite and Indefinite article is dropped when the next word begins with a strong consonant e.g. β, γ, δ, ζ, θ, λ, μ, ν, ρ, σ, φ, χ.

The Accusative in Neuter Words:

το βιβλίο	το βιβλίο	book
το παιδί	το παιδί	child
το χρώμα	το χρώμα	colour
το δάσος	το δάσος	forest
το κρέας	το κρέας	meat
το φως	το φως	light
το προϊόν	το προϊόν	product

NOTE 4: No changes at all in Neuter Words.

Examples with the Indefinite Article έναν, μια, ένα

Masculine Examples

Αγαπώ έναν Έλληνα.	=I love a Greek man.
Αγαπώ έναν Άγγλο.	=I love an English man.
Πίνω έναν καφέ.	=I drink a coffee.
Βοηθώ έναν ψαρά.	=I help a fisherman.

Feminine Examples

Αγαπώ μια Ελληνίδα.	=I love a Greek woman.
Αγαπώ μια Αγγλίδα.	=I love an English woman.
Πίνω μια πορτοκαλάδα.	=I drink an orangeade.
Αγοράζω μια εφημερίδα.	=I buy a newspaper.

Neuter Examples

Βοηθώ ένα παιδί.	=I help a child.
Τρώγω ένα σάντουιτς.	=I eat a sandwich.
Ταχυδρομώ ένα γράμμα.	=I post a letter.
Αγοράζω ένα αυτοκίνητο.	=I buy a car.

Examples with the Definite Article τον, την, το

Masculine Examples

Τι κάνεις; What are you doing?	Βοηθώ **τον** Άριστο=I help Aristos Βλέπω **τον** Αντρέα=I see Andreas. Ποτίζω **τον** κήπο=I water the garden.
Ποιον θέλεις; Whom do you want?	Θέλω **τον** Κώστα=I want Costas. Θέλω **τον** Πέτρο=I want Peter.

Feminine Examples

Τι κάνεις; What are you doing?	Βοηθώ **την** Άννα=I help Anna. Βλέπω **την** Ελένη=I see Helen. Διαβάζω **την** εφημερίδα=I read the newspaper.
Ποιαν θέλεις; Whom do you want?	Θέλω **την** Αθηνά=I want Athena. Θέλω **την** Όλγα= I want Olga.

Neuter Examples

Τι κάνεις;	Βοηθώ **το** παιδί=I help the child. Βλέπω **το** βουνό=I see the mountain.

Examples in the singular:

1. Βλέπω τον ωραίο κήπο=	I see the beautiful garden.
2. Αγαπώ τον πατέρα μου=	I love my father.
3. Βοηθώ το μαθητή=	I help the pupil
4. Ξέρω το δρόμο=	I know the way
5. Αγαπώ την Ελένη=	I love Helen.
6. Διαβάζω το ωραίο βιβλίο=	I read the beautiful book.
7. Κοιτάζω το πράσινο δάσος=	I look at the green forest.
8. Ακούω τον παππού μου=	I listen to my grandfather.
9. Στέλνω το γράμμα=	I send the letter.
10. Κοιτάζω την κοπέλα=	I look at the girl.
11. Ξέρω το Γιώργο=	I know George.
12. Ξέρω τη Μαρία=	I know Maria.

NOTE: The adjective must always agree with the noun, i.e. if the Noun is in the Accusative then the Adjective must also be in the Accusative.

Ξέρω / γνωρίζω I know Δεν ξέρω / γνωρίζω I do not know	τον πατέρα σου το σύζυγό σου το φίλο σου τον αδελφό σου
Ξέρω / γνωρίζω Δεν ξέρω / γνωρίζω	τη μητέρα σου τη σύζυγό σου την αδελφή σου τη φίλη σου

QUESTION	ANSWER
Ξέρεις/Γνωρίζεις το φίλο μου; Do you know my friend?	Ναι, τον ξέρω/γνωρίζω
Ξέρεις τον αδελφό μου; » » πατέρα μου;	Όχι, δεν τον ξέρω »
Ξέρεις/Γνωρίζεις τη μητέρα μου; » την αδελφή μου; » την Άννα;	Ναι, την ξέρω » Όχι, δεν την ξέρω »

VOCABULARY

βοηθώ=I help
κόβω= I cut
κοιτάζω= I look
ο τουρίστας= tourist
ο χορός=dance
το κατάστημα=shop
τρώγω=I eat

ξέρω=I know
ακούω=I hear, I listen
χορεύω=I dance
η εκκλησία=church
το νησί=island
ο φτωχός=poor man
το ταξί=taxi

EXERCISE 28
Put the missing Definite Article **τον, την, το**

1.Βοηθώ.........Πέτρο
2. Βοηθώ.........Άννα
3. Ξέρω.........Χριστίνα.
4.Αγαπώ.........παιδί.
5. Αγαπώ.........Γιάννη.
6.Αγαπώ.........Μαρία.
7. Βλέπω.........θάλασσα.
8. Κόβω ....ψωμί.
9. Ακούω.........γιαγιά μου.
10. Ακούω.........δάσκαλο.

11.Διαβάζω.........εφημερίδα.
12. Διαβάζω.........περιοδικό.
13. Κόβω.........μήλο.
14. Τρώγω.........καρπούζι.
15. Θέλω.........μητέρα μου.
16. Κοιτάζω.........Ελένη.
17.Στέλνω.........Αντρέα
18. Αγοράζω.........εφημερίδα.
19.Στέλνω.........φωτογραφία.
20. Βοηθώ.........τουρίστα.

EXERCISE 29

Put the missing Indefinite Article **έναν, μια, ένα**

1. Βοηθώ.........τουρίστα.
2. Αγαπώ.........κοπέλα.
3. Διαβάζω.........περιοδικό.
4. Τρώγω.........μήλο.
5. Τρώγω.........μπανάνα.
6. Πίνω.........ούζο.
7. Χορεύω.........ελληνικό χορό.
8. Βοηθώ.........μαθητή.
9. Ξέρω.........ωραίο νησί.
10.Πίνω.........λεμονάδα.
11.Πίνω.........ποτήρι νερό.
12. Αγαπώ.........Έλληνα.
13. Αγαπώ.........Αγγλίδα.
14. Κοιτάζω......... κατάστημα.
15. Διαβάζω.........εφημερίδα.
16. Βλέπω.........εκκλησία.
17. Βοηθώ.........φτωχό.
18. Ξέρω.........καλή ταβέρνα.
19. Ξέρω.........καλό σχολείο.
20.Διαβάζω.........ωραίο βιβλίο.
21. Θέλω.........μουσακά παρακαλώ.
22. Θέλω.........μπίρα παρακαλώ.
23.Θέλω.........χωριάτικη σαλάτα.
24. Θέλω.........καρπούζι.
25. Θέλω.........ταξί παρακαλώ.

LESSON 21

THE ACCUSATIVE CASE- PLURAL

The Definite Article changes as follows:

M. οι becomes **τους**

F. οι » **τις** (or **τες**)

N. τα » **τα**

The Accusative in Masculine Words

οι φίλοι	(friends)	**τους** φίλους
οι πατέρες	(fathers)	**τους** πατέρες
οι μαθητές	(students)	**τους** μαθητές
οι παππούδες	(grandfathers)	**τους** παππούδες

The Accusative in Feminine Words

οι μητέρες	(mothers)	**τις** μητέρες
οι αδελφές	(sisters)	**τις** αδελφές
οι γιαγιάδες	(grandmothers)	**τις** γιαγιάδες
οι πόλεις	(cities)	**τις** πόλεις(*)

NOTE: The words remain exactly the same. Only the Accusative Article is changed.

(*) Some words like η πόλη have kept the archaic plural οι πόλεις.

The Accusative in Neuter Words

τα βιβλία	(books)	**τα** βιβλία
τα παιδιά	(children)	**τα** παιδιά
τα χρώματα	(colours)	**τα** χρώματα
τα δάση	(forests)	**τα** δάση
τα φώτα	(lights)	**τα** φώτα

NOTE: No changes at all in Neuter Words.

Masculine Examples

Βλέπω **τους** φίλους μου	=I see my friends
Αγαπώ **τους** Έλληνες	=I love the Greeks
Αγαπώ **τους** Κύπριους	=I love the Cypriots
Βοηθώ **τους** μαθητές	=I help the pupils
Βοηθώ **τους** τουρίστες	=I help the tourists

Feminine Examples

Βοηθώ **τις** γυναίκες	= I help the women
Διαβάζω **τις** εφημερίδες	=I read the newspapers
Στέλνω **τις** φωτογραφίες	=I send the photographs
Βλέπω **τις** βάρκες	=I see the boats
Στέλνω **τις** κάρτες	=I send the post cards

Neuter Examples

Βοηθώ **τα** παιδιά	=I help the children
Βλέπω **τα** αυτοκίνητα	=I see the cars
Στέλνω **τα** γράμματα	=I send the letters
Αγοράζω **τα** φορέματα	=I buy the dresses
Κοιτάζω **τα** βουνά	=I look at the mountains

VOCABULARY

το γράμμα =letter	το αβγό=egg
η φρυγανιά=toast	το παγωτό=ice- cream
βράζω=I boil	οι διακοπές=holidays
ψωνίζω=I shop	η εφημερίδα=newspaper
τηγανίζω=I fry	το φασόλι=bean
το περιοδικό =magazine	μαζεύω=I gather, pick
η ελιά=olive	

EXERCISE 30
Put the missing article: **τους, τις, τα**
1. Στέλνω..........γράμματα.
2. Μαζεύω ....ελιές.
3. Τρώγω..........φρυγανιές.
4. Δεν τρώγω..........αβγά.
5. Βοηθώ..........φίλους μου.
6. Στέλνω..........κάρτες.
7. Διαβάζω..........ελληνικές εφημερίδες.
8. Διαβάζω..........αγγλικά περιοδικά.
9. Τηγανίζω..........αυγά και..........πατάτες.
10. Τηγανίζω..........ψάρια.
11. Βράζω..........φασόλια και ....πατάτες.
12. Πίνω..........μπίρες.
13. Τρώγω..........παγωτά.
14. Ψωνίζω..........ρούχα για..........διακοπές.
15. Γνωρίζω..........αδελφούς και.......... αδελφές σου.
16. Ξέρω..........φίλους σου.

ACCUSATIVE OF PLACE
THE PREPOSITION **σε** combines with the Definite Article in the Accusative to form **στον** (M), **στην** (F), **στο** (N) in the singular and **στους** (M), **στις** (F), **στα** (N) in the plural, meaning **to, in, into, on, at.** This is usually used to answer questions such as "where?"

SINGULAR	στον, στην, στο

Examples:

Πού είναι ο Νίκος;
Where is Nikos?

Είναι στον κήπο.
He is in the garden.

Πού είναι ο καφές;
Where is the coffee?

Είναι στο τραπέζι.
It's on the table.

145

Πού είναι η Σοφία;   Είναι στην κουζίνα.
Where is Sophia?   She is in the kitchen.

Πηγαίνω στον κήπο   =I go to the garden.
Τρώγω στην ταβέρνα   =I eat in the tavern.
Μένω στο χωριό   =I live in the village.

PLURAL	στους, στις, στα

Πηγαίνω στους φίλους μου.   =I go to my friends.
Πηγαίνω στις ταβέρνες.   =I go to the tavernas.
Πηγαίνω στα νησιά.   =I go to the islands.
Οι νέοι είναι στις δισκοθήκες.   =The young people are at the discos.

Οι γέροι είναι στα σπίτια τους.   =The old (folk) are in their homes.

Οι γεωργοί είναι στα χωράφια τους.=The farmers are in their fields.

ACCUSATIVE OF TIME

When we use time (hours) we use **στην** and **στις**

Αναχωρώ **στη** μία   =I depart at one o' clock.
Αναχωρώ **στις** δέκα   =I depart at ten o'clock.
Φτάνει **στις** πέντε   = He/She arrives at five o' clock.
Φτάνουν **στις** έξι   =They arrive at six o'clock
Το λεωφορείο φεύγει **στις** δέκα=The bus leaves at ten o' clock.
Το πάρτυ της Μαρίας είναι **στις** οκτώ=Maria's party is at eight o' clock.

When we use days, months and seasons we use the Accusative without any Preposition.

The Days

η Κυριακή	becomes	την Κυριακή	= on Sunday
η Δευτέρα	»	τη Δευτέρα	=on Monday
η Τρίτη	»	την Τρίτη	=on Tuesday
η Τετάρτη	»	την Τετάρτη	=on Wednesday
η Πέμπτη	»	την Πέμπτη	=on Thursday
η Παρασκευή	»	την Παρασκευή	=on Friday
το Σάββατο	»	το Σάββατο	=on Saturday

Examples:

Την Κυριακή πηγαίνω στην εκκλησία.
On Sunday I (usually) go to the church.

Την Τρίτη τρώγω σουβλάκια.
On Tuesday I (usually) eat kebabs.

Τα γενέθλια μου είναι τον Ιούνιο.
My birthday is in June.

Τα γενέθλια σου είναι τον Απρίλιο.
Your birthday is in April.

Τα γενέθλια της είναι τον Αύγουστο.
Her birthday is in August.

Ο γάμος τους είναι τον Οκτώβριο.
Their wedding is in October.

Οι διακοπές μας (η άδεια μας) είναι τον Ιούλιο.
Our holiday is in July

LESSON 22
ASKING AND ANSWERING QUESTIONS
Πού είναι; Where is?

Με=With, by. **στον, στην, στο, στους, στις (στες), στα**=in, on, at, into, to.

Examples:

Με το κουτάλι=with the spoon
Με το πιρούνι=with the fork
Με το μολύβι=with the pencil
Με την πένα =with the pen

Με ένα κουτάλι=with a spoon
Με ένα πιρούνι=with a fork
Με ένα μολύβι=with a pencil
Με μια πένα=with a pen

Θέλω έναν καφέ με ζάχαρη =I want a coffee with sugar.
Θέλω ένα τσάι χωρίς ζάχαρη=I want a tea without sugar.
Τρώγω με ένα πιρούνι=I eat with a knife and fork.
Πίνω νερό από ένα ποτήρι=I drink water from a glass.
Γράφω με ένα μολύβι=I write with a pencil.
Κόβω το ψωμί με ένα μαχαίρι=I cut the bread with a knife.
Γράφω με μια πένα=I write with a pen.
Πηγαίνω με το αυτοκίνητο=I go by car.
Ταξιδεύω με το τρένο=I travel by train.
Μένω με τη γιαγιά μου=I live (stay) with my grandmother.
Ταξιδεύω με το αεροπλάνο=I travel by aeroplane.

Πού είναι; Where is?	Υπάρχει; Is there?

Examples:

Πού είναι ο Μιχάλης;
Where is Michael?

Είναι στην ταβέρνα,
He is at the tavern.

Πού είναι η Σάντρα;
Where is Sandra?

Είναι στο ξενοδοχείο.
She is at the hotel.

Υπάρχει καφενείο εδώ κοντά;   Is there a cafe near here?
Υπάρχει φαρμακείο εδώ κοντά;   Is there a chemist near here?

VOCABULARY

ο, η γιατρός=doctor   το νοσοκομείο= hospital
ο γεωργός=farmer   το κουρείο=barber's shop
ο, η γραμματέας=secretary   το κρεοπωλείο=butcher's shop
το γραφείο=office   το ραφτάδικο=tailor's shop
ο κουρέας=barber   το φαρμακείο=chemist's
η εκκλησία=church   το χωράφι=field
το ιατρείο=surgery   το μπακάλικο=grocer's
η νοσοκόμα=nurse   ο κρεοπώλης=butcher (the person)
ο παπάς=priest   ο, η δημοσιογράφος=journalist
ο φούρνος=bakery   ο, η φαρμακοποιός=pharmacist
η δουλειά=work   ο δρόμος=street, road
η τάξη=classroom   το δέντρο=tree
                             το πουλί=bird

EXERCISE 31

Answer the following questions:

1. Πού είναι   ο Ζαχαρίας;   .... (tavern)
2.   »   η Ιωάννα;   .... (hotel)
3.   »   το ψωμί;   .... (table)
4.   »   η κουρτίνα;   .... (window)
5.   »   το τραπέζι; | Είναι | .... (kitchen)
6.   »   το σπίτι σου;   .... (Athens)
7.   »   το σπίτι του;   .... (London)
8.   »   το βιβλίο σου;   .... (table)
9.   »   ο πατέρας σου;   .... (work)
10.   »   η μητέρα σου;   .... (home)
11.   »   ο αδελφός σου;   .... (Greece)

149

12. Πού είναι	η αδελφή σου;	.... (England)
13. »	ο φίλος σου;	.... (Crete)
14. »	ο Μάρκος;	.... (Cyprus)
15. »	η γιαγιά ;	.... (garden)
16. »	το ξενοδοχείο;	.... (Athens)
17. »	η ταβέρνα;	.... (town
18. »	το Μουσείο;	.... (Iraklio)
19. »	το εστιατόριο;	.... (town)
20. »	η Χριστίνα;	.... (office)
21. »	τα παιδιά;	.... (at their friends)
22. »	οι μαθητές;	.... (classrooms)
23. »	τα πιάτα ;	.... (tables)
24. »	τα αυτοκίνητα;	.... (in the streets)
25. »	τα πουλιά;	.... (on the trees)

EXERCISE 32

Complete the following sentences by choosing the correct word:

1. Ο ψωμάς   τάξη.
2. Ο, η γιατρός   εφημερίδα.
3. Ο, η φαρμακοποιός   χωράφι.
4. Ο, η γραμματέας   εκκλησία.
5. Ο γεωργός   νοσοκομείο.
6. Η νοσοκόμα   ραφτάδικο.
7. Ο, η δάσκαλος, α   **Είναι**   κρεοπωλείο.
8. Ο παπάς   φαρμακείο.
9. Ο μπακάλης   ταβέρνα.
10. Ο ταβερνιάρης   φούρνο.
11. Ο κουρέας   γραφείο.
12. Ο ράφτης   σχολείο.
13. Ο κρεοπώλης   μπακάλικο.
14. Ο, η δημοσιογράφος   ιατρείο.
15. Ο, η μαθητής, τρια   κουρείο.

The word οδός is used to name streets, e.g. Οδός
Πανεπιστημίου=University Street.

LESSON 23
Πότε είναι; When is?
Πότε γιορτάζεις; Πότε είναι η γιορτή σου;
Χρόνια Πολλά! Να ζήσεις!
When do you celebrate? Many Happy Returns!

In Greece people celebrate their name day (which is associated with the name of a particular saint) and not so much their birthdays. In Cyprus people celebrate both birthdays and name days. In Corfu, the patron saint is St. Spyridon and many people are called Σπύρος. Those who do not celebrate their nameday are those who have classical Greek names such as Σωκράτης, Αλέξανδρος, Αθηνά, Αφροδίτη, Αριστοτέλης, Σοφοκλής, Αντιγόνη, Ασπασία, Ευριπίδης, Ηρόδοτος, Όμηρος, Άρτεμη, Ηλέκτρα, Οδυσσέας, Αχιλλέας, Πηνελόπη etc.

VOCABULARY

πότε = when	το όνομα = name
γιορτάζω = I celebrate	η γιορτή = the celebration
γιορτάζεις = you celebrate	ονομαστικός, η, ο = name
έχω = I have	δεν γιορτάζω = I do not celebrate
τα γενέθλια = birthday	αρχαίος, α, ο = ancient
Χρόνια Πολλά (a wish) = Many Happy Returns	
Να ζήσεις (a wish) = May you live a long life!	

Η Ονομαστική Γιορτή = Nameday

Πότε γιορτάζεις Αντρέα;   Γιορτάζω στις 30 Νοεμβρίου.
When do you celebrate Andreas?   I celebrate on the 30th November.

Πότε γιορτάζεις Ελένη;   Γιορτάζω στις 21 Μαΐου.
When do you celebrate Eleni?   I celebrate on the 21st May.

Πότε είναι η γιορτή σου Μαρία;   Είναι στις 25 Μαρτίου.

151

When is your nameday Maria? It is on the 25th March.

Πότε είναι η γιορτή σου Γιώργο; Είναι στις 23 Απριλίου.
When is your nameday George? It is on the 23rd April.

Πότε γιορτάζεις Δημήτρη / Δήμητρα; Γιορτάζω στις 26 Οκτωβρίου.
When do you celebrate Demetris / Demetra? I celebrate on the 26th October.

Πότε γιορτάζεις Σωκράτη; Δυστυχώς, εγώ δεν γιορτάζω, έχω αρχαίο όνομα!
When do you celebrate Socrates? Unfortunately, I do not celebrate, I have an ancient name!

Τα Γενέθλια = Birthdays

Πότε είναι τα γενέθλιά σου Γιάννη;   Είναι στις 25 Αυγούστου.
When is your birthday John?   It is on the 25th August.
Πότε είναι τα γενέθλιά σου Ελένη;   Είναι στις 15 Απριλίου.
When is your birthday Eleni?   It is on the 15th April.

Πότε είναι το επόμενο Πάσχα;
When is the next Greek Easter?

ΔΥΤΙΚΩΝ		ΟΡΘΟΔΟΞΩΝ
31 Μαρτίου	2002	5 Μαΐου
20 Απριλίου	2003	27 Απριλίου
11 Απριλίου	2004	11 Απριλίου
27 Μαρτίου	2005	1 Μαΐου
16 Απριλίου	2006	23 Απριλίου
8 Απριλίου	2007	8 Απριλίου
23 Μαρτίου	2008	27 Απριλίου
12 Απριλίου	2009	19 Απριλίου
4 Απριλίου	2010	4 Απριλίου

LESSON 24
THE VOCATIVE CASE

When we address someone, we always use the Vocative case-
or "calling Case" as is sometimes called. We use it that is, when we
call or when we address someone.
The rules to remember are:

1. Masculine words, Nouns or Adjectives ending in –ος change
the –ος into –ε.

Singular: **Plural**

ο Κύριος	κύριε	=Sir, Mr.	Κύριοι
ο θείος	θείε	=uncle	θείοι
ο ξένος	ξένε	=guest, foreigner	ξένοι
ο φίλος	φίλε	=friend	φίλοι
ο οδηγός	οδηγέ	=driver	οδηγοί
Αγαπητός	αγαπητέ	=dear	αγαπητοί
ο Άριστος	Άριστε	=Aristos	
ο Χριστόφορος	Χριστόφορε	=Christopher	
ο Πάριος	Πάριε	=Parios	

NOTE: In names with more than two syllables the final –ος changes
into –ε in the Vocative.

Examples:
Γειά σου θείε   =Hello uncle.
Γειά σας φίλοι   =Hello friends.

2. All other Masculine words and proper Nouns simply drop the
final "ς" in the Vocative.
e.g.
ο Νίκος   Νίκο   =Nikos

			Plural
ο Γιάννης	Γιάννη	=Jonh	
ο Κώστας	Κώστα	=Costas	
ο γαλατάς	γαλατά	=milkman	γαλατάδες
ο ταβερνιάρης	ταβερνιάρη	=tavern keeper	ταβερνιάρηδες
ο ψωμάς	ψωμά	=baker	ψωμάδες

Examples:

Καλημέρα Αντρέα   =Good morning Andreas.
Γεια σου Νίκο   =Hello Nicos.
Στην υγειά σου ταβερνιάρη   =To your health tavern keeper (owner).

3. **All Feminine and Neuter words remain exactly the same in the Vocative.**

e.g.   **Plural endings**

η κυρία	κυρία	=Madam	κυρίες
η Μαρία	Μαρία	=Mary	-
η Ελένη	Ελένη	=Helen	-
η μητέρα	μητέρα	=mother	μητέρες
το παιδί	παιδί	=child	παιδιά
αγαπητή	αγαπητή	=dear	αγαπητές

Examples:

Γειά σου ΄Αννα   =Hello Anna.
Καλημέρα Μαρία   =Good morning Maria.
Καλησπέρα μητέρα   =Good evening mother.

NOTE: There is no article in the Vocative Case.

VOCABULARY

η υγεία=health   Στην υγεία σου=Cheers/to
αντίο=goodbye   your health
η δεσποινίδα=Miss   η αγάπη=love
ο Αριστοτέλης=Aristotle   αγάπη μου=My darling (love)

GREEK NAMES

Man (Mr)		Woman (Mrs/Miss)		
Κύριος	Σωκράτης	Κυρία/Δίδα*		Σωκράτη
»	Χριστόδουλος	»	»	Χριστοδούλου
»	Αριστοτέλης	»	»	Αριστοτέλη
»	Θεόδωρος	»	»	Θεοδώρου
»	Παυλίδης	»	»	Παυλίδη
»	Παπαδόπουλος	»	»	Παπαδοπούλου
»	Φιλιππίδης	»	»	Φιλιππίδη
»	Κωνσταντίνος	»	»	Κωνσταντίνου
»	Χατζηχρίστος	»	»	Χατζηχρίστου
»	Νικόλαος	»	»	Νικολάου

*Δίδα is abbreviated form of Δεσποινίδα.

EXERCISE 33

Complete the following sentences
1. Καλημέρα Χριστόφορ.....
2. Καλησπέρα Κυρία Αριστοτέλ.....
3. Καληνύχτα Κύρι..... Παπαδόπουλ.....
4. Γεια σου Σωκράτ.....
5. Γεια σου Χριστόδουλ.....
6. Στην υγεία σου φιλ..... μου
7. Αγαπητ..... Κύριε Παυλίδ.....
8. Αγαπητ..... Κύρι..... Παπαδόπουλ
9. Αγαπητ..... δεσποινίδα Κωνσταντίν.....
10. Στην υγεία σας φίλ..... μου
11. Στην υγεία σου Χριστόφορ.....
12. Καλημέρα Κύρι..... Θεόδωρ.....
13. Καλησπέρα..... πατέρ.....
14. Καλημέρα..... παππ.....
15. Καληνύχτα θεί.....

NOUN MASCULINE ENDINGS			FEMININE			NEUTER		
Nom. -ος	-ης	-ας	-α	-η	-ος	-ο	-ι	-μα
Gen. -ου	-η	-α	-ας	-ης	-ου	-ου	-ου	-τος
Acc. -ο	-η	-α	-α	-η	-ο	-ο	-ι	-μα
Voc. -ε	-η	-α	-α	-η	-ος	-ο	-ι	-μα
Nom. -οι	-ες	-ες	-ες	-ες	-οι	-α	-ια	-τα
Gen -ων	-ων	-ων	-ων	-ων	-ων	-ων	-ιων	-των
Acc -ους	-ες	-ες	-ες	-ες	-ους	-α	-ια	-τα
Voc. -οι	-ες	-ες	-ες	-ες	-οι	-α	-ια	-τα

SUMMARY OF THE CASES

	Masculine	Feminine	Neuter
Nom.	ο πατέρας	η μητέρα	το παιδί
Genit.	του πατέρα	της μητέρας	του παιδιού
Accs.	τον πατέρα	την μητέρα	το παιδί
Vocat.	πατέρα	μητέρα	παιδί

Nom.	οι πατέρες	οι μητέρες	τα παιδιά
Genit.	των πατέρων	των μητέρων	των παιδιών
Accus.	τους πατέρες	τις μητέρες	τα παιδιά
Vocat.	πατέρες	μητέρες	παιδιά

ο μπακάλης(1)	η αδελφή(2)	το μάθημα
του μπακάλη	της αδελφής	του μαθήματος
τον μπακάλη	την αδελφή	το μάθημα
μπακάλη	αδελφή	μάθημα

οι μπακάληδες	οι αδελφές	τα μαθήματα
των μπακάληδων	των αδελφών	των μαθημάτων
τους μπακάληδες	τις αδελφές	τα μαθήματα
μπακάληδες	αδελφές	μαθήματα

Masculine	Feminine	Neuter
ο φίλος	η οδός	το γραφείο
του φίλου	της οδού	του γραφείου
τον φίλο	την οδό	το γραφείο
φίλε	οδός	γραφείο
οι φίλοι	οι οδοί	τα γραφεία
των φίλων	των οδών	των γραφείων
τους φίλους	τις οδούς	τα γραφεία
φίλοι	οδοί	γραφεία

(1) NOTE: This declension concerns mainly occupational nouns ending in **–ης** or **–ας** or –as, e.g. ο μανάβης (greengrocer), ο ψαράς (fisherman) etc.

(2) Some feminine words which have classical Greek origins have kept their ancient plural, e.g. η λέξη=οι λέξεις, των λέξεων, τις λέξεις, η πόλη-οι πόλεις etc.

Delphi

LESSON 25
VERBS – AN INTRODUCTION

Verbs have the following:

1. **Person** -First, second and third

Εγώ γράφω	=I write
Εσύ γράφεις	=You write
Αυτός,η,ο γράφει	=He, she, it writes

2. **Number** - Singular and Plural. The above examples are in the singular. The following are in the plural:

Εμείς γράφουμε	=We write
Εσείς γράφετε	=You write
Αυτοί γράφουν	=They write.

3. **Tense** - There are eight tenses: Present, Future Simple, Future Continuous, Past (Aorist), Imperfect, Perfect, Future Perfect, and Past Perfect. Each of these tenses will be treated in later chapters.

4. **Aspect** - Perfective and Imperfective.

(A) **The Perfective Aspect** indicates that an action is perceived as momentary or as a completed whole, regardless of whether it is extended over a length of time or consists of occurences. This aspect is conveyed in the following tenses:

   (i)   **Simple Past (Aorist)** –έγραψα   =I wrote
                                       έστειλα   =I sent
                                       ήπια =I drank

   (ii) **Future Simple**- Θα το γράψεις δυο φορές=You will write it two times.

   (iii) **Simple Subjunctive**- να γράψω, να στείλω.

(iv)   **Simple Imperative**   -διάβασε, γράψε, στείλε.

(B)   **The Imperfective Aspect** refers to an action perceived in its duration, usually in relation to a point of time otherwise specified or implied. It indicates that an action or series of repetitions is **incomplete** at that point of time. This aspect is conveyed in the following tenses:

(i)   **Imperfect (Past Continuous)**
έγραφα   =I was writing
έστελνα   =I was sending
διάβαζα   =I was reading

(ii)   **Future Continuous**
θα γράφω   =I shall be writing
θα διαβάζω   =I shall be reading
θα στέλνω   =I shall be sending

(iii)   **Continuous Subjunctive** -να γράφω, να διαβάζω, να στέλλω

(iv)   **Imperative**   -γράφε, διάβαζε, στέλνε

5. **Moods**   -   Verbs in Modern Greek have three Moods.

(i)   **The Indicative**   -   used in statements and questions of fact. The negative is δε(ν).

(ii)   **The Subjunctive**   -   used in connection with wishes, desires, expectations; actions that are conditional, uncertain, or which will occur in the future; especially common in subordinate clauses.
The negative is **μη(ν)**. The Subjunctive is governed by a subordinating conjuction such as **αν, όταν, μόλις, πριν** or by one of the particles which indicate mood -**να, θα, ας.**
      Αν έρθεις, θα σε δω=If you come, I'll see you. The subjunc-

159

tive has continuous (γράφω, διαβάζω and simple forms (γράψω, διαβάσω).

(iii) **The Imperative** - used in Commands, demands requests. Negative commands take **μη(ν)** plus the Subjunctive.

6. **Voices** - Greek verbs have two voices:

(i) **Active** - the Subject performs the action which either takes effect on some object (Transitive verbs) or an action which does not take effect on an object (Intransitive verbs). Examples:

Χτύπησε το κουδούνι =He rang the bell.
Έγραψε το γράμμα =He wrote the letter.
(Active, Transitive).

Θα φύγω τώρα =I'll leave now.
Θα χορέψω τώρα =I'll dance now (Active Intransitive).

(ii) **Passive** - the subject is acted upon

Διδάσκομαι =I am taught.
Χτυπήθηκα =I was hit.

Verbs which are "passive" in form may also be:

(a) **Reflexive** - the subject acts upon itself, e.g.
Χτυπιέται γιατί είναι τρελός=He hits himself, because he is crazy.

(b) **Reciprocal** - two subjects act upon each other, e.g. Τα παιδιά εκείνα πάντα χτυπιούνται=Those children are always hitting each other.

The Verb "to go"	=πηγαίνω/πάω

Πηγαίν-ω	πάω	=I go
-εις	πας	=You go
-ει	πάει	=He, she, it goes
-ουμε	πάμε	=We go
-ετε	πάτε	=You go
-ουν	πάν(ε)	=They go

VOCABULARY

η εκκλησία=church   το εστιατόριο=restaurant
η τράπεζα=bank   το κατάστημα=shop
ο γάμος=wedding   το καφενείο=cafe
το ταχυδρομείο=post office   το θέατρο=theatre

Examples:

Πάω στην τράπεζα = I go to the bank.
Πας στο ταχυδρομείο =You go to the Post Office.
Πάει στο εστιατόριο =He, she goes to the restaurant.
Πάμε στο ξενοδοχείο =We go to the hotel.
Πάτε στην εκκλησία =You go to the church
Πάνε στο γάμο =They go to the wedding.

QUESTIONS AND ANSWERS
EXERCISE 34
Example: Πού πάει ο Γιάννης; Where does John go?
Ο Γιάννης πάει στο φαρμακείο. John goes to the chemist.

1. Πού πάει η Μαρία; .... (bank)
2. » η Άννα; .... (office)
3. » η Ελένη; .... (hotel)
4. » ο Νίκος; .... (tavern)
5. » ο Πέτρος; .... (restaurant)

6.	»	ο Γιάννης;...	(school)
7	»	ο τουρίστας;..	(Acropolis)
8	»	ο παππούς;..	(cafe)
9	»	η γιαγιά;..	(church)
10	»	ο δάσκαλος;..	(school)
11	»	ο πατέρας;...	(work)
12	»	η μητέρα;...	(shop)
13	»	ο Χρήστος;...	(barber's)
14	»	η Χριστίνα;..	(hospital)
15	»	ο παπάς;..	(church)
16	»	ο γεωργός;...	(field)
17	»	ο γιατρός;..	(surgery)
18	»	η μητέρα;...	(theatre).

ATHENS

Το Ερέχθειο

LESSON 26
THE VERB: THE PRESENT INDICATIVE

All verbs in the Active Voice end in –ω. A verb is a doing word e.g. τρώγω=I eat, πίνω=I drink, χορεύω=I dance. Greek verbs are conjugated in such a way requiring the personal Pronoun only for emphasis. We can tell from the ending of the verb whether it is 1st, 2nd, or 3rd person singular or plural. The Indicative is used in statements and questions of fact. Nomally expresses a reality, an action or state which has occurred or prevailed in the past or is occuring in the present. The negative is δεν.

Μαθαίνω Ελληνικά	= I am learning Greek
Μαθαίνεις Ελληνικά	=You are learning Greek
Μαθαίνει Ελληνικά	=He, she, it is learning Greek
Μαθαίνουμε Ελληνικά	=We are learning Greek
Μαθαίνετε Ελληνικά	=You are learning Greek
Μαθαίνουν Ελληνικά	= They are learning Greek

Active verbs are divided into two groups:
1. Verbs with no accent on the last syllable

διαβάζω=I read   γράφω=I write
διδάσκω=I teach   αγοράζω= I buy

These verbs change their final –ω into –ομαι to form the Passive.

e.g. διδάσκω = I teach   διδάσκομαι=I am taught

2. Verbs with an accent on the last syllable

αγαπώ=I love   φιλώ=I kiss
μιλώ=I speak   φορώ= I wear

163

These verbs change their final –ω into –ιεμαι to form the Passive.

e.g. φιλώ=I kiss φιλιέμαι=I am kissed.

ACTIVE VERBS denote an action done by the subject.

Verbs have three Moods:

1. Indicative   2. Subjunctive   3. Imperative

Active Verbs are divided into:

(a) Transitive and (b) Intransitive

The Transitive Verbs indicate that the subject acts on a person, animal, or object. **Transitive verbs are always followed by the object.**

e.g. Η μητέρα χτενίζει την Άννα=Mother combs Anna's hair.
Ο κηπουρός ποτίζει τα λουλούδια=The gardener waters the flowers.

The **Intransitive Verbs** indicate that the action does not go on anything, i.e. **there is no object.**

e.g. Το παιδί χαμογελά   =The child smiles.
Το παιδί τρέχει   =The child runs.
Ο μαθητής γελάει   =The pupil laughs.

3. **Neutral verbs** may have an Active or Passive ending.

ξυπνώ=I wake up.   χρειάζομαι=I need
πεινώ=I am hungry.   χαίρομαι=I am pleased.
διψώ=I am thirsty.   έρχομαι=I come.

4. Deponent verbs have only a Passive ending e.g.

αισθάνομαι= I feel   εργάζομαι= I work
εύχομαι= I wish   θυμούμαι= I remember
φοβούμαι= I am afraid   δέχομαι= I accept
γίνομαι= I become

They are called **Deponent** because in the past it was thought that they had lost their Active Voice.

CONJUGATION OF VERBS: 1st CATEGORY

The Auxiliary Verb: έχω = I have

έχω	= I have	έχουμε	= We have
έχεις	= You have	έχετε	= You have
έχει	= He, she, it has	έχουν	= They have

(A) Verbs ending in –νω   Future ending is –σω

πληρώνω	=	I pay
πληρώνεις	=	You pay
πληρώνει	=	He, she, it pays
πληρώνουμε	=	We pay
πληρώνετε	=	You pay
πληρώνουν	=	They pay

Other verbs conjugated like πληρώνω are: δένω= I tie, χάνω= I lose, miss, ψήνω= I bake, ντύνω= I dress, απλώνω= I spread, διορθώνω= I correct, διπλώνω= I fold, ενώνω= I unite, λιώνω= I melt, περικυκλώνω= I surround, στεφανώνω= I crown, etc.

(B) Verbs ending in -πω, -βω, -φω. - Future ending is -ψω

γράφω	= I write	γράφουμε	= We write
γράφεις	= You write	γράφετε	= You write
γράφει	= He, she it writes	γράφουν	= They write

Other Verbs of this group are κρύβω= I hide, ράβω= I sew,

λείπω=I am away (absent), βάφω=I dye, δουλεύω=I work
γιατρεύω=I cure, σκάβω=I dig etc.

(C) Verbs ending in -κω, -γω, -χω, -χνω, -άζω - Future ending is -ξω.

ανοίγω	=I open	αλλάζω	=I change
ανοίγεις	=You open	αλλάζεις	=You change
ανοίγει	=He, She, It opens	αλλάζει	=He, She It
ανοίγουμε	=We open		changes
ανοίγετε	=You open	αλλάζουμε	=We change
ανοίγουν	=They open	αλλάζετε	=You change
		αλλάζουν	=They change

Other Verbs of this group are: διαλέγω=I select, τρέχω=I run,
δείχνω=I show, ρίχνω=I throw, παίζω=I play, κοιτάζω=I look,
πλέκω=I knit, etc.

(D) Verbs ending in -ίζω, -άζω, -θω - Future ending is -σω

ελπ	-ίζω	=I hope
	-ίζεις	=You hope
	-ίζει	=He, She, It hopes
	-ίζουμε	=We hope
	-ίζετε	=You hope
	-ίζουν	=They hope

εξετ	-άζω	=I examine
	-άζεις	=You examine
	-άζει	=He, She, It examines
	-άζουμε	=We examine
	-άζετε	=You examine
	-άζουν	=They examine

Other Verbs of this group are στολίζω=I decorate, δανείζω=I
lend, αγκαλιάζω=I embrace, λογαριάζω=I intend, reckon,
πείθω=I persuade, δροσίζω=I cool, refresh.

EXERCISE 35

(1) Conjugate the following verbs.

(2) Make one sentence with each verb.

1. θέλω   =I want   5. χορεύω   =I dance
2. ταξιδεύω   =I travel   6. ξέρω   =I know
3. αγοράζω   =I buy   7. μένω   =I stay
4. δουλεύω   =I work   8. κάνω   = I make (do)

The old town, Rhodes.

LESSON 27

CONJUGATION OF VERBS: 2nd CATEGORY

(A) Verbs taking an accent on the last letter –ω.- Future ending is –ησω

αγαπ- ώ	=I love	ϱωτ-ώ	=I ask
αγαπ-άς	=You love	ϱωτ-άς	=You ask
αγαπ-ά	=He, She, It loves	ϱωτ-ά	=He, she, it asks
αγαπ-άμε	=We love	ϱωτ-ούμε	=We ask
αγαπ-άτε	=You love	ϱωτ-άτε	=You ask
αγαπ-ούν	=They love	ϱωτ-ούν	=They ask

Other verbs of this group are: απαντώ=I answer (reply), νικώ=I win, τιμώ=I honour, χαιρετώ=I greet, χτυπώ=I hit(knock), βαστώ=I hold, διψώ=I am thirsty, πεϱνώ=I pass, κυβεϱνώ=I govern, etc.

(B) Verbs taking an accent on the last letter but having different endings from the above.

πϱοσπαθ-ώ	=I try	μποϱ-ώ	=I can, I may
πϱοσπαθ-είς	=You try	μποϱ-είς	=You »
πϱοσπαθ-εί	=He, She It tries	μποϱ-εί	=He, She It»
πϱοσπαθ-ούμε	=We try	μποϱ-ούμε	=We »
πϱοσπαθ-είτε	=You try	μποϱ-είτε	=You »
πϱοσπαθ-ούν	=They try	μποϱ-ούν	=They »

Other verbs of this group are: αϱγώ=I am late, δημιουϱγώ=I create,επιχειϱώ=I attempt, ζω=I live, κατοικώ=I reside, ποθώ=I long (for), πϱοχωϱώ=I proceed, υπηϱετώ=I serve, φϱουϱώ=I guard, καλώ=I invite etc.

VERBS CONJUGATED EITHER WAY

Some verbs are conjugated in either way in the 2nd Category. Such verbs are: μιλώ=I speak, ζητώ=I ask (seek), κρατώ=I hold, τραγουδώ=I sing, πουλώ=I sell, τηλεφωνώ=I telephone, συγχωρώ=I forgive, φορώ=I wear, etc.

CONTRACTED VERBS

λέ(γ)ω	=I say	πάω	=I go
λες	=You say	πας	=You go
λέει	=He, She It says	πάει	= He, She, It goes
λέμε	=We say	πάμε	= We go
λέτε	= You say	πάτε	= You go
λέν(ε)	= They say	πάν(ε)	= They go

ακούω=I hear	κλαίω=I cry	τρώ(γ)ω=I eat
ακούς	κλαίς	τρως
ακούει	κλαίει	τρώ(γ)ει
ακούμε=We hear	κλαίμε	τρώμε
ακούτε	κλαίτε	τρώτε
ακούν(ε)	κλαίνε	τρώνε

A number of commonly used verbs end in –αω e.g. μιλάω=I speak, αγαπάω=I love, τραγουδάω=I sing, πεινάω=I am hungry, διψάω=I am thirsty, πονάω=I feel pain (hurt). These conjugate as follows: μιλάω, μιλάς, μιλάει, μιλάμε, μιλάτε, μιλάνε.

Other Contracted Verbs are: τρώγω=I eat, φυλάγω=I save (protect), κλαίω=I cry, ακούω=I hear (listen).

ACTIVE VERBS WITH A PASSIVE ENDING (DEPONENT)

θυμούμαι	= I remember
θυμάσαι	= You remember
θυμάται	= He, She, It remembers
θυμούμαστε	= We remember
θυμάστε	=You remember
θυμούνται	=They remember

Other verbs in this group are:κοιμούμαι=I sleep, λυπούμαι=I am sorry, φοβούμαι=I am afraid.

VOCABULARY

θέλω=I want	ταξιδεύω=I travel
βλέπω=I see	τα λαχανικά=vegetables
παίρνω=I take	φεύγω=I leave (depart)
μένω=I stay	το ποδόσφαιρο=football
δίνω=I give	το λεωφορείο=bus
αρχίζω=I start	η τράπεζα=bank
από=from	το γκαρσόν=waiter
τραγουδώ=I sing	καταλαβαίνω=I understand
ο παπάς=priest	αγοράζω=I buy
χορεύω=I dance	πουλώ=I sell
ωραίος, α,ο=beautiful	στέλνω=I send
ξανθός,η,ο=blonde	υπάρχω=I exist
μπλε, γαλάζιο=blue	υπάρχει=there is
η δουλειά=work	ψάλλω=I chant
δουλεύω=I work	το γραμματόσημο= stamp
καπνίζω=I smoke	το εργοστάσιο=factory
	για =for, in order to

Examples:
1. Μιλώ Ελληνικά=I speak Greek
2. Ο Κώστας μιλά Αγγλικά=Costas speaks English.
3. Η Ελένη μιλά Γαλλικά=Helen speaks French.
4. Τρώγω σουβλάκια=I eat kebab.
5. Τρώγεις μουσακά=You eat mousaka.
6. Πίνουμε ρετσίνα=We drink retsina.
7. Γράφει ένα γράμμα=He/She writes a letter.
8. Ταξιδεύετε με αεροπλάνο=You travel by aeroplane.
9. Πηγαίνω στην Ακρόπολη=I go to the Acropolis.
10. Πηγαίνεις στην ταβέρνα=You go to the tavern.
11. Μένω στο ξενοδοχείο=I stay at the hotel.

12. Χορεύουμε στην ταβέρνα=We dance at the tavern.
13. Δεν καταλαβαίνω Ελληνικά=I do not understand Greek.
14. Μαθαίνει Ελληνικά =He/She is learning Greek.
15. Πάμε στο θέατρο=We go to the theatre.

Πόλεις - Cities

η Αθήνα=Athens
η Θεσσαλονίκη=Salonica
ο Πειραιάς=Pireas
η Λάρισα=Larisa
η Κόρινθος=Corinth
η Θήβα=Thebes

η Λαμία=Lamia
τα Γιάννενα=Jannena
η Πάτρα=Patra
η Καβάλα=Kavala
ο Βόλος=Volos
η Καλαμάτα=Kalamata

EXERCISE 36

Conjugate the following verbs and make sentences.
1. γελώ=I laugh
2. διψώ= I am thirsty
3. ξυπνώ=I wake up
4. βαστώ=I hold

EXERCISE 37

Complete the following sentences using the right person of the verb given at the end.

Example: Ο Παύλος .... Ελληνικά (μιλώ)
Answer: Ο Παύλος **μιλά** Ελληνικά

1. Ο Πέτρος................ στο γραφείο (δουλεύεω).
2. Η Άννα................ ένα γράμμα (γράφω).
3. Ο κ. Σμιθ................ Ελληνικά (μαθαίνω).
4. Εμείς................ Ελληνικά (μαθαίνω).
5. Η κ. Ρένα δεν................ Αγγλικά (μιλάω).
6. Ο Σταύρος................ σουβλάκια (τρώγω).
7. Εσείς .... ρετσίνα (πίνω).
8. Η Χριστίνα................ λεμονάδα (πίνω).
9. Ο Γιώργος δεν................ (καπνίζω).

171

10. Ο Νίκος δεν............ το Σάββατο (δουλεύω).
11. Ο ψαράς............ ψάρια (πουλώ).
12. Τα παιδιά............ το μάθημά τους (διαβάζω).
13. Ο μανάβης............ φρούτα (πουλώ).
14. Η Θεοδώρα............ λαχανικά (αγοράζω).
15. Εσύ............ Ελληνικά και Αγγλικά (μιλώ)
16. Εγώ δεν............ Ιταλικά (ξέρω).
17. Ο αδελφός μου............ Ελληνικά (διδάσκω).
18. Οι τουρίστες............ με αεροπλάνο (ταξιδεύω).
19. Εμείς............ στην ταβέρνα(πηγαίνω).
20. Εσείς............ στην Ακρόπολη (πηγαίνω).
21. Η Μαρία δεν............ Γαλλικά (μιλώ).
22. Οι τουρίστες............ κάρτες (στέλνω).
23. Οι Έλληνες............ τους ξένους (αγαπώ).
24. Η Δάφνη............ το Σοφοκλή (αγαπώ).
25. Εσείς............ ελληνικά τραγούδια (τραγουδώ).

EXERCISE 38
Complete the sentences:

1. Η μητέρα μου............ στην Ελένη (speaks)
2. Ο Νίκος............ καφέ κάθε πρωί (drinks)
3. Η Ελένη............ στο γραφείο (works)
4. Το καλοκαίρι εγώ δεν............ στο Λονδίνο (stay)
5. Η Χριστίνα............ ένα γράμμα (writes)
6. .... ένα ποτήρι κονιάκ παρακαλώ (I want)
7. Ο Γιάννης............ λαχανικά (buys)
8. Ο πατέρας και η μητέρα............ για τη δουλειά (leave)
9. Ο Χαράλαμπος............ παγωτά (sells)
10. Ο παπάς............ στην εκκλησία (chants)
11. Εσύ............ το μάθημα στις οκτώ (start)
12. Το λεωφορείο............ στις δέκα (leaves)
13. Οι τουρίστες............ κάρτες (send)
14. Εμείς............ γραμματόσημα από το ταχυδρομείο (buy)
15. Εσείς............ στο εργοστάσιο (work)

ASKING AND ANSWERING QUESTIONS
USING Τι= What AND Πού=Where?

We use the 2nd person singular for informal expressions and the 2nd person plural for formal expressions.

Examples:

Question

Answer

Τι κάνεις/Τι κάνετε;
What do you do;
What are you doing;

Πίνω καφέ=I drink coffee.
Τρώγω ένα σάντουιτς=I eat a sandwich.
Διαβάζω ένα περιοδικό=I read a magazine.
Γράφω ένα γράμμα=I write a letter.
Μαγειρεύω=I cook.

Question:

Answer:

Τι κάνεις
/κάνετε;

Βλέπω τηλεόραση.
I watch television.

Μαθαίνω Ελληνικά.
I learn Greek.

Βλέπω τον δάσκαλο.
I see the teacher.

Τι κάνεις / κάνετε το Σάββατο;
What do you do on Saturday?

Πηγαίνω στην αγορά.
I go to the market.

Πού μένεις / μένετε;
Where do you live;

Μένω στο Λονδίνο.
I live in London.

Πού μένει ο φίλος σου;
Where does your friend live?

Μένει στη Σκωτία.
He lives in Scotland.

173

Τι πίνεις / πίνετε;
What do you drink?

Πίνω πορτοκαλάδα.
I drink orangeade.

Τι τρώγεις(τρως);
What are you eating?

Τρώγω μουσακά.
I eat mousaka.

Πού τρώγεις (τρως);
Where are you eating?

Τρώγω στο εστιατόριο.
I eat at the restaurant.

Πού μαθαίνεις Ελληνικά;
Where do you learn Greek?

Μαθαίνω στο σχολείο.
I learn (Greek) at school.

At a Cypriot village cafe

LESSON 28

THE PRESENT SUBJUNCTIVE

The Subjunctive is used in connection with **wishes, commands, desires** and **expectations** actions that are conditional, uncertain or which will occur in the future; especially common in subordinate clauses. The negative is **μην**. The Subjunctive is governed by a subordinating conjuction such as: **αν, όταν, μόλις, πριν** or by one of the particles which indicate mood: **να, θα, ας**. The Subjunctive like the Indicative has Continuous and Simple form. The endings of the Subjunctive are the same as those of the Indicative. The Subjunctive may make a statement about future time, it may express a supposition, a wish, a desire, a command or it may appear in some talk which is not actually a statement. The Present Subjunctive may be described as **Imperfective non-past** and the Aorist Subjunctive as **Perfective non-past**.

Continuous	**Simple**
γράφω (write)	γράψω
γράφεις	γράψεις
γράφει	γράψει
γράφουμε	γράψουμε
γράφετε	γράψετε
γράφουν	γράψουν

Present	**Simple Subjunctive**	
αγοράζω	αγοράσω	=to buy
βλέπω	δω	=to see
διαβάζω	διαβάσω	=to read
ακούω	ακούσω	=to hear, listen
τηλεφωνώ	τηλεφωνήσω	=to telephone
μιλώ	μιλήσω	=to speak
τρώ(γ)ω	φάω	=to eat
παίρνω	πάρω	=to take
απαντώ	απαντήσω	=to reply, answer
λέω (λέγω)	πω	=to say

When the verbs have any of the following words before them **να, ας, αν, όταν, για, να,** they do not show something certain but something that we wish or expect to happen. Commands can also be conveyed by means of the subjunctive (simple or continuous) preceded by the particle **να.**

Examples:
Πηγαίνει στο περίπτερο ν΄ αγοράσει μια εφημερίδα= He goes to the kiosk to buy a newspaper.
Να πας στην εκκλησία=You should go to church.
Να στρίψεις αριστερά=You should turn left.
Θα της γράφει=He will write to her (habitually).
Θα του στείλει λεφτά=He will send him money.
Εγώ θέλω να γράφω=I want to write.
Η ΄Αννα θέλει να πηγαίνει περίπατο=Anna wants to go for a walk (often).
Ο Θανάσης θέλει να καπνίζει=Thanasis wants to smoke.
΄Οταν τρέχεις ιδρώνεις=When you run, you sweat.

The Subjunctive is used in the Present Tense (να γράφω), and the Perfect Tense (να έχω γράψει).

θέλω		πάω(*)	=I want to go
θέλεις		πάς	=You want to go
θέλει	**να**	πάει	=He, She, It wants to go
θέλουμε		πάμε	=We want to go
θέλετε		πάτε	=You want to go
θέλουν		πάνε	=They want to go

(*) The word πάω is the Simple Subjunctive of πηγαίνω.

Examples:
Θέλω να μάθω ελληνικά=I want to learn Greek
Θέλω να αγοράσω ένα βιβλίο=I want to buy a book.

176

Θέλει να ταξιδέψει στην Κρήτη=He/She wants to travel to Crete.
Θέλουμε να φάμε μουσακά=We want to eat mousaka.

θέλω		έχω		κάνω		είμαι
θέλεις		έχεις		κάνεις		είσαι
θέλει	να	έχει	να	κάνει	να	είναι
θέλουμε		έχουμε		κάνουμε		είμαστε
θέλετε		έχετε		κάνετε		είστε
θέλουν		έχουν		κάνουν		είναι

(1) Θέλω να πιω ρετσίνα=I want to drink retsina.
(2) Θέλω να κάνω νηστεία=I want to fast.
(3) Θέλω να χορέψω=I want to dance.

Examples:

1. Θέλω να έχω ένα βιβλίο=I want to have a book.
2. Θέλω να κάνω έναν καφέ= I want to make a coffee.
3. Θέλω να είμαι στην Ελλάδα=I want to be in Greece.

Το νησί Πόρος

177

LESSON 29

THE FUTURE TENSE

There are two forms of the Future Tense:
1. The Future Continuous - Imperfective.
2. The Future Simple - Perfective.

The FUTURE CONTINUOUS is formed with **Θα** followed by the presente indicative:

Θα γράφω	=I shall be writing
Θα γράφεις	=You will be writing
Θα γράφει	=He, She, It be writing
Θα γράφουμε	=We shall be writing
Θα γράφετε	=You shall be writing
Θα γράφουν	=They shall be writing
Θα τραγουδώ	=I shall be singing
Θα τραγουδάς	=You will be singing
Θα τραγουδά	=He, She It will be singing
Θα τραγουδούμε (άμε)	=We will be singing
Θα τραγουδάτε	=You will be singing
Θα τραγουδούν (άνε)	=They will be singing

The Future Continuous (Imperfective) is used when the future action in **incomplete** or **repetitive**. When an action is continuous, repeated or habitual, the Present stem of the verb is retained even after the particle **να** or in cases which take the Subjunctive.(1) Single action: Θέλω να φάω σουβλάκια σήμερα=I want to eat kebab today. (2) Repeated action: Μου αρέσει να τρώγω σουβλάκια κάθε μέρα=I like eating kebab every day.

Examples:
1. Η ταβέρνα θα ανοίγει κάθε μέρα στις οκτώ η ώρα.
The tavern will open at eight o' clock every day.

2. Ο Γιάννης θα γράφει στο φίλο του μια φορά το μήνα.
John will write to his friend once a month.

3. Ο Μητροπάνος θα τραγουδά κάθε βράδυ στις δέκα.
Mitropanos will sing at ten o' clock every night.

THE FUTURE SIMPLE - PERFECTIVE

The Future Simple (Perfective) is used when the future action is perceived as momentary or as a completed whole.

e.g. Η ταβέρνα θα ανοίξει αύριο στις οκτώ.
The tavern will open at eight o' clock tomorrow.

Θα μάθω Ελληνικά	= I shall learn Greek
Θα μάθεις Ελληνικά	= You will learn Greek
Θα μάθει Ελληνικά	= He, She, It will learn Greek
Θα μάθουμε Ελληνικά	= We shall learn Greek
Θα μάθετε Ελληνικά	= You will learn Greek
Θα μάθουν Ελληνικά	= They will learn Greek

The Future Simple is formed as follows:

1. Verbs with the letter **ζ,ν,θ,σ, τ,** before the final **–ω** change their ending into **–σω.**

e.g.	αγοράζω	-θα αγοράσω	= I shall buy
	θαυμάζω	-θα θαυμάσω	= I shall admire
	πληρώνω	-θα πληρώσω	= I shall pay
	αρχίζω	-θα αρχίσω	= I shall start
	χάνω	-θα χάσω	= I shall lose, miss
	νιώθω	-θα νιώσω	= I shall feel
	αρέσω	-θα αρέσω	= I shall like

NOTE: Some Verbs ending in **–άζω** change their ending into **–άξω** e.g. αλλάζω-θα αλλάξω = I shall change, φωνάζω- θα φωνάξω = I shall call.

179

2. Verbs with **αυ, ευ, β, π, φ,** before the final **–ω** change their ending into **–ψω.**

e.g. ράβω   -θα ράψω   =I shall sew
   δουλεύω   -θα δουλέψω   =I shall work
   κόβω   -θα κόψω   =I shall cut
   γράφω   -θα γράψω   =I shall write
   μαγειρεύω -θα μαγειρέψω =I shall cook

3. Verbs with **γ, κ, χ, χν** before the final **–ω** change their ending into **–ξω.**

e.g. ανοίγω   -θα ανοίξω   =I shall open
   πλέκω   -θα πλέξω   =I shall knit
   τρέχω   -θα τρέξω   =I shall run
   διώχνω   -θα διώξω   =I shall expel

4. Most Verbs accented on the last letter **–ω** change their ending into **–ήσω.**

Eg. μιλώ   -θα μιλήσω   =I shall talk
   φιλώ   -θα φιλήσω   =I shall kiss
   τηλεφωνώ -θα τηλεφωνήσω = I shall phone
   αγαπώ   -θα αγαπήσω   =I shall love

Some verbs, especially those ending in **–ρω** change their ending into **–έσω.**

e.g. μπορώ   -θα μπορέσω   =I shall be able
   φορώ   -θα φορέσω   =I shall wear
   καλώ   -θα καλέσω   =I shall invite
   παρακαλώ -θα παρακαλέσω =I shall beg

Some other verbs, especially those ending in **–νώ** change their ending into **–άσω.**

e.g. πεινώ   -θα πεινάσω   =I shall be hungry
   περνώ   -θα περάσω   =I shall pass
   ξεχνώ   -θα ξεχάσω   =I shall forget
   γελώ   -θα γελάσω   =I shall laugh
   διψώ   -θα διψάσω   =I shall be thirsty

EXAMPLES OF FUTURE CONJUGATION

θα μιλήσω = I shall speak   θα δω = I shall see
θα μιλήσεις = You will speak   θα δεις
θα μιλήσει = He, She, It will speak   θα δει
θα μιλήσουμε = We shall speak   θα δούμε
θα μιλήσετε = You will speak   θα δείτε
θα μιλήσουν = They will speak   θα δουν

θα γελάσω = I shall laugh   θα καλέσω = I shall invite
θα γελάσεις   θα καλέσεις
θα γελάσει   θα καλέσει

θα γελάσουμε   θα καλέσουμε
θα γελάσετε   θα καλέσετε
θα γελάσουν   θα καλέσουν

IRREGULAR VERBS IN THE FUTURE

μαθαίνω	-θα μάθω	= I shall learn
πηγαίνω	-θα πάω	= I shall go
τρώγω	-θα φά(γ)ω	= I shall eat
πίνω	-θα πιω	= I shall drink
βλέπω	-θα δω	= I shall see
παίρνω	-θα πάρω	= I shall take
φεύγω	-θα φύγω	= I shall leave
λέγω	-θα πω	= I shall say
μένω	-θα μείνω	= I shall stay
βάζω	-θα βάλω	= I shall put
βγαίνω	-θα βγω	= I shall go out
στέλνω(*)	-θα στείλω	= I shall send
*Also στέλλω		

NOTE: All the Verbs in the Future are conjugated exactly in the same way as those of the Present Tense.

Some of the Irregular Verbs are conjugated differently as it can be seen from below.

Θα πάω=I shall go
Θα πας=You will go
Θα πάει= He, She, It will go
Θα πάμε=We shall go
Θα πάτε=You will go
Θα πάνε=They will go

Θα φάω=I shall eat
Θα φας=You will eat
Θα φάει=He, She, It will eat
Θα φάμε=We shall eat
Θα φάτε=You will eat
Θα φάνε=They will eat

EXAMPLES USING THE FUTURE TENSE

Θα πάω στην Ελλάδα = I shall go to Greece.
Θα πάμε στην Αθήνα = We shall go to Athens.
Θα πάνε στη Θεσσαλονίκη = They will go to Salonica.
Θα μείνω για δέκα μέρες = I shall stay for ten days.
Θα μείνουμε για δύο βδομάδες=We shall stay for two weeks.
Θα δω την Επίδαυρο = I shall see Epidavros.
Θα πιούμε ρετσίνα. = We shall drink retsina.
Θα χορέψετε ελληνικούς χορούς=You will dance Greek dances.
Θα φάει αρνί ψητό = He/she will eat roast lamb.
Θα μάθω Ελληνικά = I shall learn Greek.

Πού θα πας/πάτε το καλοκαίρι; Where will you go in the summer?	Το καλοκαίρι θα πάω στην	Αθήνα Κρήτη Κύπρο Ρόδο Κέρκυρα

VOCABULARY

η γυναίκα=wife/woman
το χωριό=village
η φίλη=friend
το κοστούμι=suit, costume
οι διακοπές=holidays

το σινεμά=cinema
μαθαίνω=I learn
φεύγω=I leave
η Ρόδος=Rhodes
ο σταθμός=station

το θέατρο=theatre
η ακρογιαλιά=beach
βλέπω=I see, watch
η τηλεόραση=television
ο κόσμος=people
αύριο=tomorrow
μεθαύριο= the day after tomorrow
φορώ=I wear

χορεύω=I dance
το κέντρο=club, centre
ο ξάδελφος=cousin
όλοι=all
γιατί=why/because
ταξιδεύω=I travel
κόβω=I cut
το ανθοπωλείο=florist
το παλτό=overcoat

EXERCISE 39

Complete the following sentences:

1. Ο Νίκος θα .... στη θάλασσα αύριο (πηγαίνω/πάω)
2. Η Μαρία θα.................. σπίτι (μένω)
3. Τα παιδιά θα.................. σχολείο μεθαύριο (πηγαίνω/πάω)
4. Ο Γιάννης θα.................. σινεμά απόψε (πηγαίνω/πάω)
5. Ο κόσμος θα.................. στη θάλασσα (είμαι)
6. Εγώ θα.................. στη ταβέρνα (χορεύω)
7. Εγώ θα.................. ένα έργο στο θέατρο (βλέπω)
8. Την Κυριακή εσείς θα.................. στην εκκλησία (πηγαίνω/πάω)
9. Τον Αύγουστο εμείς θα.................. διακοπές (έχω)
10. Εμείς θα.................. Ελληνικούς χορούς (μαθαίνω)
11. Εσείς θα.................. λουλούδια από το ανθοπωλείο (αγοράζω)
12. Αυτοί θα.................. γλυκά στο ζαχαροπλαστείο (τρώγω)
13. Εσύ θα.................. την γιαγιά σου την Κυριακή (βλέπω)
14. Το Σάββατο η Ελένη θα.................. ένα παλτό (αγοράζω)
15. Οι μαθητές θα.................. τα μαλλιά τους (κόβω)

EXERCISE 40

Change the following sentences into the Future Simple Tense.
Example: Η Μαρία **τηγανίζει** πατάτες=Maria fries potatoes.
Η Μαρία **θα τηγανίσει** πατάτες.

1. Ο Νίκος **αγοράζει** ένα παγωτό.
2. Η Άννα **χορεύει** στην ταβέρνα.
3. Η μητέρα **μαγειρεύει** στην κουζίνα.
4. Η γιαγιά **ετοιμάζει** τον καφέ.
5. Ο Αντρέας **πίνει** πορτοκαλάδα.
6. Η Ελισάβετ **μαθαίνει** Ελληνικά.
7. Οι τουρίστες **βλέπουν** τον Παρθενώνα.
8. Το παιδί **διαβάζει** το μάθημά του.
9. Ο παππούς **γράφει** ένα γράμμα.
10. Η Σάντρα **δουλεύει** στο γραφείο.
11. Η Ελένη **κόβει** το ψωμί.
12. Τα παιδιά **βλέπουν** τηλεόραση.
13. Ο πατέρας **πηγαίνει** στην αγορά.
14. Οι τουρίστες **ταξιδεύουν** με αεροπλάνο.
15. Οι Έλληνες **βοηθούν** τους ξένους.
16. Η Αντιγόνη **τηγανίζει** ψάρια.
17. Ο ξένος **πίνει** πορτοκαλάδα.
18. Ο Ρόμπερτ **στέλνει** κάρτες.
19. **Πηγαίνουμε** στην Ολυμπία με το λεωφορείο.
20. **Πηγαίνω** στο χωριό του πατέρα μου.

Βουνά - Mountains

ο Όλυμπος	ο Σμόλικας	η Πίνδος
ο Ταΰγετος	ο Παρνασός	ο Γράμμος

Ποταμοί - Rivers

ο Αξιός	ο Αλιάκμονας	ο Πηνειός
ο Έβρος	ο Νέστος	ο Ευρώτας
ο Αχελώος	ο Στρυμόνας	

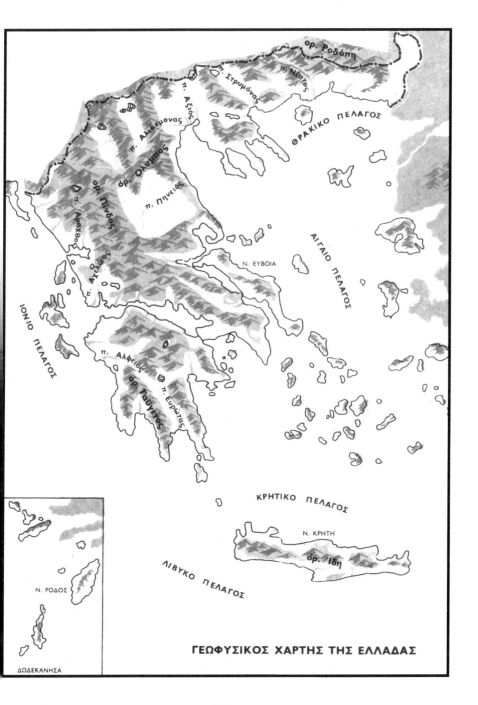

ΓΕΩΦΥΣΙΚΟΣ ΧΑΡΤΗΣ ΤΗΣ ΕΛΛΑΔΑΣ

LESSON 30
THE PAST TENSE

To construct the Past Tense we follow two rules:
1. We change the final - ω of the Future Simple into -α and move the accent to the third syllable from the end.
2. In 2-syllable verbs which are not accented on the final -ω in the Present, we add an initial ε or ει or η i.e. at the beginning of the verb and follow the same rule as above.

FIRST RULE

Present	Future Simple	Simple Past	
δουλεύω	-δουλέψω	-δούλεψα	=I worked
αλλάζω	-αλλάξω	-άλλαξα	=I changed
καταλαβαίνω	-καταλάβω	-κατάλαβα	=I understood
αγοράζω	-αγοράσω	-αγόρασα	=I bought
μιλώ	-μιλήσω	-μίλησα	=I spoke
γελώ	-γελάσω	-γέλασα	=I laughed

SECOND RULE

στέλνω	-στείλω	-έστειλα	=I sent
μένω	-μείνω	-έμεινα	=I stayed
κάνω	-κάνω	-έκανα	=I made
έχω	-έχω	-είχα	=I had
ξέρω	-ξέρω	-ήξερα	=I knew
πίνω	-πιω	-ήπια	=I drank

NOTE: Most of the 2-syllable verbs take an initial ε, and sometimes an –η.

IRREGULAR VERBS

Irregular Verbs do not follow the above rules and have their own form of Past Tense. The most common verbs are:

Present	Future	Past	
πηγαίνω	-θα πάω	-πήγα	=I went

τρώγω	-θα φάω	-έφαγα	=I ate
πίνω	-θα πιω	-ήπια	=I drank
μένω	-θα μείνω	-έμεινα	=I stayed
βλέπω	-θα δω	-είδα	=I saw
παίρνω	-θα πάρω	-πήρα	=I took
λέγω	-θα πω	-είπα	=I said
βγαίνω	-θα βγω	-βγήκα	=I went out
μαθαίνω	-θα μάθω	-έμαθα	=I learned

CONJUGATION OF VERBS IN THE PAST TENSE

έμαθα Ελληνικά	=I learned Greek
έμαθες Ελληνικά	=You learned Greek
έμαθε Ελληνικά	=He, She, It learned Greek
μάθαμε Ελληνικά	=We learned Greek
μάθατε Ελληνικά	=You learned Greek
έμαθαν Ελληνικά	=They learned Greek

δούλεψ-α=I worked	έγραψα=I wrote
δούλεψ-ες=You worked	έγραψες =You wrote
δούλεψ-ε=He, She, It worked	έγραψε=He, She, It wrote
δουλέψ-αμε=We worked	γράψαμε=We wrote
δουλέψ-ατε=You worked	γράψατε=You wrote
δούλεψ-αν=They worked	έγραψαν=They wrote

NOTE: When the verb takes an initial ε or η in the Past Tense this is dropped in the 1st & 2nd person plural if there are three or more syllables.

EXAMPLES USING THE PAST TENSE

1. Πήγα στην Αθήνα=I went to Athens.
2. Πήγαμε στην Ακρόπολη=We went to the Acropolis
3. Ήπιαμε ρετσίνα=We drank retsina.
4. Φάγαμε σουβλάκια=We ate kebabs.
5. Μείναμε 15 μέρες=We stayed (for) 15 days.

6. Είδαμε τους Δελφούς=We saw Delphi.
7. Χορέψαμε πολύ=We danced a lot.
8. Αγόρασα ελληνικά δώρα=I bought Greek presents.
9. ΄Αλλαξε τα λεφτά της=She changed her money.
10. Διασκεδάσαμε πολύ=We enjoyed ourselves a lot.

VOCABULARY

η ελιά=olive
το λάδι=oil
το ξύδι=vinegar
το ψάρι=fish
το αλάτι=salt
το πιπέρι=pepper
ράβω=I sew
η αγορά=market

γεμιστός,η,ο=filled, stuffed
η μπάμια= orka/lady's fingers
το κολοκύθι=marrow
το καρπούζι=watermelon
το κουκί=broad bean
το αναψυκτικό=soft drink
η μπριζόλα =cutlet, chop

CONJUGATION OF IRREGULAR VERBS

The conjugation of Irregular verbs is exactly the same as the other verbs in the Past Tense, i.e. exactly the same as the ones conjugated above.

Examples:

είδα	=I saw	πήγα	=I went
είδες	=You saw	πήγες	=You went
είδε	=He,She, It saw	πήγε	=He,She,It went
είδαμε	=We saw	πήγαμε	=We went
είδατε	=You saw	πήγατε	=You went
είδαν	=They saw	πήγαν	=They went

THE PAST SUBJUNCTIVE

This is formed with **να, ας, όταν, αν, για να**. This may be described as Perfect non-past.

e.g.	να μιλήσω	να γράψω
	να μιλήσεις	να γράψεις
	να μιλήσει	να γράψει
	να μιλήσουμε	να γράψουμε
	να μιλήσετε	να γράψετε
	να μιλήσουν	να γράψουν

Examples:

1. Θέλω να τηλεφωνήσω   Ας γράψω ένα γράμμα
I want to telephone   Let me write a letter.

2. Θέλω να χορέψω   Ας πάω στην Ελλάδα
I want to dance   Let me go to Greece

NOTE: The Subjunctives are timeless and can refer to the present, past or future e.g.
Έμαθα Ελληνικά πριν να πάω στην Κρήτη
I learned Greek before I went to Crete.

ASKING AND ANSWERING QUESTIONS

Question	Answer
Τι ήπιες/ήπιατε;	Ήπια καφέ
What did you drink?	» τσάι
	» μπίρα
	» κρασί
	» νερό
	» ούζο
	» πορτοκαλάδα
	» κόκα-κόλα
Τι έφαγες/φάγατε;	Έφαγα ένα σάντουιτς
What did you eat?	» ψάρι
	» φρυγανιές
	» σαλάτα
	» αρνί
	» πατάτες
	» φρούτα

Πού πήγες/πήγατε χτες/χθες;	Πήγα	στο σινεμά
Where did you go yesterday?	»	στο σχολείο
	»	στο γραφείο
	»	στην εκκλησία
	»	στο σπίτι μου
	»	στο εστιατόριο
	»	στην ταβέρνα
	»	στη θάλασσα

EXERCISE 41

Change the following sentences into the Past Tense.

Example:

Ο Γιώργος πίνει καφέ.   Ο Γιώργος ήπιε καφέ.

1. Τρώγω ψωμί και τυρί.
2. Πίνω λεμονάδα.
3. Δεν δουλεύεις σήμερα
4. Αγοράζω φρούτα το Σάββατο.
5. Τηγανίζουμε πατάτες και αυγά.
6. Κάνεις έναν καφέ.
7. Μαγειρεύω ένα κοτόπουλο.
8. Τηγανίζουμε ψάρια.
9. Χορεύετε στο κέντρο.
10. Διαβάζει το μάθημά της.
11. Δουλεύει στο εργοστάσιο.
12. Δεν πηγαίνει στο σχολείο.
13. Ράβεις ένα φόρεμα.
14. Μαγειρεύει κολοκύθια γεμιστά.
15. Αρχίζουμε τη δουλειά στις οκτώ.

EXERCISE 42

Conjugate the following verbs and also make sentences (in the first person singular).

1. έφυγα	=I left	7. έκανα	=I made (did)
2. ταξίδεψα	=I travelled	8. συνάντησα	=I met
3. ξύπνησα	=I woke up	9. οδήγησα	=I drove
4. πούλησα	=I sold	10. ήπια	=I drank
5. αγόρασα	=I bought	11. φίλησα	=I kissed
6. έστειλα	=I sent	12. τραγούδησα	=I sang

EXERCISE 43

Put the missing words in the Past Tense

1. Εγώ.................... από την Ελλάδα τον Ιούλιο (φεύγω)
2. Εσύ.................... ψάρι και πατάτες (τρώγω)
3.Η Ελένη .... μελιτζάνες (μαγειρεύω)
4.Ο Κώστας .... μπάμιες (τρώγω)
5.Τα παιδιά.................... καρπούζι και πεπόνι (τρώγω)
6.Η σαλάτα.................... πιπέρι, ντομάτες και αγγούρι(έχω)
7.Εμείς.........μουσακά και .... πορτοκαλάδα (τρώγω) (πίνω)
8.Ο Μιχάλης .... λεμονάδα (πίνω)
9.Η Άννα.................... ένα γράμμα (γράφω)
10.Τα παιδιά .... ένα βιβλίο (διαβάζω)
11. Εσείς.................... τη Μαρία στην αγορά (βλέπω)
12. Εγώ.................... στην τράπεζα το πρωί(πηγαίνω)
13. Εσύ.................... ένα γράμμα στο Λονδίνο (στέλνω)
14. Εμείς.................... κάλτσες και παπούτσια (αγοράζω)
15. Αυτοί .... στο ξενοδοχείο (μένω)

Ένας ελληνικός γάμος στο Λονδίνο.

Ένας ελληνικός γάμος στο Λονδίνο.

LESSON 31

THE IMPERFECT (PAST CONTINUOUS)

The Imperfect is almost the same as the Past Tense. The following rules must be followed in order to construct the Imperfect:

1. We always change the final –ω of the present into –α and transfer the accent to the third syllable from the end.

Examples:

πηγαίνω	-πήγαινα	=I was going
ανοίγω	-άνοιγα	=I was opening
διδάσκω	-δίδασκα	=I was teaching
δουλεύω	-δούλευα	=I was working

2. If the verb is accented on the last letter then we change the final –ω into –ουσα.

ρωτώ	-ρωτούσα	=I was asking
μιλώ	-μιλούσα	=I was speaking
κρατώ	-κρατούσα	=I was holding
αγαπώ	-αγαπούσα	=I was in love
μπορώ	-μπορούσα	=I was able to

CONJUGATION OF THE IMPERFECT

πήγαινα	=I was going
πήγαινες	=You were going
πήγαινε	=He, She, It was going
πηγαίναμε	=We were going
πηγαίνατε	=You were going
πήγαιναν	=They were going

μιλούσα	=I was speaking
μιλούσες	=You were speaking
μιλούσε	=He, She, It was speaking
μιλούσαμε	=We were speaking
μιλούσατε	=You were speaking
μιλούσαν	=They were speaking

3. Verbs which consist of two syllables, beginning with a consonant and are NOT accented on the last syllable, change the final –ω of the present into α αnd take an initial έ.

Examples:

πίνω	-έπινα	=I was drinking
τρώγω	-έτρωγα	=I was eating
γράφω	-έγραφα	=I was writing
στέλνω(1)	-έστελνα	=I was sending
μένω	-έμενα	=I was staying
ξέρω	-ήξερα*	=I knew
θέλω	-ήθελα*	=I wanted

*The verbs θέλω and ξέρω take an initial ή.
(1) Also στέλλω –έστελλα.

All these are conjugated in exactly the same way as the other examples. Here is one more example.

έπινα	=I was drinking
έπινες	=You were drinking
έπινε	=He, she, it was drinking
πίναμε	=We were drinking
πίνατε	=You were drinking
έπιναν	=They were drinking

NOTE: In the 1st and 2nd person plural the initial ε is dropped if there are 3 syllables but it returns in the 3rd person plural.

EXAMPLES WITH THE IMPERFECT

1. Πήγαινα στο σχολείο=I was going to school.
2. Έπινα τσάι=I was drinking tea.
3. Έτρωγε μήλα=He/She was eating apples.
4. Τραγουδούσε στην τάξη=He/ She was singing in the class.
5. Έμεναν στο σπίτι μας=They were staying in our house.
6. Μιλούσαμε Ελληνικά=We were speaking Greek.
7. Έμενα στην Αθήνα=I was staying in Athens.
8. Σπούδαζα φιλολογία=I was studying literature.
9. Πίναμε ρετσίνα=We were drinking retsina.
10. Τρώγαμε ψάρια=We were eating fish.
11. Ήξερε την Αθήνα πολύ καλά=He/She knew Athens very well.
12. Ήθελα να πάω στη Σπάρτη=I wanted to go to Sparta.

ήθελα		πάω		είμαι		κάνω
ήθελες		πας		είσαι		κάνεις
ήθελε	**να**	πάει	**να**	είναι	**να**	κάνει
θέλαμε		πάμε		είμαστε		κάνουμε
θέλατε		πάτε		είσαστε		κάνετε
ήθελαν		πάνε		είναι		κάνουν

(1) ήθελα να πάω=I wanted to go.
(2) ήθελα να είμαι=I wanted to be.
(3) ήθελα να κάνω =I wanted to make.

VOCABULARY

η πτήση=flight
τα λεφτά=money
όταν=when
ήμουν=I was
το ενθύμιο=souvenir
ταξιδεύω=I travel

το κέντρο=club, centre
η αναχώρηση=departure
τα γενέθλια=birthday
ο φτωχός=poor man
ο πλούσιος=rich man
η Λευκωσία=Nicosia

φτάνω=I arrive
η Λάρνακα=Larnaca
αεροπορικώς=by air

η άφιξη=arrival
γιορτάζω=I celebrate

EXERCISE 44

Conjugate the following Imperfects and make sentences.

1.έγραφα   =I was writing
2.αγόραζα =I was buying
3.έστελνα =I was sending
4.έμενα =I was staying
5.έτρωγα =I was eating
6.τραγουδούσα =I was singing

7.φιλούσα =I was kissing
8.γελούσα =I was laughing
9.σταματούσα =I was stopping
10 ρωτούσα =I was asking

EXERCISE 45
Complete the sentences:

1. Αυτός έγραφ..... ένα γράμμα. (he was writing)
2. Η Ελένη αγόραζ..... φρούτα. (she was buying)
3. Αυτοί έστελν..... δώρα. (they were sending)
4. Εμείς μέν..... στο χωριό. (we were staying)
5. Εσύ έτρωγ..... καρπούζι. (you were eating)
6. Αυτή μιλούσ..... με τη μητέρα της. (she was talking/speaking)
7. Εσείς τραγουδούσ..... όλο το βράδυ. you were singing)
8. Εγώ φιλούσ ..... τη γιαγιά και τον παππού. (I was kissing)
9. Ο Νίκος σταματούσ..... κάθε πέντε λεπτά. (he was stopping)
10. Εμείς ρωτούσ..... πού είναι το Μουσείο. (we were asking)
11. Αυτοί έγραφ..... στους φίλους τους. (they were writing)
12. Εσείς αγοράζ..... λαχανικά. (you were buying)
13. Το καλοκαίρι έμεν..... με το θείο της. (she was staying)
14. Εμείς τραγουδούσ..... ένα ελληνικό τραγούδι. (we were singing)
15. Αυτοί πήγαιν..... στην εκκλησία την Κυριακή. (they were going)

ΡΗΓΑΣ ΦΕΡΑΙΟΣ
Βελεστίνο· Βελιγράδι (1757 - 1798)

Θ. ΚΟΛΟΚΟΤΡΩΝΗΣ
Βαλτέτσι Τρίπολις Δερβενάκια (1770 - 1840)

ΛΑΣΚΑΡΙΝΑ ΜΠΟΥΜΠΟΥΛΙΝΑ
Αργολικός - Τρίπολις (1771 - 1825)

Α Θ. ΔΙΑΚΟΣ
Μουσουνίτσα - 'Αλαμάνα (1786 - 1821)

Ο Δ. ΑΝΔΡΟΥΤΣΟΣ
Ιθάκη - Γραβιά (1770 - 1824)

Κ. ΚΑΝΑΡΗΣ
Ψαρά - Χίος (1790 - 1877)

Α. ΜΙΑΟΥΛΗΣ
Ύδρα (1769 - 1826)

Μ. ΜΠΟΤΣΑΡΗΣ
Σούλι - Καρπενήσι. (1790 - 1823)

ΛΟΡΔΟΣ ΒΥΡΩΝ
Μεσολόγγι. (1788 - 1824)

ΕΛΛΗΝΕΣ ΗΡΩΕΣ ΤΟΥ 1821

LESSON 32

THE IMPERATIVE IN ACTIVE VERBS

The Imperative is used to express a **command**, a **demand** or a **request**, e.g. Στείλε αυτό το γράμμα παρακαλώ=Send (post) this letter please. Φέρε μου ένα καφέ παρακαλώ=Bring me a coffee please.

Negative commands or requests take **μη(ν)** plus the subjunctive, e.g. Μη στείλεις αυτό το γράμμα=Do not send this letter, or Δεν πρέπει να=You should/must not.

There are two types of Imperative:

(a) the Continuous Imperative (Imperfective) i.e. indicating continuity, habitual and
(b) Simple Imperative (Perfective) i.e. indicating one action, a complete action.

1. Continuous Imperative (Imperfective) indicating continuity.
A. Verbs not accented on last letter.
We change the final –ω of the Present into –ε for the Singular (or informal) or into –ετε for the plural (formal) expression.

Examples:

γράφω	-γράφε	-γράφετε	=you write
αγοράζω	-αγόραζε	-αγοράζετε	=you buy
δουλεύω	-δούλευε	-δουλεύετε	=you work
διαβάζω	-διάβαζε	-διαβάζετε	=you read
ανοίγω	-άνοιγε	-ανοίγετε	=you open
κοιτάζω	-κοίταζε	-κοιτάζετε	=you look (watch)

198

1. Γράφε μου κάθε Σάββατο=Write to me every Saturday.
2. Αγόραζε φρέσκα φρούτα κάθε Τρίτη=Buy fresh fruit every Tuesday.
3. Διάβαζε αυτή την εφημερίδα κάθε πρωί=Read this newspaper every morning.

Irregular verbs follow the same rule:

πηγαίνω	-πήγαινε	-πηγαίνετε	=you go
λέγω	-λέγε	-λέγετε	=you say
φέρνω	-φέρε	-φέρνετε	=you bring
τρώγω	-τρώγε	-τρώγετε	=you eat
φεύγω	-φεύγε	-φεύγετε	=you leave
πίνω	-πίνε	-πίνετε	=you drink

1. Πίνετε χυμό πορτοκάλι κάθε πρωί=Drink orange juice every morning.
2. Πηγαίνετε στο Μουσείο=Go to the museum.

B. Verbs accented on last letter.

If the verb is accented on the last letter, then the final –ω changes into –α and the accent moves to the second syllable from the end (for the singular) or into –άτε for the Plural.

Examples:

αγαπώ	-αγάπα	-αγαπάτε	=you love
ταχυδρομώ	-ταχυδρόμα	-ταχυδρομάτε	=you post
μιλώ	-μίλα	-μιλάτε	=you speak
φιλώ	-φίλα	-φιλάτε	=you kiss
ρωτώ	-ρώτα	-ρωτάτε	=you ask
φορώ	-φόρα	-φοράτε	=you wear
κρατώ	-κράτα	-κρατάτε	=you hold (keep)

1. Ταχυδρόμα τα γράμματα.=Post the letters.
2. Μίλα παιδί μου!=Speak my child!
3. Μιλάτε σιγά παρακαλώ=Speak slowly please.

2. The Simple Imperative (Perfective) indicating one action.

This is formed by changing the final –ω of the Aorist (Past) subjunctive into –ε or –ετε. This indicates a completed action.

Examples:

γράψω	-γράψε	-γράψετε	=you write
διαβάσω	-διάβασε	-διαβάστε	=you read
δουλέψω	-δούλεψε	-δουλέψτε	=you work
ανοίξω	-άνοιξε	-ανοίξτε	=you open

NOTE: Usually the second **ε** from the end is dropped.
e.g. γράψετε - γράψτε

NOTE: In verbs with three syllables the accent is placed on the 3rd syllable from the end, in the singular.

1. Άνοιξε αυτή τη βαλίτσα   =Open this suitcase
2. Ελένη, άνοιξε την πόρτα   =Helen, open the door.
3. Νίκο, φύλαξε τις κάρτες   =Nicos, save the cards.
4. Μαρία, διάβασε αυτό το ποίημα=Maria read this poem.

Irregular verbs

μαθαίνω	–μάθω	–μάθε	–μάθετε	=you learn
τρώγω	–φάω	–φά(γ)ε	–φάτε	=you eat
παίρνω	–πάρω	–πάρε	–πάρ(ε)τε	=you take
φεύγω	–φύγω	–φύγε	–φύγετε	=you leave
φέρνω	–φέρω	–φέρε	–φέρ(ε)τε	=you bring
λέγω	–πω	–πες	–πέστε	=you tell

1. Πέστε μου την αλήθεια   =Tell me the truth.
2. Πάρτε αυτά τα φρούτα   = Take these fruit.

Verbs accented on the last syllable in the Present follow the same rule i.e. they change the final –ω of the Aorist subjunctive into –ε or –έτε

NOTE: The irregular verb πάω= to go, takes the particle να in front of the 2ⁿᵈ person singular or plural, i.e. να πας- να πάτε = you (must) go.

Examples:

μιλήσω	–μίλησε	–μιλήστε*	=You speak
φιλήσω	–φίλησε	–φιλήστε	=you kiss
ρωτήσω	–ρώτησε	–ρωτήστε	=you ask
κρατήσω	–κράτησε	–κρατήστε	=you hold (keep)

*Usually the plural is **–ήστε** unless the verb ends in **–ρω**, when it is **–έστε**

φορέσω	–φόρεσε	–φορέστε	=you wear
μπορέσω	–μπόρεσε	–μπορέστε	=you may

1. Κρατήστε τα ρέστα	=Keep the change.
2. Φορέστε το κόκκινο φόρεμα	=Wear the red dress.
3. Ρωτήστε στην τράπεζα	=Ask at the bank.
4. Φίλησε τη γιαγιά	=Kiss grandmother.

3. Negative Imperative
This is formed by adding **μη(ν)** to the Subjunctive, or **δεν πρέπει να**.

A. Continuous Imperative (Negative)

μην πηγαίνεις	–μην πηγαίνετε	=Do not go.
μη γράφεις	–μη γράφετε	=Do not write.
μη διαβάζεις	–μη διαβάζετε	=Do not read.
μη ρωτάς	–μη ρωτάτε	=Do not ask.
μη φεύγεις	–μη φεύγετε	=Do not leave.
μη δουλεύεις	–μη δουλεύετε	=Do not work.
μη μιλάς	–μη μιλάτε	=Do not speak.

Examples:

1. Μην καπνίζετε εδώ   = Do not smoke here.
2. Μη μιλάτε δυνατά   = Do not speak aloud.
3. Μη φεύγεις τώρα   = Do not leave now.
4. Δεν πρέπει να καπνίζετε = You should not smoke.

B. Simple Imperative (Negative)

μην πας	–μην πάτε	=Do not go.
μη γράψεις	–μη γράψετε	=Do not write.
μη διαβάσεις	–μη διαβάσετε	=Do not read.
μη ρωτήσεις	–μη ρωτήσετε	=Do not ask.
μη φύγεις	–μη φύγετε	=Do not leave.
μη δουλέψεις	–μη δουλέψετε	=Do not work.
μη μιλήσεις	–μη μιλήσετε	=Do not speak.
μη μαγειρέψεις	–μη μαγειρέψετε	=Do not cook.

Examples:

1. Μη γράψεις στο Χρίστο=Do not write to Christos.
2. Μη μαγειρέψεις απόψε θα φάμε έξω=Do not cook tonight we shall go out to eat.
3. Μην καπνίσετε αυτά τα τσιγάρα=Do not smoke these cigarettes.

4. Δεν πρέπει να φορέσεις αυτό το φόρεμα = You should not wear this dress.

5. Μην πάτε στη θάλασσα σήμερα = Do not go to the sea today.

Emphatic Imperative

This is formed by using the particle **Να** in front of the second person of the subjunctive, continuous or Simple Imperative, or **πρέπει να** = you should / must.

e.g.

να γράφεις	–να γράφετε
να διαβάζεις	–να διαβάζετε
να αγοράζεις	–να αγοράζετε
να δουλεύεις	- να δουλεύετε
να μιλάς	–να μιλάτε
να αγαπάς	–να αγαπάτε
να ρωτάς	- να ρωτάτε
να πηγαίνεις	–να πηγαίνετε

Examples:

Πρέπει να διαβάζεις προσεκτικά = You must read carefully.

Να αγοράζετε ελληνικά προϊόντα = Buy Greek products.

Να αγαπάτε τους γονείς σας = You must love your parents.

Να πηγαίνετε τακτικά στην Κύπρο = You must go regularly to Cyprus.

Simple Emphatic Imperative

να γράψεις	–να γράψετε
να διαβάσεις	– να διαβάσετε
να αγοράσεις	–να αγοράσετε
να δουλέψεις	–να δουλέψετε
να μιλήσεις	–να μιλήσετε

να αγαπήσεις - να αγαπήσετε
να ρωτήσεις - να ρωτήσετε

Examples:

Να γράψετε μια έκθεση τώρα = You must write an essay now.
Πρέπει να αγοράσεις αυτό το αυτοκίνητο σήμερα = You must buy this car today.
Να πάτε στις οκτώ απόψε = You must go at eight o' clock tonight.

The **Emphatic Negative** is **Να μη(ν)** or **Δεν πρέπει να** plus the subjunctive, as above.

Να μην πας   –πάτε   = You must not go.
Να μην δουλέψεις   –δουλέψετε   = You must not work.
Δεν πρέπει να λέτε ψέματα   = You must not tell lies.

NOTE: Imperative forms exist only in the second person, singular and plural. Requests, commands, demands and exhortations in the first and third persons are expressed by using the particle **ας** followed by the subjunctive.

Ας πάει σήμερα = Let him go today.
Ας γράψω στη μητέρα = I' ll (let me) write to mother.
Ας πιω ένα ούζο = I'll drink an ouzo.
Ας πάω στο χωριό   = I'll go to the village.

VOCABULARY

το πιοτό, το ποτό = a drink	παλιός,α,ο = old
φέρνω = I bring	πληρώνω = I pay
πρέπει = should/must	δίνω = I give
απόψε = tonight	προτιμώ = I prefer
τρέχω = I run	κονιάκ = brandy
κερνώ = I treat	γρήγορα = quickly
το χωριό = village	αμέσως = immediately
το πακέτο = parcel	καπνίζω = I smoke

δυνατά=loudly
προσεκτικά=carefully
γιατί=because

το ψέμα=the lie
η αλήθεια=truth

EXERCISE 46

Complete the sentences: (Continuous Imperative)

1. Γράφ.......... προσεχτικά (write)
2. Φιλ.......... τα παιδιά.(kiss)
3. Ρώτ..........το Γιάννη τι θέλει.(ask)
4. Ρώτ.......... τους δασκάλους.(ask)
5. Μαρία φόρ..........το κόκκινο φόρεμα.(wear)
6. Μη μιλ..........δυνατά στο τηλέφωνο.(speak, talk)
7. Τρώγ..........προσεκτικά.(eat)
8. Φεύγ.......... από δω.(leave)
9. Μη φεύγ.......... ακόμη.(leave)
10. Μίλ.......... στην Μαρία.(speak, talk)
11. Πήγαιν.......... στην τράπεζα.(go)
12. Πηγαίν.......... στο ταχυδρομείο.(go)
13. Μην αγοράζ.......... αχλάδια.(buy)
14. Μη μιλ.......... εδώ.(speak, talk)
15. Μην τρέχ..........στο δρόμο.(run)
16. Μη λ.......... ψέματα.(say, tell)

EXERCISE 47

Complete the sentences: (Simple Imperative)

1. Γρά.......... ένα γράμμα.(write)
2. Στείλ.......... το πακέτο.(send)
3. Να πά.......... στο σχολείο.(go)
4. Να μη φέρ.......... κονιάκ. (bring)
5. Να στείλ.......... το δώρο(send)
6. Να π.......... νωρίς (go)
7. Να φιλήσ.......... τα παιδιά (kiss)

205

8. Φύγ.......... γρήγορα.(leave)
9. Μίλη.......... στο Νίκο για το αυτοκίνητο.(speak)
10. Γράψ.......... στη μητέρα σου.(write)
11. Μην ρωτ.......... τους φίλους σας. (ask)
12. Δουλέψ.......... για τη λευτεριά της Κύπρου.(work)
13. Γράψ.......... στους φίλους σας.(write)
14. Μου δίνε.......... πέντε λίρες;(give)
15. Να λε.......... την αλήθεια.(tell)
16. Μου φέρν.......... ένα μπουκάλι ρετσίνα;(bring)
17. Αγόρασ.......... μου ένα παγωτό.(buy)
18. Αγοράσ.......... μου μια κόκκινη γραβάτα (buy)
19. Φίλησ.......... τον Αντρέα (kiss)
20. Φίλησ.......... τη Γιαννούλα.(kiss)
21. Διάβασ.......... το μάθημα αμέσως.(read)
22. Να πά..........όλοι στην Ακρόπολη.(go)

Sounio - The temple of Poseidon

LESSON 33

PASSIVE VERBS: THE INDICATIVE

Passive Verbs end in –αι as against the Active Verbs which end in –ω. The Passive Verbs mostly denote an action suffered by the subject.

Passive Verbs can be divided into three groups:

(1) Active Verbs which do not take an accent on the final –ω change that –ω into –ομαι to form the Passive.

Active Verb
διδάσκω=I teach

ντύνω=I dress (others)
ετοιμάζω=I prepare
χάνω=I lose
βρίσκω=I find
δροσίζω=I cool, refresh
εξετάζω=I examine
κουράζω=I tire

Passive Verb
διδάσκομαι=I am taught
        = I am learning
ντύνομαι=I get dressed
ετοιμάζομαι=I get ready
χάνομαι=I am lost, I get lost
βρίσκομαι=I find myself
δροσίζομαι=I refresh myself
εξετάζομαι=I am examined
κουράζομαι=I get tired

Examples of first conjugation: Active –διδάσκω = I teach, βρίσκω= I find.

διδάσκ-ομαι   =I am taught,   I am learning
διδάσκ-εσαι   =You are taught   »
διδάσκ-εται   =He, She, It is taught   »
διδασκ-όμαστε =We are taught   »
διδάσκ-εστε   =You are taught   »
διδάσκ-ονται   =They are taught   »

207

βρίσκομαι	=I am found
βρίσκεσαι	=You are found
βρίσκεται	=He, She, It is found
βρισκόμαστε	=We are found
βρίσκεστε	=You are found
βρίσκονται	=They are found

(2) Most Active Verbs which take an accent on the final –ω change that –ω into –ιέμαι.

Active Verb
φιλώ=I kiss
αγαπώ=I love
κρατώ=I hold
πουλώ=I sell
ξεχνώ=I forget

Passive Verb
φιλιέμαι =I am kissed
αγαπιέμαι=I am loved
κρατιέμαι=I am held
πουλιέμαι=I am sold
ξεχνιέμαι=I am forgotten

Examples of second conjugation: Active-φιλώ = I kiss, αγαπώ= I love.

φιλιέμαι	= I am kissed
φιλιέσαι	= You are kissed
φιλιέται	=He, She, It is kissed
φιλιόμαστε	= We are kissed
φιλιέστε	= You are kissed
φιλιούνται	=They are kissed

αγαπιέμαι	= I am loved
αγαπιέσαι	= You are loved
αγαπιέται	= He, She It is loved
αγαπιόμαστε	= We are loved
αγαπιέστε	= You are loved
αγαπιούνται	=They are loved

(3) Some Verbs although accented on the last letter, change the final **–ω** into **–ούμαι**.

Active Verb   **Passive Verb**
στερώ= I deprive   στερούμαι= I am deprived
αφαιρώ=I deduct, subtract αφαιρούμαι= I am deducted, taken
                                                              away
αποτελώ=I constitute   αποτελούμαι = I consist of

These verbs follow the ancient pattern of conjugation. The following Deponent Verbs conjugate in the same way.

εισηγούμαι= I suggest
μιμούμαι= I imitate
προηγούμαι= I lead

εισηγούμαι= I suggest   στερούμαι=I am deprived
εισηγείσαι=You suggest   στερείσαι=You are deprived
εισηγείται= He, She, It   στερείται=He, she It is
suggests   deprived
εισηγούμαστε=We suggest   στερούμαστε=We are
εισηγείστε=You suggest   deprived
εισηγούνται=They suggest   στερείστε=You are deprived
                                                 στερούνται=They are
                                                 deprived

Some other verbs ending in **–ούμαι , -άμαι, -όμαι or –ιέμαι** although they have a Passive ending they belong to the Active Voice.

Examples
λυπούμαι (λυπάμαι) =I am sorry
θυμούμαι (θυμάμαι)=I remember
φοβούμαι (φοβάμαι)= I fear (am afraid)
κοιμούμαι (κοιμάμαι)= I sleep, I am asleep
έρχομαι=I come
σκέφτομαι =I think about, reflect

209

βαριέμαι=I am bored, I get bored

These verbs conjugate according to their ending as those listed above.

Examples

1. Κάθομαι στο καφενείο=I sit at the cafe.
2. Ο Γιάννης κάθεται στο σπίτι=John sits at home.
3. Δεν κοιμάμαι τη μέρα=I do not sleep during the day.
4. Καθόμαστε να φάμε=We sit to eat.
5. Λυπούμαι τη Μαρία= I am (feel) sorry for Maria.
6. Λυπάται τη γιαγιά του= He is sorry for his grandmother.
7. Διδάσκομαι Ελληνικά= I am taught (learning) Greek.
8. Δεν διδάσκεσαι Ιταλικά=You are not taught (learning) Italian.

θυμούμαι =I remember
(θυμάμαι)
θυμάσαι=You remember
θυμάται=He, she, It remembers
θυμόμαστε=We remember
θυμάστε=You remember
θυμούνται=They remember

λυπούμαι=I am sorry
(λυπάμαι)
λυπάσαι=You are sorry
λυπάται=He, She It is sorry
λυπόμαστε=We are sorry
λυπάστε=You are sorry
λυπούνται=They are sorry

φοβούμαι= I am afraid
(φοβάμαι)
φοβάσαι =You are afraid
φοβάται=He, She It is afraid
φοβόμαστε=We are afraid
φοβάστε=You are afraid
φοβούνται=They are afraid

παραπονιέμαι=I complain
παραπονιέσαι=You complain
παραπονιέται=He, She, It complains
παραπονιόμαστε=We complain
παραπονιέστε=You complain
παραπονιούνται=They complain

210

PASSIVE VERBS

σκέφτομαι=I think about
γοητεύομαι=I am enchanted
λυπούμαι=I am sorry
παντρεύομαι=I get married
διδάσκομαι=I am taught
αρραβωνιάζομαι=I get engaged

ονειρεύομαι=I dream
στέκομαι=I stand
χαίρομαι=I am pleased
είμαι=I am (to be)
κουράζομαι=I get tired

NOTE: The verb σκέφτομαι like συλλογίζομαι means I think about, I reflect; the verb νομίζω means, I think, I consider.

QUESTIONS AND ANSWERS

Τι διδάσκεσαι/διδάσκεστε;
What are you studying? (learning)
Τι σκέφτεσαι /σκέφτεστε;
What are you thinking about?

Διδάσκομαι Ελληνικά.
I am studying (learning) Greek.
Σκέφτομαι την Ελλάδα
I think about Greece.

THE SUBJUNCTIVE CONJUGATION

The Subjunctive is formed with **να, ας, αν, όταν, για να** followed by the Passive indicative. The Subjunctive is used in the Present Tense, Past (Aorist) Tense and the Perfect Tense only.

The verb is conjugated in the same way as in the Indicative.

Present Subjunctive
να σκέφτομαι
να σκέφτεσαι
να σκέφτεται
να σκεφτόμαστε
να σκέφτεστε
να σκέφτονται

Aorist (Past) Subjunctive
να σκεφτώ
να σκεφτείς
να σκεφτεί
να σκεφτούμε·
να σκεφτείτε
να σκεφτούν

Examples with Present Subjunctive

Προτιμώ να διδάσκομαι Ελληνικά.
I prefer to be taught (learn) Greek.
Θέλω να είμαι στο αεροδρόμιο στις οκτώ.
I want to be at the airport at eight.
Πρέπει να είμαστε στο ξενοδοχείο στις δώδεκα.
We must be at the hotel at twelve.
Πρέπει να είσαι στο γραφείο στις εννέα.
You must be at the office at nine.
Θέλω να είσαστε στο σταθμό.
I want you to be at the station.

EXERCISE 48

Conjugate the following verbs and make sentences:
(1) παντρεύομαι   =I get married
(2) σκέφτομαι   =I think about
(3) δροσίζομαι   =I refresh myself
(4) χάνομαι   =I am lost, I get lost
(5) κρύβομαι   =I hide myself
(6) κοιμούμαι   = I sleep, I am asleep

EXERCISE 49
Complete the sentences:

1. Ο Γιάννης παντρεύε............ την Κυριακή.
2. Η Ελένη θυμά............ τους φίλους της.
3. Εμείς δεν κουραζ............ στη δουλειά.
4. Εσείς διδάσκ............ Ελληνικά και Ιταλικά.
5. Ο Νίκος λυπ............ τη μητέρα του Κώστα.
6. Η Μαρία αρραβωνιάζ............ αύριο.
7. Αυτοί στέκ............ στην Ακρόπολη.
8. Εμείς χαιρ............ που είμ............ στην Ελλάδα.

9. Εμείς δεν είμ............ Γερμανοί, είμ............ Βρετανοί
10. Αυτοί κουράζ............ να περπατούν.
11. Η Μαρία διδάσ............ Ρωσσικά.
12. Ο Γιάννης ετοιμάζ............ για τη δουλειά.
13. Εσύ κοιμά............ δέκα ώρες.
14. Εσείς κοιμά............ στις έντεκα.
15. Αυτή σκέφτ............ το φίλο της.
16. Εμείς σκεφτ............ την οικογένεια.
17. Εγώ ετοιμάζ............ για το σχολείο.
18. Εσείς ετοιμάζ............ για την ταβέρνα.
19. Εσύ λυπ............ τη γιαγιά σου.
20. Αυτή διδάσκ .... Ελληνικά.

Η ιστορική πόλη Πάργα, στην Ήπειρο

213

LESSON 34

PAST CONTINUOUS OF PASSIVE VERBS

The Past Continuous (or Imperfect) of Passive verbs is formed by changing the Present indicative ending **-ομαι, -ουμαι, -ιεμαι, -άμαι** into **-ομουν** or **-όμουνα**, e.g.

έρχομαι	ερχόμουν	= I was coming
ντύνομαι	ντυνόμουν	= I was getting dressed
ξυρίζομαι	ξυριζόμουν	= I was shaving myself
πλένομαι	πλενόμουν	= I was washing myself
χαίρομαι	χαιρόμουν	= I was pleased
λυπούμαι	λυπόμουν	= I was sorry
αγαπιέμαι	αγαπιόμουν	= I was loved
σκέφτομαι	σκεφτόμουν	= I was thinking

NOTE: Sometimes a final –α is added in the Past Continuous, e.g.

ντυνόμουνα	= I was dressing (myself)
αισθανόμουνα	= I was feeling

διδασκόμουν = I was taught	καθόμουν= I was sitting
διδασκόσουν (I was learning)	καθόσουν
διδασκόταν	καθόταν

διδασκόμαστε(αν)	καθόμαστε(αν)
διδασκόσαστε(αν)	καθόσαστε(αν)
διδάσκονταν	κάθονταν

Examples:

Βρισκόμουν στην Κρήτη το καλοκαίρι.
I was in Crete in the summer.

Καθόμαστε στο καφενείο το απόγευμα.
We were sitting in the cafe in the afternoon.

Επισκέφτονταν το Αρχαιολογικό Μουσείο.
They were visiting the Archaeological Museum.

Στεκόμαστε στην Πλατεία της Ομόνοιας.
We were standing in Omonia Square.

Αισθανόμουν άρρωστος την Κυριακή.
I was feeling ill on Sunday.

CONJUGATION OF THE PAST TENSE OF THE VERB
Είμαι= to be (I am)

ήμουν =I was	ήμαστε(αν) =We were
ήσουν =You were	ήσαστε(αν)= You were
ήταν =He, She, It was	ήταν =They were

VOCABULARY

επισκέπτομαι =I visit	η Επίδαυρος =Epidaurus
ξυρίζομαι =I shave	ντύνομαι =I get dressed
ορφανός, η, ο =orphan	φτωχός, η, ο =poor
το Σαββατοκύριακο =weekend	

QUESTIONS AND ANSWERS
ΕΡΩΤΗΣΕΙΣ ΚΑΙ ΑΠΑΝΤΗΣΕΙΣ

1. Πού ήσουν την Κυριακή;
   Where were you on Sunday?
   Ήμουν στο σπίτι.
   I was at home.

2. Πού ήταν ο Γιάννης;
   Where was John?
   Ήταν στο θέατρο.
   He was at the theatre.

3. Πού ήσαστε τον Ιούλιο;
   Where were you in July?
   Ήμαστε στην Ελλάδα.
   We were in Greece.

4. Πού καθόσουν;
   Where were you sitting?
   Καθόμουν στην ταβέρνα.
   I was sitting in the tavern

5. Πού στεκόσουν;   Στεκόμουν στο μπαλκόνι.
   Where were you standing? I was standing at the balcony.

EXERCISE 50
Answer the following questions:
1. Πού ήσουν το Σαββατοκύριακο;
3. Πού ήταν ο πατέρας σου χτες;
4. Πού ήσαστε την Τρίτη;
5. Τι διδασκόσαστε στο σχολείο;
6. Πού ήταν οι φίλοι σας τον Ιο2ύλιο;
7. Πού ήσουν χτες;
8. Πού βρισκόσουν τον Αύγουστο;
9. Ποιον επισκεφτόσουν στο χωριό;
10. Πού ήσαστε το πρωί;
11. Τι ώρα ντυνόσουν;

EXERCISE 51
Complete the sentences using the verb in the Imperfect.
1. Η Ελένη επισκεφτ............ την Ελλάδα το καλοκαίρι.
2. Ο Κώστας δεν ξυριζ............ στις έξι, ξυριζ............ στις εφτά.
3. Εγώ σκεφτ............ τη φτωχή οικογένεια.
4. Αυτοί λυπ............ τα ορφανά παιδιά.
5. Αυτή χαιρ............ που έβλεπε τους φίλους της.
6. Εσύ δεν εξεταζ............ στα Γαλλικά, εξεταζ............ στα Ελληνικά.
7. Αυτοί ντύν............ για να βγουν έξω.
8. Αυτοί έρχ............ στο σπίτι μας.
9. Εσείς σκεφτ............ να πάτε στο πάρκο.
10. Αυτοί χαίρ............ που μάθαιναν Ελληνικά.
11. Η Ελένη διδασκ............ Αγγλικά.
12. Εσείς ήσ............ στην εκκλησία την Κυριακή.
13. Ο Νίκος επισκεφτ............ το θέατρο της Επιδαύρου.
14. Εμείς δεν στεκ............ στο τρένο, καθ............
15. Αυτοί δεν στέκ............ στο λεωφορείο, κάθ............

Ο Όλυμπος, το ψηλότερο βουνό της Ελλάδας
και αρχαία κατοικία των θεών.

LESSON 35

PASSIVE VERBS IN THE PAST TENSE

The Past Tense (Aorist) of Passive verbs is generally formed by changing the ending of the Active Aorist as follows.

Active Aorist ending in **–σα** changes into **–θηκα** or **–στηκα**
Active Aorist ending in **–ψα** changes into **–φτηκα** or **–εύτηκα**
Active Aorist ending in **–ξα** changes into **–θηκα** or **–χτηκα**
Active Aorist ending in **–α** changes into **–θηκα**

Examples:

Active Aorist	Passive Aorist
πάντρεψα =I married	παντρεύτηκα= I was married
κυνήγησα=I chased	κυνηγήθηκα=I was chased
άλλαξα=I changed	αλλάχτηκα=I was changed
έγραψα=I wrote	γράφτηκα=I was written
κούρασα=I tired	κουράστηκα=I was tired, I got tired
ξεκούρασα=I rested	ξεκουράστηκα=I rested, relaxed
κοίμησα=I put to sleep	κοιμήθηκα= I slept, I fell asleep, I was asleep
φίλησα=I kissed	φιλήθηκα=I was kissed

1. Παντρεύτηκα το Μάιο   =I married in May.
2. Κοιμήθηκα στο ξενοδοχείο =I slept at the hotel.
3. Κουράστηκα στη δουλειά   =I was tired at work.
4. Διδάχτηκα για δυο ώρες   =I was taught for two hours.
5. Φιλήθηκα από την ΄Αννα   =I was kissed by Anna.
6. Εξετάστηκα από το γιατρό =I was examined by the doctor.

Those verbs without Active roots usually change their ending **–ουμαι** into **–ηθηκα.**
e.g. λυπούμαι-λυπήθηκα = I was sorry
φοβούμαι – φοβήθηκα = I was afraid.

CONJUGATION OF THE PAST PASSIVE VERBS

You will note that the conjugation of the Past Passive Verbs is exactly the same as the Past of Active Verbs.

Examples:

κοιμήθηκα	= I slept, I was asleep
κοιμήθηκες	= You slept, You were asleep
κοιμήθηκε	= He, She It slept, was asleep
κοιμηθήκαμε	= We slept, we were asleep
κοιμηθήκατε	= You slept, »
κοιμήθηκαν	= They slept, »

φιλήθηκα	= I was kissed
φιλήθηκες	=You were kissed
φιλήθηκε	=He, She It was kissed
φιληθήκαμε	=We were kissed
φιληθήκατε	= You were kissed
φιλήθηκαν	=They were kissed

χάρηκα	=I was pleased
χάρηκες	=You were pleased
χάρηκε	= He, She, It was pleased
χαρήκαμε	= We were pleased
χαρήκαμε	=You were pleased
χάρηκαν	=They were pleased

VOCABULARY

χάνω =I miss, lose
αρέσω=I like
αρραβωνιάζομαι =I get
                        engaged
έρχομαι=I come
ξεκουράζομαι =I rest

γεύομαι= I taste
χρόνια Πολλά =Many Happy
Returns
κουράζομαι = I get tired
εύχομαι = I wish

The Negative is **δεν** eg. δεν κοιμήθηκα =I did not sleep; δεν κουράστηκα =I was not tired.

Examples:
Χτες το βράδυ κοιμηθήκαμε αργά.
Last night we went to bed late.

Χαρήκαμε τη θάλασσα.
We enjoyed the sea.

Η Μαρία ευχήθηκε Χρόνια Πολλά.
Maria wished Many Happy Returns.

Ο Γιάννης δεν ήρθε με αεροπλάνο.
John did not come by aeroplane.

Οι ξένοι επισκέφτηκαν την Επίδαυρο και τους Δελφούς.
The tourists (foreigners) visited Epidaurus and Delphi.

The Past of the Verb "to be".

ήμουν	=I was
ήσουν	=You were
ήταν	=He, She It, was
ήμαστε (αν)	=We were
ήσαστε (αν)	=You were
ήταν	=They were

Examples:
Ήμουν στη Ρόδο το καλοκαίρι.
I was in Rhodes in the summer.

Ήσουν στην Κρήτη την άνοιξη.
You were in Crete in the spring.

Ήταν στην Κύπρο το χειμώνα.
He was in Cyprus in the winter.

Ήμαστε στην Αθήνα το φθινόπωρο.
We were in Athens in the autumn.

Ήσαστε στην ταβέρνα.
You were at the tavern.

Ήταν στη Μύκονο την Κυριακή.
They were in Mykonos on Sunday.

THE AORIST (PAST) SUBJUNCTIVE IN PASSIVE VERBS

The Past Subjunctive is usually predeeded by **να, όταν, ας, αν, για να.**

Θέλω να παντρευτώ.   Δεν θέλω να εξεταστώ.
I want to get married.   I do not want to be examined.

Θέλω να διδαχτώ Ελληνικούς χορούς.
I want to be taught Greek dances. (I want to learn Greek dances)

The Past Subjunctive of passive verbs is formed by changing the ending **–ηκα** of the Aorist into **–ω**.

Examples:

ονειρεύτηκα	να ονειρευτώ	=to dream
αγαπήθηκα	να αγαπηθώ	= to be loved
σηκώθηκα	να σηκωθώ	=to get up
εξετάστηκα	να εξεταστώ	= to be examined
φιλήθηκα	να φιληθώ	=to be kissed
θυμήθηκα	να θυμηθώ	=to remember

EXERCISE 52

Conjugate the following and make sentences:
1. ήρθα =I came

221

2. γεύτηκα=I tasted
3. επισκέφτηκα = I visited
4. ονειρεύτηκα= I dreamed
5. διδάχτηκα = I was taught
6. κουράστηκα = I was tired
7. αγαπήθηκα= I was loved
8. στενοχωρήθηκα=I was upset

EXERCISE 53
Complete the sentences using the Past Tense.
1. Ο Κώστας και η Ελένη επισκέφτ............ τη γιαγιά τους.
2. Τα παιδιά γεύτ............ το παγωτό.
3. Ο ξένος χάθ............ στη Θεσσαλονίκη.
4. Ο μικρός φοβήθ............ το αεροπλάνο.
5. Η Μαρία παντρεύτ............ το Γιάννη.
6. Η Χρύσω δεν αρραβωνιάστ............ τον Ανδρέα.
7. Λυπήθ............ πολύ που έχασαν το τρένο.
8. Οι ξένοι δεν κοιμήθ............ στο ξενοδοχείο.
9. Ο αδελφός μου ήρθ............ στην Αγγλία.
10. Σήμερα επισκφτ............ το μουσείο.
11. Εσύ γεύτ............ το παγωτό.
12. Ο παππούς στενοχωρ............ σήμερα.
13. Εμείς κουραστ............ στη δουλειά.
14. Αυτοί παντρεύτ............ τον Ιούλιο.
15. Εσύ εξετάστ............ στα Ελληνικά.
16. Εγώ χάρηκ............ πολύ που σε είδα.
17. Εμείς διδαχτ............ ελληνική ιστορία.
18. Εσείς διδαχτ............ γεωγραφία.
19. Οι τουρίστες κουράστ............ σήμερα.
20. Εμείς ξεκουραστ............ στη θάλασσα.

Ο Εθνικός Ύμνος - The Greek National anthem

Σε γνωρίζω από την κόψη
του σπαθιού την τρομερή
Σε γνωρίζω από την όψη
που με βια μετράει τη γη

Απ' τα κόκκαλα βγαλμένη
των Ελλήνων τα ιερά
και σαν πρώτα ανδρειωμένη
χαίρε, ω χαίρε ελευθεριά.

Δύο νεαροί μουσικοί σε δρομάκι της Ελλάδας

LESSON 36

PASSIVE VERBS IN THE FUTURE TENSE

1. **The Future Continuous** of verbs ending in **-ομαι, -ούμαι, -ιέμαι, -άμαι** is formed with **θα** followed by the present indicative.

θα κάθομαι=I shall be sitting
θα κάθεσαι
θα κάθεται
θα καθόμαστε
θα κάθεστε
θα κάθονται

θα κοιμούμαι= I shall be sleeping
θα κοιμάσαι
θα κοιμάται
θα κοιμούμαστε
θα κοιμάστε
θα κοιμούνται

1. **The Future Continuous** is used when the future action is incomplete or repetitive, e.g.

Θα κάθομαι στην ταβέρνα τα βράδυα.
I shall be sitting at the tavern in the evenings.

Θα κοιμούμαι αργά.
I shall be sleeping late.

2. **The Future Simple** is used when the future action is complete.

Θα κοιμηθώ στις έντεκα απόψε.
I shall sleep at eleven o' clock tonight.

Θα παντρευτώ την Κυριακή.
I shall get married on Sunday.

Θα εξεταστώ τον Ιούνιο.
I shall be examined in June.

The Future Simple is formed from the Past (Aorist) Stem by changing the ending –ηκα into –ω e.g.

παντρεύτηκα	θα παντρευτώ	=I shall marry
ονειρεύτηκα	θα ονειρευτώ	= I shall dream
εξετάστηκα	θα εξεταστώ	=I shall be examined
κοιμήθηκα	θα κοιμηθώ	= I shall sleep
θυμήθηκα	θα θυμηθώ	= I shall remember
σηκώθηκα	θα σηκωθώ	= I shall get up

This rule also applies to Verbs with no Active origin.

NOTE: All Future Passive Verbs are accented on the last syllable and follow the same conjugation pattern: e.g.

θα παντρευτώ= I shall get married   θα σηκωθώ = I shall get up
θα παντρευτείς   θα σηκωθείς
θα παντρευτεί   θα σηκωθεί
θα παντρευτούμε   θα σηκωθούμε
θα παντρευτείτε   θα σηκωθείτε
θα παντρευτούν   θα σηκωθούν

The negative is δεν e.g. δεν θα παντρευτώ = I shall not get married, δεν θα εξεταστώ= I shall not be examined.

VOCABULARY

το λιμάνι= the harbour/port
ο σταθμός=the station
σηκώνομαι=I get up
ονειρεύομαι=I dream
η στάση=bus stop
χαίρομαι=I am pleased
κουράζομαι= I am (get) tired
θυμούμαι= I remember
χάνομαι=I am lost

βρέχομαι =I get wet
φοβούμαι=I am afraid
το διαμέρισμα=flat, apartment
ξεκουράζομαι=I rest
ο δρόμος=road, street
η οδός= street (used to name a particular street).
νωρίς=early

225

Examples:

Θα σηκωθώ στις οκτώ.
I shall get up at eight.

Δεν θα χαθούμε στην Αθήνα.
We shall not be lost in Athens.

Θα ξεκουραστείτε στο ξενοδοχείο.
You will rest at the hotel.

Ο Κώστας θα σηκωθεί στις δέκα.
Costas will get up at ten.

Τα παιδιά δεν θα σηκωθούν στις εφτά.
The children will not get up at seven.

Θα είμαστε στο σταθμό.
We shall be at the station.

Θα είναι στο λιμάνι του Πειραιά.
They will be at the port of Pireas.

Θα είστε στην ταβέρνα απόψε.
You will be at the tavern tonight.

EXERCISE 54

Conjugate the following verbs and make sentences:

1. θα λυπηθώ   = I shall be sorry
2. θα χαρώ   = I shall be pleased
3. θα ονειρευτώ   = I shall dream
4. θα εξεταστώ   = I shall be examined
5. θα διδαχτώ   = I shall be taught.

EXERCISE 55
Complete the sentences

1. Ο Γιώργος και η Μαρία θα σηκωθ............ πολύ νωρίς.
2. Η γιαγιά θα χαρ............ να δει τα παιδιά.
3. Η μητέρα και ο πατέρας δεν θα κοιμηθ............ αργά.
4. Η Ελένη θα ονειρευτ............ την Ελλάδα.
5. Εγώ δεν θα είμ............ στη θάλασσα σήμερα.
6. Εσύ θα είσ............ στο καφενείο το μεσημέρι.
7. Ο παππούς θα θυμηθ............ την ιστορία.
8. Οι ξένοι δεν θα επισκεφτ............ το Μουσείο.
9. Οι τουρίστες θα ξεκουραστ............ στο ξενοδοχείο.
10. Αυτός θα εί............ στο σταθμό στις δέκα το πρωί.
11. Ο Γιώργος θα εξεταστ............ αύριο.
12. Εσείς θα παντρευτ............ τον Οκτώβριο.
13. Αύριο θα ξεκουραστ............ η μητέρα.
14. Σήμερα εμείς θα επισκεφτ............ την Ακρόπολη.
15. Εγώ θα λυπηθ............ όταν θα φύγω από την Ελλάδα.
16. Εσύ θα κοιμηθ............ στο ξενοδοχείο.
17. Εμείς θα κοιμηθ............ στο διαμέρισμα.
18. Αύριο, εσείς θα σηκωθ............ στις έξι.
19. Το Σάββατο όλοι μας θα ξεκουραστ............
20. Τη Δευτέρα όλοι οι μαθητές θα εξεταστ............ στα Ελληνικά.

LESSON 37

THE IMPERATIVE IN PASSIVE VERBS

The Imperative in Passive verbs, as in Active verbs, has only the 2nd person singular and plural, expressing **Commands, requests, demands** and **exhortations.**

The Imperative mood is formed as follows:

1. Continuous Imperative. We use the 2nd person plural to indicate the Continuous imperative.

Examples:

διδάσκομαι	διδάσκεσαι	διδάσκεστε = teach yourself
δροσίζομαι	δροσίζεσαι	δροσίζεστε = refresh (yourself)
αγωνίζομαι	αγωνίζεσαι	αγωνίζεστε = you struggle
εξετάζομαι	εξετάζεσαι	εξετάζεστε = examine yourself, be examined
δανείζομαι	δανείζεσαι	δανείζεστε = borrow (for yourself)
παντρεύομαι	παντρεύεσαι	παντρεύεστε = get married
κοιμάμαι	κοιμάσαι	κοιμάστε = you sleep

2. Simple Imperative – We change the final –ω **or -τω** of the Past subjunctive into –ου and move the accent to the 2nd syllable from the end. We also use the 2nd person plural of the Past subjunctive.

Examples:

διδάξω	διδάξου	διδαχτείτε = teach yourself
δροσιστώ	δροσίσου	δροσιστείτε = refresh (yourself)
αγωνιστώ	αγωνίσου	αγωνιστείτε = you struggle
εξεταστώ	εξετάσου	εξεταστείτε = examine yourself, be examined

δανειστώ	δανείσου	δανειστείτε = borrow (for yourself)
παντρευτώ	παντρέψου	παντρευτείτε = get married
κοιμηθώ	κοιμήσου	κοιμηθείτε = you sleep

The **Negative Imperative** is **μη(ν)** with the 2ⁿᵈ person singular or plural of the present to indicate the Continuous Imperative.

Examples:

μη φοβάσαι	φοβάστε= do not be afraid
μην αγωνίζεσαι	αγωνίζεστε= do not struggle
μην κρύβεσαι	κρύβεστε= do not hide yourself
μη δανείζεσαι	δανείζεστε=do not borrow

For the **Simple Imperative** the negative is **μη(ν)** with the 2ⁿᵈ person singular or plural of the Aorist subjunctive.

Examples:

μην εξεταστείς	εξεταστείτε=Do not examine yourself. (Do not be examined)
μην κρυφτείς	κρυφτείτε=Do not hide yourself.
μην παντρευτείς	παντρευτείτε=Do not marry.
μην αρραβωνιαστείς	αρραβωνιαστείτε=Do not get engaged.
μη δανειστείς	δανειστείτε=Do not borrow.

For **emphatic positive** statements, we use the particle **να** or **πρέπει να**=i.e. you must / should

Πρέπει να αγωνίζεσαι για την πατρίδα σου.
You must fight for your country.

Πρέπει να παντρευτείτε φέτος:

You should get married this year.

For **emphatic negative** statements, we use **Να + μη(ν)** or **Δε(ν) πρέπει να.**

Δεν πρέπει να δανείζεσαι λεφτά =You should not borrow
money.

Να μη δανειστείς τίποτε = You should not borrow anything.

NOTE: Commands, requests, demands and exhortations in the first and third persons are expressed by using the particle **ας** followed by the subjunctive.

Examples:
Ας διδαχτώ από το βιβλίο=Let me be taught (learn) from the book.
Ας εξεταστεί τον Ιούνιο=Let him/her be examined in June.
Ας κοιμηθώ τώρα.=Let me (go to bed) sleep now.

VOCABULARY

δίσεχτος,η,ο= leap year
δροσίζομαι=I refresh myself
δανείζω= I lend
ούτε= neither, nor
κάποιος, α, ο= someone
το μανταρίνι=tangerine
βέβαιος, η,ο=sure, certain
κουτός ,η ,ο=silly
το ουίσκι=whisky
αγωνίζομαι=I fight, struggle

δανείζομαι=I borrow
η πατρίδα=homeland
ντύνομαι=I get dressed
το ποδήλατο=bicycle
ο χυμός=juice
συλλογίζομαι=I think, contemplate
το γούρι (η τύχη) = luck
λευτερώνω=I free, liberate

EXERCISE 56

Complete the sentences:

1. Να εξεταστ......... στα Ελληνικά.
2. Κρυφ......... γρήγορα, έρχεται κάποιος.
3. Δανειστ......... αυτό το βιβλίο.
4. Μη δανειστ......... εκείνο το ποδήλατο.
5. Μην κρύβ......... Γιάννη, δεν είσαι μικρό παιδί.
6. Δροσίζ......... όταν πίνετε χυμό μανταρίνι.
7. Μην εξεταστ......... τώρα, είναι πολύ νωρίς.
8. Να εξεταστ......... τον Ιούνιο ή το Δεκέμβριο.
9. Κοιμήσ......... παιδί μου είναι αργά.
10. Να κοιμηθ......... νωρίς απόψε.
11. Μην παντρεύ......... όταν είναι δίσεχτος!
12. Να συλλογίζ......... πάντα την οικογένεια και την πατρίδα σου.
13. Μην αρραβωνια......... στις 13 δεν έχει καλό γούρι.
14. Σκεφτ......... τα έξοδα πριν αρχίσετε.
15. Άδικα αγωνίζ......... παιδί μου!
16. Ούτε να δανείζ......... ούτε να δανείζ.........
17. Να είσ......... στο αεροδρόμιο στις οχτώ.
18. Να είσ......... στο ξενοδοχείο στις εφτά.
19. Μην είσ......... κουτός!
20. Να είσ......... βέβαιος, η Κύπρος θα λευτερωθεί μια μέρα.

231

LESSON 38

PERSONAL PRONOUNS

Pronouns are divided into: **1. Personal 2. Possessive
3. Demonstrative 4. Relative 5. Reflexive 6. Interrogative 7. Definite and 8. Indefinite.**

1. PERSONAL PRONOUNS:

(A) Nominative Case

The Personal Pronoun in the Nominative Case normally precedes the Verb but it may also come elsewhere in the clause.

1st Person		εγώ	=I	εμείς	=We
2nd »		εσύ	=You	εσείς	=You
3rd »	(M)	αυτός	=He	αυτοί	=They
	(F)	αυτή	=She	αυτές	=They
	(N)	αυτό	=It	αυτά	=They

Examples

Εγώ μιλώ Ελληνικά = I speak Greek.
Εσύ γράφεις = You are writing.
Εμείς διαβάζουμε =We are reading.
Μπορώ να χορέψω **εγώ**, μα δεν μπορείς **εσύ** = I can dance, but you can' t.

(B) Genitive Case – Indirect Object

The Personal Pronouns in the Genitive Case are used for expressing the indirect object.

	Unemphatic		Emphatic	
	Singular	**Plural**	**Singular**	**Plural**
1st	μου	μας	εμένα	εμάς
2nd	σου	σας	εσένα	εσάς

3rd (M)	του	τους	αυτού	αυτών
(F)	της	τους	αυτής	αυτών
(N)	του	τους	αυτού	αυτών

Unemphatic Examples (Indirect Object)

1. **Μου** έστειλε ένα γράμμα = He / She sent **me** a letter
2. **Σου** έστειλε » = He / She sent **you** »
3. **Του** έστειλε » = He / She sent **him** »
4. **Της** έστειλε » = He / She sent **her** »
5. **Μας** έστειλε » = He / She sent **us** »
6. **Σας** έστειλε » = He / She sent **you** »
7. **Τους** έστειλε » = He / She sent **them** »

Unemphatic examples (Direct Object)

Με έστειλε στο γραφείο = He / She sent **me** to the office.
Σε έστειλε στο διευθυντή = He / She sent **you** to the manager.
Την έστειλε στην τράπεζα = He / She sent **her** to the bank.
Τον έδιωξε από το πάρκο = He threw **him** out of the park.
Μας έστειλαν στην αγορά = They sent **us** to the market.
Σας έστειλαν στο νοσοκομείο = They sent **you** to the hospital.
Τους έδωσαν στην αστυνομία = They gave **them** to the police.

Emphatic Examples (Indirect object)

1. **Εμένα μου** έδωσε τα λεφτά = He / She gave the money to **me**.
2. **Εσένα σου** έδωσε το δώρο = He / She gave **you** the present.
3. **Αυτού του** έδωσε το ποδήλατο = He / She gave **him** the bicycle.
4. **Αυτής της** έδωσε το φόρεμα = He / She gave **her** the dress.
5. **Εμάς δεν** μας έδωσε τίποτε = He / She did not give **us** anything.

6. **Εσάς σας** έδωσε το αυτοκίνητο = He / She gave **you** the car.
7. **Αυτούς** τους έδωσε ένα δώρο = He / She gave **them** a present.

Emphatic Examples (Direct Object)

1. **Εμένα με** λένε Κώστα = They call **me** Costas (I am called).
2. **Εσένα σε** λένε Μαρία = They call **you** Maria (You are called).
3. **Αυτόν τον** λένε Αντρέα = They call **him** Andreas (He is called).
4. **Αυτή την** λένε Άννα = They call **her** Anna (She is called).
5. Μας έστειλε **εμάς** στην τράπεζα = He /She sent **us** to the bank.
6. Σας έστειλε **εσάς** στην ταβέρνα = He /She sent **you** to the tavern.
7. Τους έστειλε **αυτούς** στο ξενοδοχείο = He /She sent **them** to the hotel.

(C) Accusative Case – Direct Object

These pronouns are used for expressing the direct object. Usually the unemphatic form is used and it must be connected with a verb.

	Emphatic		Unemphatic	
	Singular	**Plural**	**Singular**	**Plural**
1st	εμένα	εμάς	με	μας
2nd	εσένα	εσάς	σε	σας
3rd (M)	αυτόν	αυτούς	τον	τους
(F)	αυτή(ν)	αυτές	την	τις
(N)	αυτό	αυτά	το	τα

VOCABULARY

τηλεφωνώ = I phone
εξηγώ = I explain
η κούκλα = the doll
ξοδεύω = I spend
κερνώ = I treat
συναντώ = I meet
η επίσκεψη = the visit
τα Χριστούγεννα = Christmas
η αγορά = market
το ζαχαροπλαστείο

=Confectioner's
το χωριό = village
το νησί = island
το δώρο = present, gift
χαίρομαι = I am pleased
η ακτή = beach, coast
το κολύμπι = swimming
η κάρτα = card
το κολέγιο = college

EXERCISE 57

Answer the following questions:

Example: Τηλεφώνησες στον Γιώργο; Του τηλεφώνησα.

1. Τηλεφώνησες στον Παύλο;
2. Τηλεφώνησες στη Μαρία;
3. Έγραψες στον Πέτρο;
4. Έγραψες στη Χριστίνα;
5. Σου έστειλε το γράμμα;
6. Σου εξήγησε το μάθημα;
7. Σου αγόρασε παγωτό;
8. Σας αγόρασε φρούτα;
9. Της διάβασες την εφημερίδα;
10. Του διάβασες το περιοδικό;
11. Τους κέρασες στο καφενείο;
12. Την συνάντησες την Κυριακή;
13. Τον είδες το Σάββατο;

235

14. Την είδες στο ζαχαροπλαστείο;
15. Σας επισκέφτηκαν το Σάββατο;
16. Τους επισκεφτήκατε την Τρίτη;
17. Σου έστειλε ένα δώρο;
18. Τον εξέτασε ο γιατρός;
19. Σε βοήθησε χθες;
20. Σε έστειλε στην τράπεζα;
21. Τον έδιωξε από τη δουλειά;
22. Την συνάντησες στην Κρήτη;
23. Σου έγραψε από την Αθήνα;
24. Σου τηλεφώνησε το Σάββατο;

Rhodes

LESSON 39
PRONOUNS

1. DEMONSTRATIVE PRONOUNS – These are used to point out a person or thing. These are:

αυτός	εκείνος	(ε)τούτος	τόσος
αυτή	εκείνη	τούτη	τόση
αυτό	εκείνο	τούτο	τόσο
αυτοί	εκείνοι	τούτοι	τόσοι
αυτές	εκείνες	τούτες	τόσες
αυτά	εκείνα	τούτα	τόσα
This/ These	That /Those	That/Those	of such size / quantity.

Also τέτοιος, τέτοια, τέτοιο etc.

Examples:

Αυτός φώναξε = He (this man) called.
Εκείνος έφυγε = That man left.
Τούτος ήρθε = He (this man) came.
Θέλω τόσο χαρτί = I want so much paper.
Αγόρασα τέτοιο ύφασμα = I bought such material.

(See earlier chapter on Demonstrative Pronouns).

2. RELATIVE PRONOUNS.

These are:
(a) Ο οποίος, η οποία, το οποίο (who, which) always used with the article.

237

(b) όποιος, όποια, όποιο (whoever, whichever).
Όποιος διαβάζει μαθαίνει = Whoever reads, learns.

(c) ό,τι = whatever.
Κάνε ό,τι θέλεις = Do whatever you like.

(d) όσος, όση, όσο / όσοι, όσες, όσα (As much, as many as)
Γέλα όσο θέλεις = Laugh as much as you like.
Φάτε όσα κεράσια θέλετε = Eat as many cherries as you
like.

(e) που = who, whom, which, that.

Η γυναίκα **που** χόρεψε ήταν Αγγλίδα.
The woman that (who) danced was English.

Το αυτοκίνητο **που** είναι έξω είναι δικό μου.
The car which is outside is mine.

3. REFLEXIVE PRONOUNS: These exist in the Genitive and
Accusative only. They are used when the subject and the object
of an action are identical.

Genitive		Accusative
του εαυτού μου	του εαυτού μας	τον εαυτό μου / μας
του εαυτού σου	του εαυτού σας	τον εαυτό σου / σας
του εαυτού του	του εαυτού τους	τον εαυτό του / τους
του εαυτού της	του εαυτού τους	τον εαυτό της / τους
του εαυτού του	του εαυτού τους	τον εαυτό του / τους

Examples:
Μιλάει στον εαυτό του = He talks to himself .
Βλέπει τον εαυτό της στον καθρέφτη = She sees herself in the

238

mirror .

Έχει μεγάλη ιδέα του εαυτού του = He has a big idea of himself i.e. He thinks he is something special.

Θεωρώ τον εαυτό μου ευτυχισμένο = I consider myself happy.

4. INTERROGATIVE PRONOUNS:
These introduce questions:

Ποιος, ποια, ποιο, ποιοι, ποιες, ποια = Who? Which? This declines like an adjective in - ος, - α, - ο.
There are some alternate forms in the genitive and accusative.

(Gen. Masc. & Neut)	ποιου or ποιανού,	= Whose?
(Gen. Fem. Sing)	ποιας or ποιανής	= Whose?
(Gen. Plural)	ποιων or ποιανών	= Whose?
(Accus. Plural)	ποιους or ποιανούς	= Whom?
		(Which ones?)

Examples:
Ποιος είναι αυτός = Who is he?
Ποιους θέλεις = Whom (which ones) do you want?
Ποιο παγωτό θα πάρεις; = Which ice cream will you take?

The word **τίνος** is also used in all genders of the genitive singular, to mean " whose", e.g.
Τίνος είναι ο καφές; Whose coffee is this?

Other Interrogative Pronouns are: **πόσος, πόση, πόσο, πόσοι, πόσες, πόσα** = How much? How many? This declines like an adjective in - ος, -η, - ο.
The word **τι** = What, does not decline.
Τι θέλεις να σου φέρω; What do you want me to bring you?
Με τι θα γράψεις; = With what will you write?

239

CONJUGATION OF INTERROGATIVE PRONOUNS

Singular	Masculine	Feminine	Neuter
Nomin.	ποιος	ποια	ποιο
Genitive	ποιου	ποιας	ποιου
Accus.	ποιον	ποιαν	ποιο

Plural

	Masculine	Feminine	Neuter
Nomin.	ποιοι	ποιες	ποια
Genitive	ποιων	ποιων	ποιων
Accus.	ποιους	ποιες	ποια

Masculine Examples:

Ποιος είναι;	= Who is he? (it)
Ποιου είναι;	= Whose is it?
Ποιον θέλετε;	= Whom do you want?

Ποιοι είναι;	= Who are they?
Ποιων είναι;	= Whose are they?
Ποιους θέλετε;	= Whom do you want? (plural)

Feminine Examples:

Ποια είναι η κυρία;	= Who is this lady?
Ποιας είναι το παλτό;	= Whose is the raincoat?
Ποιαν είδατε;	= Whom did you see? (fem.)

Ποιες είναι αυτές;	= Who are these (ladies)?
Ποιων είναι τα καπέλα;	= Whose are the hats?
Ποιες έφυγαν;	= Who left? (ladies)

5. DEFINITE PRONOUNS These are:
(a) The Adjective **ο ίδιος** = himself, **η ίδια** = herself, **το ίδιο** = itself, is always used with the article.

e.g. Ήρθε **ο ίδιος** ο Πρόεδρος = The President himself came.

(b) The Adjective **μόνος, μόνη, μόνο** = alone.
Plural: **μόνοι, μόνες, μόνα** = alone
e.g. Μένει στο σπίτι **μόνη** της = She lives in the house alone (on her own).

Μένω μόνος / η	μου	= I live on my own.
Μένεις »	σου	= You live on your own.
Μένει »	του, της	= He / She lives on his / her own.

Μένουμε μόνοι / μόνες μας		= We live on our own.
Μένετε »	σας	= You live on your own.
Μένουν »	τους	= They live on their own.

6. INDEFINITE PRONOUNS: These are
(a) **ένας, μια, ένα** = a, an, one (someone). The same as the Indefinite article.
e.g. Ένας έλεγε ότι γύρισε όλη την Ελλάδα = Someone said that he toured all over Greece.

(b) **Κανένας (κανείς). Καμιά, κανένα** = One/ no one.
e.g. Έλα καμιά μέρα να πιούμε καφέ = Come one day, to have coffee.

(c) **Κάθε, καθενός, καθεμιά, καθένα** = each.
e.g. Κάθε χωριό έχει το σχολείο του = Each village has its school.

(d) **κάποιος, κάποια, κάποιο** = Someone. e.g. Μου είπε κάποιος = Someone told me.

(e) **Κάμποσος, κάμποση, κάμποσο** = a lot, a fair number (of).
e.g. Είχε μαζί του κάμποσα λεφτά. = He had with him a lot of money.

(f) **μερικά, μερικές, μερικά** = some.
e.g. Πήρε μερικά πράγματα κι έφυγε = He took some things and left.

(g) **άλλος, άλλη, άλλο** = one, other
e.g. Πήγαν άλλος εδώ και άλλος εκεί. = One went here, the other went there.

(h) **Κάτι, κατιτί** = Some, something
e.g. Κάτι είπε = He said something.
e.g. Άκουσες τίποτε; = Did you hear anything?

EXERCISE 58

Write 15 sentences using 15 different Pronouns.

Corinth - St. Paul's Church

LESSON 40

PARTICIPLES OF ACTIVE VERBS

The Participles indicate a continuous action.
To construct the Participle in Greek we change the final - ω of
the Present into - οντας.

Examples:

κλαίω	– κλαίοντας	= crying
γράφω	– γράφοντας	= writing
παίζω	– παίζοντας	= playing
πίνω	– πίνοντας	= drinking
τρώγω	– τρώγοντας	= eating

If the verb is accented on the last syllable as in the examples below,
then the ending is **–ωντας**, i.e. with **– ω**.

Examples:

μιλώ	– μιλώντας	= talking
φιλώ	– φιλώντας	= kissing
αγαπώ	– αγαπώντας	= loving
γελώ	–γελώντας	= laughing
ρωτώ	– ρωτώντας	= asking

Examples:

Έφυγε κλαίοντας.
He / She left crying.
Ήρθε τραγουδώντας.
He / She came singing.

Έτρεχε στο πάρκο γελώντας.
He / She ran in the park laughing.
Φάγαμε τα σουβλάκια μας μιλώντας.
We ate our kebab (while) talking.
Διάβαζε πίνοντας τον καφέ του.
He was reading (while) drinking his coffee.

VOCABULARY

παρακολουθώ = I watch
ο αστυφύλακας = policeman
κλαίω = I cry
ταξιδεύω = I travel
το ποδήλατο = bicycle
αστειεύω = I joke
διαλέγω = I choose
όλα τα είδη = all kinds
πουλώ = I sell
το πράγμα = thing, object
φορτώνω = I load

ευτυχισμένος, η, ο = happy
ο τόπος = place
γίνομαι = I become
επιστρέφω = I return
σταματώ = I stop
μουρμουρώ = I murmur
ξυρίζομαι = I shave myself
το μνημείο = monument
λαχταρώ = I long (for)
κοιτάζω = I look at
τελειώνω = I finish

ACTIVE PARTICIPLES

Verb	Participle	English
ανοίγω	ανοίγοντας	opening
αγοράζω	αγοράζοντας	buying
απαντώ	απαντώντας	answering
βγαίνω	βγαίνοντας	going out
βλέπω	βλέποντας	seeing
ευχαριστώ	ευχαριστώντας	thanking
ζητώ	ζητώντας	asking
θέλω	θέλοντας	wanting

κερδίζω	κερδίζοντας	winning
λαχταρώ	λαχταρώντας	longing
μένω	μένοντας	staying
εσωκλείω	εσωκλείοντας	enclosing

EXERCISE 59

Complete the sentences using participles:

1. Πήγε στην Αθήνα λαχταρ....... να δει την Ακρόπολη.
2. Γύρισε στο σπίτι αγοράζ....... φρούτα.
3. Πήγαν στην Κρήτη θέλ....... να δουν την Κνωσό.
4. Συγκινήθηκαν βλέπ....... τα φτωχά παιδιά.
5. Περπατούσαν ψάχν....... να βρουν το ταχυδρομείο.
6. Ξόδεψαν τα λεφτά τους θέλ....... να δουν όλη την Ελλάδα.
7. Έφυγαν ευχαριστ....... τους φίλους τους.
8. Μέν....... στην Κύπρο για δυο βδομάδες είδαν πολλά αξιοθέατα.
9. Βλέπ....... την γιαγιά του τη φίλησε.
10. Ρωτ....... τον αστυφύλακα βρήκε το Μουσείο.
11. Αυτοί χορεύουν τραγουδ......
12. Περπατ....... όλο το απόγευμα έφτασαν στο χωριό.

EXERCISE 60

Write the right participle

1. Έγραφε .... (κλαίω)
2. Έφυγε από το σπίτι .... (γελώ)
3. Ήρθε στο γραφείο .... (μουρμουρώ)
4. .... το σπίτι του έφυγε για την Αγγλία (πουλώ)
5. .... το χωριό επέστρεψε πίσω (βλέπω)

245

6. .... ένα αυτοκίνητο ήρθε στην Αθήνα (αγοράζω).
7. Έβγαλε φωτογραφίες .... την Ακρόπολη (βλέπω)
8. Μπήκε στην ταβέρνα .... τη μουσική (ακούω)
9. Κουράστηκε .... στην ταβέρνα (χορεύω)
10. Το βράδυ .... στο σπίτι του κοιμήθηκε (επιστρέφω)
11. Το πρωί .... ξυρίστηκε και πλύθηκε (ξυπνώ)
12. .... από την Ελλάδα πήγε στην Κύπρο (φεύγω).

Olympia

LESSON 41

PARTICIPLES OF PASSIVE VERBS

These are generally formed from the Past (Aorist) of the
verbs ending in - ομαι, - ιέμαι, - άμαι, as follows:

Change the ending	- θηκα	into - μένος,	η,	ο
change the ending	- φτηκα	into - μμένος,	η,	ο
change the ending	- χτηκα	into - γμένος,	η,	ο
change the ending	- στηκα	into - σμένος,	η,	ο
change the ending	- εύτηκα	into - μένος,	η,	ο

Examples:

Passive Aorist	Passive Particle			
κουράστηκα	κουρασμένος,	η, ο		to become tired
αγαπήθηκα	αγαπημένος,	η, ο		loved
κλείστηκα	κλεισμένος,	η, ο		shut
παντρεύτηκα	παντρεμένος,	η, ο		married
λυπήθηκα	λυπημένος,	η, ο		sad
βρέχτηκα	βρεγμένος,	η, ο		wet
γράφτηκα	γραμμένος,	η, ο		written
στενοχωρήθηκα	στενοχωρημένος,η,ο			upset

Past pariciples function like adjectives.

Ο Γιάννης είναι λυπημένος = John is sad.
Η Μαρία είναι κουρασμένη = Maria is tired.
Ο Φοίβος είναι στενοχωρημένος = Phivos is upset.
΄Ηταν ντυμένη όταν ήρθε ο Κώστας =
She was dressed when Costas came.
Ο Αλέκος ήταν παντρεμένος = Alekos was married.

῾Ήταν κλεισμένη στο δωμάτιο της = She was closed in her room. (lit. she shut herself in her room).

1. NOTE: Active Participles end in - **οντας** (- **ωντας**) and do not decline.

2. Passive Participles end in - **μένος** and have 3 genders and decline like an adjective e.g. - **μένος**, - **μένη**, - **μένο**, -**μένοι**, -**μένες**, -**μένα**.

VOCABULARY

απογοητευμένος, η, ο = disappointed.
άρρωστος, η, ο = ill, sick
αγαπημένος, η, ο = loved, favourite.
το καρπούζι = watermelon
η εξέταση = examination.

ενθουσιασμένος,η, ο = enthusiastic
το αποτέλεσμα = result
φορτωμένος, η, ο = loaded.
πετυχαίνω = I succeed

EXERCISE 61

Complete the sentences:
1. Δεν πήγα στο Μουσείο γιατί ήμουν κουρασ.............. .
2. Ο Γιώργος είναι το αγαπη.............. παιδί της οικογένειας.
3. Η Ελένη ήταν κλεισ.......... στο δωμάτιο της.
4. Το αυτοκίνητο ήταν φορτω.......... με καρπούζια.
5. Ο κύριος Θανάσης ήταν παντρε..... για είκοσι χρόνια.
6. Η γιαγιά ήταν λυπη......, γιατί ο παππούς ήταν άρρωστος.
7. Κουρασ....... απ' το ταξίδι πήγαμε να κοιμηθούμε.
8. Ο Αντρέας ήταν στενοχωρη...... .
9. Ν' αφήσεις την πόρτα κλεισ.......... (κλειστή).
10. ῾Ήταν χαρού.......... σήμερα το πρωί.
11. ῾Ήταν απογοητευ.............. γιατί δεν πέτυχε στις εξετάσεις.
12 ῾Ήταν ενθουσιασ.......... από το αποτέλεσμα.

248

LESSON 42

THE PERFECT TENSE

THE PRESENT PERFECT - This tense is not very common as it is in English. It is used to indicate an action that has taken place in the past and has already been completed but which has a bearing on the present. e.g. Δεν θέλω να πάω στο Μουσείο γιατί **έχω πάει** εκεί. (I do not want to go to the Museum because I have (already) been there).

To construct the Present Perfect we add the auxiliary verb **έχω** (I have) in front of the 3rd person singular, of the Aorist Subjunctive.

Examples:

έχω γραψει	= I have written
έχεις γράψει	= You have written
έχει γράψει	= He, She, It has written
έχουμε γράψει	= We have written
έχετε γράψει	= You have written
έχουν γράψει	= They have written

έχω μιλήσει	= I have spoken
έχεις μιλήσει	= You have spoken
έχει μιλήσει	= He, She, It has spoken
έχουμε μιλήσει	= We have spoken
έχετε μιλήσει	= You have spoken
έχουν μιλήσει	= They have spoken

Examples:

1. Έχω φύγει απ' την Ελλάδα = I have left Greece.
2. Έχω τραγουδήσει ένα Ελληνικό τραγούδι = I have sung a

Greek song.

3. Έχω διαβάσει την εφημερίδα. = I have read the newspaper .
4. Έχω πιει ρετσίνα. = I have drunk retsina.
5. Έχω πάει στον Πειραιά. = I have gone (been) to Piraeus.

THE FUTURE PERFECT - This is used to indicate an action completed in the future before another action, or point of time, in the future e.g. Πριν φύγουν οι τουρίστες ο ξενοδόχος **θα έχει ετοιμάσει** το λογαριασμό. The hotelier will have the bill ready before the tourists leave.

The Future Perfect is conjugated as follows:

θα έχω γράψει   θα έχουμε γράψει
θα έχεις γράψει   θα έχετε γράψει
θα έχει γράψει   θα έχουν γράψει

VOCABULARY

κόβω = I cut
τα μαλλιά = hair
ο θείος = uncle
ο ξένος = guest, tourist
ο ντολμάς = stuffed vine-leaves
χωριάτικος, η, ο = village (adj)
ταξιδεύω = I travel
το δώρο = present
το φιλμ = film
το θέατρο = theatre
το μουσείο = museum
το πλοίο = ship, boat

το ποδόσφαιρο = football
ποδοσφαιρικός, η, ο (adj) = football
μαζί = together
συναντώ = I meet
το καφενείο = coffee-bar
νωρίς = early
η φωτιά = fire
ο τουρίστας = tourist
ο γάμος = wedding
ο χορός = dance
το ενθύμιο = souvenir
ο εύζωνας = evzone
κολυμπώ = I swim

250

ο κεφτές = meat ball   ο αγώνας = match, contest
το γραμματόσημο = stamp   ακόμα, ακόμη = yet

THE PERFECT TENSE IN THE PASSIVE VOICE

To form the Perfect Tense in the Passive we add the auxiliary verb **έχω** in front of the 3rd person Singular of the Aorist Subjunctive.

Examples:

έχω διδαχτεί	= I have been taught
έχω εξεταστεί	= I have been examined
έχω παντρευτεί	= I have (been) married
έχω επισκεφτεί	= I have visited
έχω καθίσει	= I have sat

They conjugate in the same way as the Present Perfect of Active verbs, e.g.

έχω διδαχτεί	= έχουμε διδαχτεί
έχεις »	= έχετε »
έχει »	= έχουν »

EXERCISE 62

Complete the following sentences using the Auxiliary verb έχω.

1. Εγώ .... στείλει ένα γράμμα.
2. Εγώ .... δει το φιλμ "Ο Ζορμπάς".
3. Η Μαρία .... κόψει τα μαλλιά της.
4. Ο Νίκος δεν .... γράψει στο θείο του.
5. Οι ξένοι .... πάει στη θάλασσα.
6. Η γιαγιά .... καθίσει κοντά στη φωτιά.
7. Ο παππούς .... πει μια ιστορία στα παιδιά.

8. Οι τουρίστες .... ταξιδέψει με το αεροπλάνο.
9. Εμείς .... πάει στους Δελφούς και την Ολυμπία.
10. Εσείς .... φάει στην ταβέρνα ντολμάδες και κεφτέδες.
11. Σήμερα αυτοί .... πάει στο Σούνιο με λεωφορείο.
12. Εμείς .... δει την αρχαία Ολυμπία.
13. Αυτοί δεν .... δει το Λευκό Πύργο στη Θεσσαλονίκη.
14. Ο κ. Σμιθ .... γράψει δέκα κάρτες.
15. Η κυρία Ελένη δεν .... στείλει τα γράμματα.
16. Εσείς δεν .... πάει στον ποδοσφαιρικό αγώνα.
17. Αυτοί .... δει τους εύζωνες στην Αθήνα.
18. Εμείς δεν .... αγοράσει ενθύμια ακόμα.

Halkidha - Euboea

LESSON 43

THE PAST PERFECT

The Past Perfect expresses an action in the past which is completed before another action in the past.

e.g. Η Ελένη είχε φύγει όταν ο Πέτρος τηλεφώνησε =
Helen had (already) left when Peter phoned.

To construct the Past Perfect we use the verb **είχα** (I had) before the 3rd person singular of the Aorist subjunctive, of Active or Passive Verbs.

ACTIVE EXAMPLES

είχα φύγει	I had left	είχα πάει	= I had gone
είχες φύγει	You had left	είχες πάει	
είχε φύγει	He, She, It had left	είχε πάει	
είχαμε φύγει	We had left	είχαμε πάει	
είχατε φύγει	You had left	είχατε πάει	
είχαν φύγει	They had left	είχαν πάει	

NOTE: It is the auxiliary (helping) verb that is conjugated.

Examples:
1. Είχα φύγει στις δέκα = I had left at ten o'clock.
2. Είχες αγοράσει το αυτοκίνητο = You had bought the car.
3. Είχες πουλήσει το κρασί = You had sold the wine.
4. Είχες φιλήσει την κοπέλα = You had kissed the girl.
5. Είχε φύγει απ' την Ελλάδα = He had left Greece.
6. Είχαμε χορέψει στην ταβέρνα = We had danced at the tavern.

7. Είχαν πιει ρετσίνα = They had drunk retsina.
8. Είχε χορέψει το χορό του "Ζορμπά" = She had danced Zorba's dance.
9. Είχαμε δει την Ακρόπολη = We had seen the Acropolis.
10. Είχε φύγει απ' το σινεμά = He / She had left the cinema.
11. Είχατε δει το γιατρό = You had seen the doctor.
12. Είχα βοηθήσει το παιδί = I had helped the child.

VOCABULARY

το αλφάβητο = alphabet	μαθαίνω = I learn
το μπαρμπούνι = red mullet	σκληρός , η, ο = hard
ο ξένος = the guest, visitor	η βουλή = parliament
ο κεφτές = meat- ball	το μπουκάλι = bottle
ποτέ = never	η αγορά = market
δουλεύω = I work	φεύγω = I leave

THE PAST PERFECT IN PASSIVE VERBS

We use the verb **είχα** (I had) and the third person singular of the Aorist Subjunctive.

Examples:

είχα διδαχτεί	= I had been taught
είχα εξεταστεί	= I had been exarnined
είχα παντρευτεί	= I had married
είχα κοιμηθεί	= I had slept

They conjugate in the same way as the Active Past Perfect examples, e.g.

είχα διδαχτεί		είχαμε διδαχτεί	
είχες	»	είχατε	»
είχε	»	είχαν	»

EXERCISE 63

Change the following sentences into the Past Perfect.

Example: Έφαγα μουσακά. Answer: **Είχα φάει** μουσακά

1. Πήγα στην αγορά με την Ελένη.
2. Πήγαμε στο καφενείο με το Γιάννη.
3. Έστειλε ένα γράμμα στη φίλη του.
4. Αγόρασε ένα ωραίο αυτοκίνητο.
5. Είδαν το λιμάνι του Πειραιά.
6. Χόρεψες όλο το βράδυ στην ταβέρνα.
7. Ταξίδεψαν με λεωφορείο.
8. Έφαγαν μπαρμπούνι και πατάτες.
9. Ο Θανάσης έστειλε ένα ταξί για μας.
10. Η Κατερίνα ετοίμασε το τραπέζι.
11. Οι ξένοι έφτασαν στις οκτώ.
12. Φάγαμε μουσακά, κεφτέδες και χωριάτικη σαλάτα.
13. Μετά ήπιαμε ένα ελληνικό καφέ.
14. Οι ξένοι έφυγαν στις δώδεκα.

LESSON 44

ADVERBS

The words which describe verbs are called adverbs. These fall into groups and each group responds to a question.

1. Adverbs of place: Πού; = Where?

εδώ = here
εκεί = there
κάπου = somewhere
πουθενά = nowhere
πάνω = up
κάτω = down, below
έξω = out
μέσα = inside
δεξιά = right
αριστερά = left
μεταξύ = between
μαζί = together , with
γύρω = round

αλλού = elsewhere
παντού = everywhere
δυτικά = west
νότια = south
πίσω = behind
μπροστά = in front of
κοντά = near , next to
μακριά = far
βόρεια = north
νότια = south
ανατολικά = east
ψηλά = high
απέναντι = opposite

Examples:

1. Πού είναι η εφημερίδα; Είναι εδώ.
Where is the newspaper? It is here.

2. Πού είναι η τράπεζα; Είναι εκεί.
Where is the bank? It is there.

3. Πού είναι το μουσείο; Είναι στα δεξιά.
Where is the museum? It is on the right (side).

4. Πού είναι η Πάτρα;   Είναι στα δυτικά.
Where is Patra?   It is on the west.

2. Adverbs of time: Πότε; = When?

πάντα = always
αμέσως = immediately
πάλι = again
ξανά = again
σήμερα = today
απόψε = tonight
φέτος = this year
επι τέλους = at last
νωρίς = early
όποτε = whenever
πότε, πότε = every now and
then
τώρα = now

σε λίγο = in a while
αύριο = tomorrow
μεθαύριο = the day after
tomorrow
χτες = yesterday
πέρυσι = last year
του χρόνου = next year
γρήγορα = quickly
ποτέ = never
κάποτε = sometimes
κάπου, κάπου = now and
then, sometimes

Examples:

1. Πότε φεύγεις;   Αύριο.
When are you leaving?   Tomorrow.

2. Πότε θα γυρίσεις;   Του χρόνου.
When will you return?   Next year.

3. Adverbs of manner: πώς;= how?

καλά = well
ωραία = fine
επίσης = also
έτσι και έτσι = so, so
όπως = as, like

μαζί = together
αλλιώς = otherwise
συχνά = frequently
ξαφνικά = suddenly
ευτυχώς = fortunately

άριστα = excellently   κάπως = somehow
έτσι = like, so

Example:

Πώς είσαι;   Πολύ καλά.
How are you?   Very well.

4. Adverbs of quantity: **πόσο; = how much?**

πολύ = a lot   τουλάχιστο = at least
λίγο = a little   περισσότερο = more
τίποτε = nothing   λιγότερο = less
περίπου = approximately   αρκετά = enough
τόσο = so much   όσο = as much
πιο = more, most

Example:

Πόσο γάλα θέλεις στον καφέ σου;   Πολύ.
How much milk do you want in your coffee?   A lot.

5. Adverbs of degree: πολύ = a lot, λίγο = less, μόλις = just, σιγά = slow

6. Adverbs of frequency: συχνά = frequently, πάντα = always, κάπου-κάπου = every now and then.

7. Adverbs of affirmation: ναι = yes, μάλιστα = certainly, βέβαια = surely, αλήθεια = truly, (indeed).

8. Adverbs of denial: όχι= no, δε(ν), μη(ν) = not.

9. Adverb of hesitation: ίσως = perhaps.

10. Adverb of cause: γιατί = why

1. Those adjectives which end in –ος can be converted into adverbs by changing their final ending into –α.

Examples:

Adjective -ος   **Adverb -α**

ήσυχος	ήσυχα	quietly
καλός	καλά	well
εύκολος	εύκολα	easily
αριστερός	αριστερά	to the left
χαρούμενος	χαρούμενα	happily
δεξιός	δεξιά	to the right
δύσκολος	δύσκολα	difficult
λυπημένος	λυπημένα	sadly
ευχάριστος	ευχάριστα	pleasantly
υπέροχος	υπέροχα	wonderfully

2. Those adjectives which end in –ης can be converted into adverbs by changing their ending into –ως.

Examples:

Adjective -ης   **Adverb -ως**

ευτυχής	ευτυχώς	= fortunately
ακριβής	ακριβώς	= exactly
δυστυχής	δυστυχώς	= unfortunately

Some adverbs retain the puristic ending **-ως**
αμέσως = immediately
αεροπορικώς = by air (mail)

ίσως = perhaps
τελείως = completely

3. Those adjectives which end in - υς (there are very few) become adverbs by changing their ending into - ιά.

Adjectives ending in	Adverb ending in
-υς	- ιά
βαθύς	βαθιά = deeply
μακρύς	μακριά = far
πλατύς	πλατιά = widely.

Examples with adverbs:

1. Ο Νίκος πηγαίνει εκεί = Nikos goes there.
2. Περπατά γρήγορα = He / She walks quickly.
3. ῞Ηρθε αργά = He / She came late.
4. Δεν πήγε ποτέ = He / She never went.
5. Πήγα αλλού = I went elsewhere.
6. ῞Ηρθε ακριβώς στις έξι = He / She came exactly at six.
7. Βρήκε το δρόμο εύκολα. = He / She found the way easily.
8. Χορέψαμε αργά = We danced quietly / slowly.
9. ῎Εφυγαν στις 12 ακριβώς = They left at 12 exactly.
10. Η μουσική ακουόταν μακριά = The music could be heard far away .
11. ῎Εστριψε δεξιά = He / She turned to the right.
12. Πήγε αριστερά = He / She went to the left.

VOCABULARY

το γραφείο = office	πίσω = back, behind
νωρίς = early	μετά = after , later
φέρνω =I bring	ποτέ = never
αφήνω =I leave (behind)	πάντα = always

αλλού = elsewhere
η είδηση = the news
βρίσκω = I find
αφηρημένα = absent-mindedly
δύσκολα = in difficulty
στρίβω = I turn
γρήγορα = quickly
μαγειρεύω = I cook
ετοιμάζω = I prepare
η επίσκεψη = visit
ικανοποιημένος, η, ο = satisfied

κάτω = below
καπνίζω = I smoke
η τηλεόραση = T.V.
εύκολα = easily
η κωμωδία = comedy

προσεκτικά = carefully
πλένω = I wash
αργά = late, slowly
μένω =I remain, stay
παρακολουθώ = I watch
ο πρόεδρος = president

EXERCISE 64

Complete the sentences by using the right adverb:

1. Ο Νίκος χόρεψε .... στην ταβέρνα (nicely)
2. Η Δάφνη μαγείρεψε .... το μουσακά (wonderfully)
3. Η γιαγιά ετοίμασε .... το πρόγευμα (quickly)
4. Ο παππούς διάβαζε .... (absent-mindedly).
5. Ο πατέρας έφυγε .... σήμερα. (early).
6. Η μητέρα καθάρισε τα πιάτα .... (carefully)
7. Τα παιδιά έπλυναν .... τα χέρια. (immediately).
8. Ο θείος και η θεία ήρθαν .... (late).
9. Οι τουρίστες θα επιστρέψουν .... (next year).
10. Ο Πρόεδρος θα πάει στο Λονδίνο .... (this year).
11. Δεν καπνίζω .... (never).
12. .... παρακολουθώ τις κωμωδίες στην τηλεόραση. (always).

261

LESSON 45

INTERROGATIVE ADVERBS

These are words which are used at the beginning of the sentence and they introduce questions. They are words of their own and they have to be remembered.

Πότε	**= When? (time)**
Πώς;	**= How? (manner)**
Γιατί;	**= Why? (cause)**
Πού;	**= Where? (place)**
Πόσο;	**= How much? (quantity)**

Examples:

1. Πότε φεύγεις;   Αύριο.
When are you leaving?   Tomorrow .

2. Πότε επιστρέφεις;   Μεθαύριο.
When are you coming back? The day after tomorrow .

3. Πού είναι το μουσείο;   Είναι κοντά.
Where is the museum?   It's near.

4. Πού είναι το θέατρο;   Είναι μακριά.
Where is the theatre?   It's far away .

5. Πώς είσαι Ελένη;   Καλά.
How are you Helen?   Fine.

6. Πώς είναι ο Νίκος;   ΄Ετσι κι έτσι.
How is Nicos?   So, so.

7. Πόσο θέλεις;	Μισό κιλό.
How much do you want?	Half a kilo.

8. Πόσο κάνει;	Πέντε ευρώ.
How much does it cost?	Five Euros.

VOCABULARY

αριστερά = left
δεξιά = right
μακριά = far away
κοντά = near
αύριο = tomorrow
απόψε = tonight
σε λίγο = in a while
σιδηροδρομικώς / με το τρένο
= by train

αεροπορικώς = by air
η επιταγή/το τσεκ = cheque
περπατώ = I walk
με τα πόδια = on foot
γυρίζω = I return
πληρώνω = I pay
η τράπεζα = bank

EXERCISE 65

Answer the following questions using the adverbs.

1. Πού είναι η τράπεζα; (On the right)
2. Πού είναι το ταχυδρομείο; (On the left)
3. Πού είναι το ξενοδοχείο; (Far away)
4. Πού είναι το περίπτερο; (It's near)
5. Πότε θα έρθεις; (Tomorrow)
6. Πότε θα χορέψεις; (Tonight)
7. Πότε θα ταξιδέψεις; (In July)
8. Πότε θα φάμε; (In a while)
9. Πώς θα πας εκεί; (By train)
10. Πώς θα ταξιδέψεις; (By air)
11. Πώς θα πληρώσετε; (By cheque)
12. Πώς θα γυρίσουμε; (On foot, walking)

263

13. Πόσο κάνει το δωμάτιο; (80 Euros)
14. Πόσο μακριά είναι; (Very far)
15. Πόσο έχει το εισιτήριο; (300 Euros)
16. Πόσο καιρό θα μείνετε; (Two weeks)

Corfu - The Achilleon

LESSON 46

CONJUNCTIONS

The Conjunctions connect the words. For example: Ο Πέτρος **και** η Ελένη (Peter and Helen). They may be divided into two groups: (1) Co-ordinating and (2) Subordinating. Co-ordinating Conjunctions join words, phrases or clauses of the same syntax. Subordinating Conjunctions join clauses only which are not of the same syntax, since one (the subordinate clause) cannot exist as a sentence without the other (the main clause).

Co-ordinating Conjunctions: Examples

και = and
Η Ελένη **και** η Μαρία
Helen and Mary

και ... και = both ... and
Και η Ελένη **και** η Μαρία
Both Helen and Mary

ή = or
Ο Νίκος **ή** ο Παύλος
Nikos or Paul

ή .... ή = either or
´Η ο Νίκος **ή** ο Πάυλος
Either Nicos or Paul.

είτε ... είτε = either ... or
Είτε εσύ **είτε** εγώ
Either you or I

μήτε... μήτε = neither .... nor
Μήτε ο Γιώργος θα πάει **μήτε** ο Κώστας. = Neither George will go nor Costas.

ούτε ... ούτε = neither .... nor **Ούτε** ο Γιώργος θα πάει **ούτε** ο Κώστας. = Neither George will go nor Costas.

αλλά = but   Μου τηλεφώνησε **αλλά** δεν πήγα.

μα = but   Μου τηλεφώνησε **μα** δεν πήγα He / She phoned me but I did not go.

Όμως = however   Ήρθε ο Κώστας, η Δέσποινα **όμως** έμεινε σπίτι = Costas came, Despina however stayed at home.

Όμως = but   Τρέξαμε **όμως** δεν προλάβαμε το λεωφορείο = We ran but we missed the bus.

Ωστόσο = nevertheless.   Η γιαγιά είναι ογδόντα χρονών, **ωστόσο** θυμάται πολύ καλά = Grandmother is eighty years old; nevertheless she has a very good memory .

Παρά = than (in comparisons) Κάλλιο αργά **παρά** ποτέ = Better late than never.

Παρά = but   Δεν λέει τίποτα **παρά** σαχλαμάρες = He does not say anything but nonsense.

Επομένως = consequently.   Δεν το ήπιε, **επομένως** δεν θα το πληρώσει = He did not drink it; consequently he is not going to pay for it.

266

λοιπόν = so, thus 　　　　'Ηπιαμε τον καφέ μας· **λοιπόν**
　　　　　　　　　　　　ας πάμε = We've drunk our coffee,
　　　　　　　　　　　　so let's go.

δηλαδή (δηλ.) = that is to say 　Θέλει να πάει στην μακρινή
namely in other words 　　　Αυστραλία **δηλαδή** να μας
　　　　　　　　　　　　ξεχάσει όλους =He wants to go
　　　　　　　　　　　　to far away Australia, that is to
　　　　　　　　　　　　forget about all of us

σαν = like, as 　　　　　Τραγουδά **σαν** αηδόνι=He/ she
　　　　　　　　　　　　sings like a nightingale.

Subordinating Conjuctions
　These must introduce a clause, i.e. a subject and a verb. The
introduced clause cannot stand alone as a sentence; it must be
linked to another clause which can stand alone.

1. Time

όταν = when 　　　　　Χάρηκε **όταν** τον είδε = She
　　　　　　　　　　　　was pleased when she saw him

σαν = when 　　　　　　**Σαν** τον είδε τα έχασε. = When
　　　　　　　　　　　　she saw him she was at a loss.

άμα = when, as soon as 　Θα φάμε **άμα** έρθετε = We'll
　　　　　　　　　　　　eat when (as soon as) you come.

ενώ = while, as 　　　　**Ενώ** διάβαζε, σκεπτόταν την
καθώς = while as 　　　οικογένειά του = While he was
　　　　　　　　　　　　reading he thought about his
　　　　　　　　　　　　family.

όσο = as long as

Μείνε **όσο** θέλεις = Stay as long as you like.

αφού = after
αφότου = ever since
μόλις = as soon as
πριν (να) = before

προτού = before
ώσπου να = until
ωσότου να = until
οπότε = whenever

2. Place

όπου = where, wherever

Πήγαινε **όπου** θέλεις = Go wherever you like.

3. Manner

όπως = however, as

Κάνε **όπως** νομίζεις = Do what you think is right

4. Cause or reason

γιατί = because

Ο Γιάννης δεν πήγε **γιατί** έβρεχε = John did not go because it was raining.

επειδή = because

Έμεινε στο σπίτι **επειδή** έβρεχε = He stayed at home because it was raining.

αφού = since

Αφού ήρθες κάτσε να πιούμε καφέ = Since you've come, sit down for a coffee.

εφόσον = since
μια και /μια που = since

Μια και ήρθες να πιούμε ένα καφέ = Since you've come, we'll have a coffee.

5. Purpose

για να = so that, in order that, in order to, to.

6. Result

ώστε = so

τόσο .... ώστε = so .... that

7. Comparison

παρά να = rather than

8. Contrast, Opposition

παρά να = instead of, rather than. Προτιμά να δουλεύει παρά να κάθεται. He prefers to work rather than sit at home.

ενώ = though, although, while

αν και = although

μολονότι = although

και...... και = whether ..... or not

είτε .... είτε = whether ..... or not

9. Condition

αν (εάν) = if. Αν έρθεις την Κυριακή θα δεις τον Μάρκο = If you come oη Sunday you'll see Mark.

άμα = if. Άμα θέλεις έλα = If you want (to), come.

σαν = if . Σαν θέλεις έλα

εκτός αν = unless, except if

269

NOTE: **που** and **ότι**. Both are Conjunctions meaning "that".
που comes after a noun or pronoun
ότι comes after a verb

1. **που** is preceded by a Noun or Pronoun:
Το βιβλίο **που** κρατάς είναι ελληνικό = The book that you hold is Greek.
Αυτό **που** βλέπεις είναι καρπούζι = The (thing) that you see is a watermelon.

2. **ότι** is preceded by a Verb.
Είπε **ότι** είδε την Μαρία.
He said that he saw Maria.
Είπα **ότι** οι Έλληνες είναι φιλόξενοι.
I said that the Greeks are hospitable.

VOCABULARY

ο συγγενής = relative
κερδίζω = I win
ξεκινώ = I start; set off
αργώ = I am late
κρατώ = I hold
το μυθιστόρημα = novel
βγαίνω = I come out
(step out)
φεύγω = I leave
στην ώρα = in time
κτυπώ, χτυπώ = I ring, knock
περιγράφω = I describe
ξεχνώ = I forget
επισκέπτομαι = I visit

συμφωνώ = I agree
συναντώ = I meet
οδηγώ = I drive
παίζω = I play
το χαρτί = playing card, paper
περιμένω = I wait
έρχομαι = I come
πληρώνω = I pay
το ταξί = the taxi
φτάνω = I arrive
η χώρα = country
σπάζω, χαλώ = I break down

EXERCISE 66

Complete the sentences by adding the appropriate conjunction

1. Έφαγαν .... ήρθαν όλοι οι συγγενείς.
2. Μας είπαν .... θα πάνε στο θέατρο.
3. Αγόρασε νέο αυτοκίνητο .... κέρδισε λεφτά.
4. Η γιαγιά .... ο παππούς βλέπουν τηλεόραση.
5. Ξεκίνησαν στις δέκα το πρωί .... άργησαν να έρθουν.
6. Η Μαρία πήγε στο κολέγιο .... ξέχασε τα βιβλία της.
7. Το βιβλίο .... κρατάς είναι μυθιστόρημα.
8. Έφυγε .... δεν ήρθε στην ώρα.
9. Έτρωγαν .... χτύπησε το τηλέφωνο.
10. Ο Γιάννης μας περίγραψε .... είδε στην Ελλάδα.
11. Θέλει να στείλει ένα πακέτο .... πήγε στο ταχυδρομείο.
12. Πήγε στην Αθήνα .... δεν επισκέφτηκε το Μουσείο.
13. Το βιβλίο το έχει .... ο Πέτρος .... ή ο Γιώργος.
14. Δεν πήγε .... η Ελένη .... η Δάφνη.
15. Μου έγραψε .... δεν του απάντησα.
16. Διάβαζε .... δεν πέρασε τις εξετάσεις.
17. Δεν πήγαμε .... δεν τους ξέραμε.
18. Έφυγε .... τον είδε.
19. Μπορείτε να περιμένετε .... θέλετε.
20 .... την είδε έκλαψε.

CONDITIONAL SENTENCES

1. The modal particle **θα** combines with the Imperfect Tense to produce statements of condition or potentiality pertaining to present time.

Examples:
Θα ήθελα να πάω σήμερα μα δεν μπορώ
I would like to go today but I can't.

Θα πήγαινα σήμερα αν είχα καιρό.
I would go today if I found time.

(Note that the "if clause" also takes the Imperfect).

2. The modal particle **θα** combines with the Past Perfect tense to produce statements of condition or unfulfilled potentiality pertaining to past time.

Examples:
Θα είχα χαθεί χωρίς εσένα.
I would have been lost without you.

Θα είχα πάει αν είχα βρει καιρό may also be rendered by **Θα πήγαινα αν έβρισκα καιρό.**

The above conditions are unreal, i.e. impossible or unlikely to be fulfilled.

In Real conditions i.e. those likely to be fulfilled the particle **θα** combines with the Simple Subjunctive to form the Simple Future. Here, the "If clause" also takes the Simple Subjunctive.

Θα πας αν βρεις καιρό = You will go if you find time.

SUMMARY OF CONDITIONALS

1. Real Conditionals take the Present, Future or Imperative in the Main Clause and the Subjunctive in the "if clause".

A. REAL CONDITIONAL

	IF Clause	MAIN Clause
Future	Αν βρεις κρασί If you find wine	θα πιεις you will drink
Imperat.	Αν βρεις κρασί If you find wine	πιες drink
Present	Αν βρίσκεις κρασί If you find wine	πίνεις you drink

(i.e. if a person finds wine he / she drinks)

2. Unreal Conditionals take the Imperfect and the Past Perfect in both clauses.

B. UNREAL CONDITIONAL

	IF Clause	MAIN Clause
Present	Αν έβρισκες κρασί If you found wine	θα έπινες you would drink
Past	Αν είχες βρει κρασί If you had found wine	θα είχες πιει you would have drunk

273

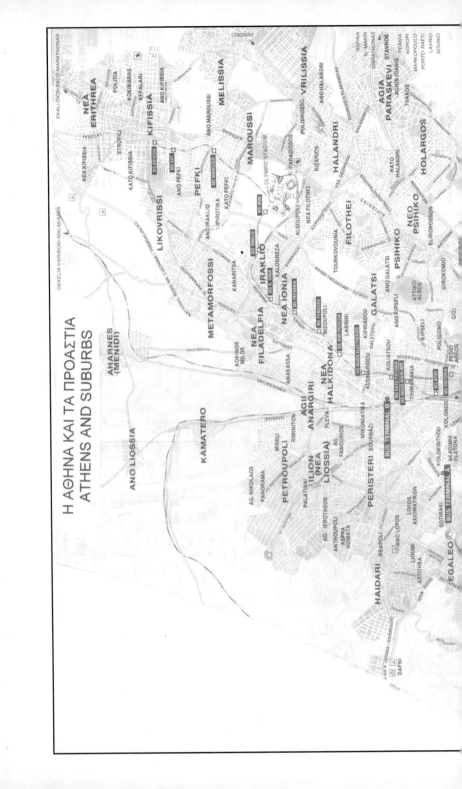

Η ΑΘΗΝΑ ΚΑΙ ΤΑ ΠΡΟΑΣΤΙΑ
ATHENS AND SUBURBS

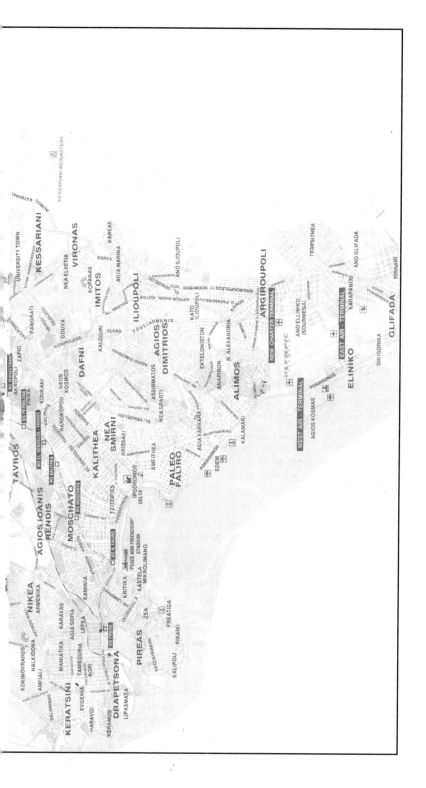

LESSON 47

COMPARISON OF ADJECTIVES

There are three types (degrees) of Adjectives : **1. Positive, 2. Comparative, 3. Superlative.** 1. Masculine adjectives end in **-ος**. The Comparative is formed by replacing the **-ος** with **-ότερος**. The Superlative is formed by replacing the **- ος** of the Positive with **– ότατος** or adding the word **πιο** in front of the Positive.

Examples:

Positive	Comparative	Superlative
ψηλός	ψηλότερος	ψηλότατος
tall	taller	or πιο ψηλός
		tallest
χοντρός	χοντρότερος	χοντρότατος
fat	fatter	or πιο χοντρός
		fattest
μικρός	μικρότερος	μικρότατος
small	smaller	or πιο μικρός
		smallest

Plural ending: Change the final **-ος** into **-οι.**

2. Feminine adjectives follow the same rules as above except that the endings are **-ότερη** and **-ότατη.**

Examples:

Positive	Comparative	Superlative
έξυπνη	εξυπνότερη	εξυπνότατη
clever	more clever	or πιο έξυπνη
		cleverest

276

ωραία	ωραιότερη	ωραιότατη
pretty	prettier	or πιο ωραία
		prettiest
κοντή	κοντότερη	κοντότατη
short	shorter	or πιο κοντή
		shortest

Plural ending: Change the final **-η** or **-α into -ες**

3. Neuter adjectives follow the same rules except that the endings are **–οτερο** and **–ότατο.**

Examples:

Positive	Comparative	Superlative
ωραίο	ωραιότερο	ωραιότατο
nice	nicer	or πιο ωραίο
		nicest
ψηλό	ψηλότερο	ψηλότατο
tall	taller	or πιο ψηλό
		tallest
ηλίθιο	ηλιθιότερο	ηλιθιότατο
stupid	more stupid	or πιο ηλίθιο
		most stupid

Plural ending: Change the final **- o** into **- α.**

NOTE: Adjectives ending in **- υς**, the Comparative and Superlative endings are **- ύτερος** and **- ύτατος.**

Examples:

βαθύς	βαθύτερος	βαθύτατος
deep	deeper	or πιο βαθύς
		deepest

πλατύς	πλατύτερος	πλατύτατος
wide	wider	or πιο πλατύς
		widest

μακρύς	μακρύτερος	μακρύτατος
long	longer	or πιο μακρύς
		longest

Some adjectives such as καλός = good and μεγάλος = old, big, have an - ύτερος ending in the Comparative. Their Superlative is either **πιο καλός** or **κάλλιστος** and **πιο μεγάλος** or **μέγιστος**.

NOTE: The plural endings are the same as Nouns.

VOCABULARY

έξυπνος, η, ο = clever
το νησί = island
ο Τάμεσης = Thames
το Έβερεστ = Everest
το πεύκο = pine tree
το έλατο = fir tree
η μηλιά = apple tree
η αχλαδιά = pear tree
η γαριφαλιά = carnation plant
το γαρίφαλο = carnation
η βερικοκιά = apricot tree

κοντός, η, ο = short
ο Δούναβης = Danube
ο βαθμός = mark, grade
ηλίθιος, α, ο = stupid
η ροδακινιά = peach tree
η ελιά = olive tree
η τριανταφυλλιά = rose tree
η συκιά = fig tree
το τριαντάφυλλο = rose
το κρίνο = lily
μυρίζω = smell, scent

278

Examples:

Το πεύκο είναι πιο ψηλό από τη μηλιά.
The pine tree is taller than the apple tree.

Η αχλαδιά είναι πιο πράσινη από την ελιά.
The pear tree is greener than the olive tree.

Τα γαρίφαλα μυρίζουν ωραία αλλά τα τριαντάφυλλα
μυρίζουν πιο ωραία.
The canrations smell nice but roses smell nicer.

ΔΙΑΛΟΓΟΣ - Στο δρόμο = In the Street

Μάρκος: Καλημέρα Γιάννη.
Γιάννης: Καλημέρα Μάρκο.
Μ: Τι κάνεις;
Γ :   Πολύ καλά ευχαριστώ.
Μ: Τι κάνει ο φίλος σου ο Κώστας;
Γ: Πολύ καλά.
Μ: Πού είναι τώρα;
Γ: Είναι στη Θεσσαλονίκη.
Μ: Εσύ πού πας;
Γ: Πάω στο Κολέγιο.
Μ: Μαθαίνεις γλώσσες;
Γ :   Ναι, μαθαίνω Αγγλικά και Γαλλικά.

EXERCISE 67

Complete the sentences by using the right adjective.

1. Ο Νίκος είναι .... από το Γιάννη. (ψηλός)
2. Η Μαρία είναι .... από την Ελένη. (έξυπνη)
3. Το βουνό Έβερεστ είναι .... από τον Όλυμπο.(ψηλό)
4. Ο Πέτρος είναι κοντός αλλά ο Σωτήρης είναι .... (κοντός)
5. Η Κρήτη είναι μικρό νησί αλλά η Ρόδος είναι .... νησί. (μικρό

279

6. Η Κύπρος είναι .... από την Κρήτη. (μεγάλη)
7. Ο Δούναβης είναι .... από τον Τάμεση. (μακρύς)
8. Το ούζο δεν είναι .... από το κρασί. (ωραίο)
9. Η ταβέρνα του Κώστα είναι .... από την ταβέρνα του Σάββα. (ακριβή)
10. Αυτό το εστιατόριο είναι .... από εκείνο. (φτηνό)
11. Αυτή η τηλεόραση είναι η .... στην αγορά. (ακριβή)
12. Ο καιρός στην Ελλάδα είναι ζεστός, στην Αίγυπτο είναι .... και στην Νιγηρία είναι .... (ζεστός)
13. Το ξενοδοχείο Γ' κατηγορίας είναι ακριβό, της Β' κατηγορίας είναι .... και της κατηγορίας είναι .... (ακριβό)
14. Τα Γερμανικά αυτοκίνητα είναι .... από τα Ιαπωνικά. (ακριβό)
15. Αυτό το εστιατόριο είναι το .... στην πόλη. (καθαρό)
16. Η Λίζα κολυμπά .... από την Μαίρη. (καλά)
17. Οι δρόμοι στην Αγγλία είναι .... από αυτούς στην Ελλάδα. (καλό)
18. Η Ελληνική μουσική είναι .... (ωραία)
19. Αυτό το χωριό είναι .... από το άλλο. (μεγάλο)
20. Η Μύκονος είναι .... από την Κρήτη. (μικρή)

LESSON 48

IDIOMATIC EXPRESSIONS

As in all languages, so in Greek there are many idioms. The idioms cannot be rendered exactly into another language and there are no grammatical rules to follow . They simply have to be remembered. As this happens to be a "test of memory" more than anything else, the most important idioms are given here with the hope that they will be remembered.

Εντάξει = All right; O.K.

Για παράδειγμα = For example.

Κατά τα άλλα = In other respects.

Εξ άλλου = Besides.

Προ παντός = Above all.

Τα κατάφερε = He / She managed it.

Τα έχασε = He / She got confused; embarassed, at a loss.

Τα έκανε θάλασσα = He / She made a mess of it.

Μου αρέσει = I like; I love.

Τι έχεις; = What is the matter with you?

Εδώ που τα λέμε = Now that we talk about it.

Κόψε το = Stop it; Cut it out.

Άστα αυτά = Don't give me that.

Και βέβαια = And of course.

Έτσι και έτσι = So - so.

Οπωσδήποτε = In any case.

Πρώτα - πρώτα = First of all.

Κάθε άλλο = On the contrary .

Δεν πειράζει = It does not matter, never mind.

Σαχλαμάρες = Rubbish, nonsense.

Δε βαριέσαι = Who cares?

Χωρίς άλλο = Without fail.

Έχεις δίκαιο = You are right.
Στην υγειά σου = To your health.
Όσο να πεις κρεμμύδι = In a jiffy; in a moment.

Examples:

1. Τι έχεις Γιάννη;
What is the matter John?

2. Τι έχει το παιδί;
What is the matter with the child?

3. Μου αρέσει η Ελλάδα!
I love Greece!

4. Μου αρέσει ο καφές.
I like coffee.

5. Όταν είδε την θεία της τα έχασε.
When she saw her aunt she was at a loss.

6. Μου αρέσουν τα νησιά, προπαντός η Κρήτη.
I like the islands and Crete in particular (above all).

7. Η Αθήνα, για παράδειγμα, έχει πολλές ταβέρνες.
Athens, for example, has many taverns.

8. Και βέβαια θα είμαστε στο γάμο.
And of course we shall be at the wedding.

9. Δεν πειράζει που δεν ήρθαν.
It does not matter that they did not come.

10. Πρώτα, πρώτα μου αρέσει η Κύπρος.
First of all (islands) I love Cyprus.

VOCABULARY

το αστείο = joke
τεμπέλης, α, ικο = lazy
ο φοιτητής = student (m)
η φοιτήτρια =student (f)
εργάζομαι = I work
οπωσδήποτε =definitely

το νοσοκομείο = hospital
δυστυχώς = unfortunately
ο νοσοκόμος = nurse (m)
η νοσοκόμα = nurse (f)
η κατάσταση = situation
δίκαιος, η, ο (δίκιο) = right, just

ΔΙΑΛΟΓΟΣ
- Πώς σε λένε;
- Με λένε Τζάνετ / Μαρκ, εσένα;
- Εμένα με λένε Θεοδώρα/ Θεόδωρο. Είσαι Άγγλος / ίδα;
- Ναι, είμαι Αγγλίδα/ ος. Βρίσκομαι εδώ για διακοπές.
Τι δουλειά κάνεις;
- Είμαι φοιτήτρια / φοιτητής στο Κολέγιο. Εσύ τι κάνεις ;
- Εγώ εργάζομαι σε ένα νοσοκομείο στο Λονδίνο. ,
- Είμαι νοσοκόμα / ος. Έχεις πάει καμιά φορά στην Αγγλία;
- Οχι, δυστυχώς, αλλά θέλω πολύ να δω το Λονδίνο.

EXERCISE 68

Complete the sentences:

1. Τι .... η Μαρία απόψε; (What's the matter)
2. Όλο .... μας λέει ο Νίκος. (nonsense)
3. Δεν .... που δεν τηλεφώνησες. (never mind)
4. Η υγεία της γιαγιάς είναι .... (so - so)
5........ . ο κόσμος θέλει να ακούει την μουσική του Θεοδωράκη.
(Now that we talk about it).
6........ . τα νησιά του Αιγαίου. (I love)
7 . Τα παιδιά είναι έξυπνα .... η Γιαννούλα. (especially)

283

8......... πατέρα θα σε περιμένουμε. (Very well, O.K.)

9. Ο Μιχάλης .... στις εξετάσεις. (made a mess)

10........., όλο την ίδια ιστορία μας λες. (Cut it out, stop it)

11. Πρέπει να έρθετε .... (Without fail)

12......... για το σπίτι, είναι ακριβό. (You are right)

13......... όταν είδε τον πατέρα του ύστερα από είκοσι χρόνια. (He was at a loss)

14. Η θάλασσα της Ελλάδας, ... είναι η ωραιότερη στη Μεσόγειο. (for example)

15......... θα είμαστε στο σπίτι απόψε. (Definitely)

16........., ο μικρός Μάριος είναι τεμπέλης. (you are right)

17 .... των ξένων μας. (To the health)

18......... τα πολιτικά, ας πούμε λίγα αστεία.(stop)

19........., ήξερα πολύ καλά την κατάσταση. (Don't give me that)

20........., θα περάσουμε . (Never mind)

Crete - Knosos

LESSON 49

PREPOSITIONS

There are two types of Prepositions: 1. **Simple** consisting of one word. 2. **Compound** consisting of more than one word. They can be divided according to the case of the noun. Prepositions tend to govern the Accusative.

1A. Simple Prepositions governing the Accusative – the most common are the following:

σε = to, at, in, on (σε combines with the Accusative article το make στον, στην, στο, στους, στις, στα)
από = from, of, by, than.
για = for , about
με = with, by, on
προς = towards
χωρίς = without
δίχως = without
μέχρι = until, till, to
ως = until, till, to.
ίσαμε = until, till.
σαν = like
κατά = according to.
παρά = of , before, to

1B. Simple Prepositions governing the Genitive

μαζί = with
μεταξύ = between, among
δια = through
επί = under (a particular ruler or regime)
(σε combines with the Genitive article to make στου, στης, στων)

2. Compound Prepositions – They consist of an adverb linked to a Simple Preposition.

μπροστά σε = in front of
μπροστά από = before (time), in front of (place)
πίσω από = behind, from behind
πίσω σε = back in, at, to, behind in, at.
μέσα σε = in, inside
μέσα από = out of , from inside, from within.
έξω από = outside
πάνω σε = on, upon
πάνω από = above, over
κάτω από = beneath
κάτω σε = down at, to, in, by
κοντά σε = near
μακριά από = far from, far away from
μακριά σε = far away at
ανάμεσα σε = between, among
ανάμεσα από = between, among
γύρω σε = around
γύρω από = around, surrounding
αντίκρυ σε = across from
απέναντι σε / απέναντι από = opposite, across from
δίπλα από / δίπλα σε = beside, next to, by
πλάι από / πλάι σε = beside, next to, by
μαζί με = together with

Examples with Simple Prepositions

1. Πηγαίνει **στο** σχολείο = He/She goes to school.
2. Είμαι **από** την Κύπρο = I am from Cyprus.
3. Θα πάει **με** τον Άριστο = He will go with Aristos.
4. Της μίλησα **για** σένα = I spoke to her about you.
5. Θα περιμένω **μέχρι** τις έξι = I'll wait until six.

Examples with Compound Prepositions

1. Πίσω από το ξενοδοχείο είναι το σχολείο = The school is behind the hotel.

2. Κάτω από την Ακρόπολη = Below the Acropolis.

3. Πίσω από το βουνό = Behind the mountain.

4. Πήγε **μαζί με** τον Άρη = She went together with Ares.

5. Η Πάτρα είναι **μακριά από** την Αθήνα = Patra is far away from Athens.

6. Ύστερα από το φαγητό χορέψαμε = After the meal we danced.

VOCABULARY

φεύγω = I leave
ο πρόσφυγας = refugee
αναχωρώ = I depart
ο Βενετός = Venetian
ο συγγενής, = relative, kinsman
η εισβολή = invasion
τα αδέλφια = brothers and sisters

παλιός, α, ο = old
ο Τούρκος = Turk
ο κόσμος = people
φέτος = this year
η Καθαρή Δευτέρα = Green Monday / Clean Monday (the first Monday of Lent)

ΔΙΑΛΟΓΟΣ

- Πότε φεύγεις για την Ελλάδα;
- Φεύγω τον Ιούλιο. Εσύ πού θα πας;
- Εγώ θα πάω στην Κύπρο τον Αύγουστο.
- Έχεις συγγενείς εκεί;
- Ναι είναι τα αδέλφια μου.
- Πού μένουν;
- Μένανε στην Αμμόχωστο, αλλά τώρα είναι πρόσφυγες ύστερα από την εισβολή των Τούρκων. Μένουνε στην Λάρνακα

τώρα. Εσύ πού θα μένεις στην Ελλάδα;
- Θα μένω με φίλους για λίγες μέρες στα νησιά.

EXERCISE 69

Complete the sentences using Prepositions

1. Μένει .... την γιαγιά της (with).
2. Η Ελένη πάει .... θέατρο (to).
3. Ο κ. Σμιθ είναι .... την Αγγλία (from).
4. Έφυγε .... τα λεφτά του (without).
5. Θα είναι στην Ελλάδα .... τον Ιούλιο .... τον Αύγουστο (from, until).
6 .... τον μανάβη τα φρούτα θα είναι πιο ακριβά (according to).
7. Είναι οκτώ .... δέκα (to).
8. Δεν υπάρχουν αθλητές .... κι αυτόν (like).
9. Θα σας περιμένουμε .... τις δέκα (until).
10. Προχωρείτε .... την τράπεζα και στρίψτε αριστερά (towards).
11. Θα πάω .... το θείο μου (with).
12. Δεν ξέρω τίποτα .... τον Γιάννη (about).
13 .... το βουνό βρίσκεται το χωριό (below).
14 .... το σπίτι είναι ο κήπος (behind).
15. Η Δάφνη .... τον Αντρέα πήγαν στην θάλασσα (together with).
16 .... σε μια ώρα ήταν στην Κόρινθο (within)
17 .... ένα ξενοδοχείο είναι το σπίτι τους (near)
18 .... τρεις ώρες ταξίδι έφτασαν στην Ελλάδα (After)
19. Όλοι κάθονταν .... κάτι παλιές καρέκλες (around)
20 .... το χωριό είναι μια μικρή εκκλησία (outside)
21 .... πολλά χρόνια η Αθήνα ήταν μια μικρή πόλη (before)

22. Την Καθαρή Δευτέρα* ο κόσμος βγαίνει .... τις πόλεις (outside)
23. Πρέπει να υπάρχει αγάπη .... αδέλφια (among)
24. Μένουμε .... την πόλη (far away)
25. .... ένα τραπέζι ήταν ένα βάζο με λουλούδια (on)

* This is similar to Shrove Tuesday but Greeks celebrate on the Monday . They usually eat vegetables only on this day.

ABBREVIATIONS

π.χ. παραδείγματος χάρη   = for example
λ.χ. λόγου χάρη   = for instance
κτλ. και τα λοιπά   = etcetera
π.μ. πριν το μεσημέρι   = a.m.
μ.μ. μετά το μεσημέρι   = p.m.
το Ευρώ   =Euro
κ.α. και άλλα (άλλους)   = and others
Κος Κύριος   =Mr.
Κα Κυρία   =Mrs.
Δίδα Δεσποινίδα   = Miss
Κ. Κ. Κυρίες και Κύριοι   = Ladies and Gentlemen
π.Χ. πριν το Χριστό   = Before Christ
μ. Χ. μετά το Χριστό   = Anno Domini A.D.
δηλ. δηλαδή   = that is to say

EXERCISE 70

Change the abbreviations into words

1. Κάθε μέρα τρώγω μήλα, αχλάδια, μπανάνες κτλ.
2. Οι Ρωμαίοι πήραν την Ελλάδα το 146 π. Χ.
3. Οι Τούρκοι πήραν την Κύπρο από τους Ενετούς το 1571 μ.Χ.

289

4. Οι Άγγλοι πήραν την Κύπρο το 1878 μ. Χ.

5. Ο Κος Ανδρέας, η Κα Ζαχαρούλα και η δίδα Αντιγόνη είναι Έλληνες.

6. Το χοιρινό κρέας κοστίζει οκτώ ευρώ το κιλό.

7. Το βοδινό κρέας κοστίζει δέκα ευρώ το κιλό.

8. Σήμερα είχαμε το πρόγευμα μας στις 7.00 π.μ.

9. Οι ξένοι θα έρθουν στις 8.00 μ.μ.

10. Το αεροπλάνο αναχωρεί στις 5. 00 μ.μ.

11. Σήμερα θα δούμε το Γιάννη, τη Μαρία, την Ελένη κ.α.

12. Η δίδα Νικολάου διδάσκει μουσική.

13. Μου αρέσουν τα φρούτα, π.χ. τα μήλα, τα ροδάκινα κτλ.

14. Θέλω να δω τους αρχαίους τόπους, δηλ. την Ολυμπία τους Δελφούς κτλ.

Η εκκλησία του Αγίου Ραφαήλ στην Κύπρο.

LESSON 50

WRITING LETTERS

1. Writing to a male person

If you are writing a letter to a male person you start by addressing him **Αγαπητέ**... (Dear). If you are writing a formal letter we add the word **Κύριε** (Sir). If you know his name e.g. Socrates you write: **Αγαπητέ Κύριε Σωκράτη.** (Dear Mr. Socrates). If you know the person, e.g. his name is Andreas you write: **Αγαπητέ Αντρέα.** If he is a very close friend you may write: **Αγαπητέ μου Αντρέα** (My dear Andreas) If you love this person you may write **Αγαπημένε μου Αντρέα** (My dearest Andreas).

2. Writing to a female person

You start by addressing her **Αγαπητή** .... (Dear). If it's a formal letter you add the word **Κυρία** (Madam) or **Δεσποινίδα** (Miss). There is no Greek expression for Ms. - as yet! If you know her name e.g. Socrates, you write: **Αγαπητή Κυρία / Δεσποινίδα Σωκράτη** (Dear Mrs. / Miss Socrates). If you know her name is Athena you write **Αγαπητή Αθηνά** (Dear Athena); **Αγαπητή μου Αθηνά** (My dear Athena); If you love this person you may write **Αγαπημένη μου Αθηνά** (My dearest Athena).

VOCABULARY

σπουδάζω = I study
η δεσποινίδα = Miss
ο κύριος = Mr., Sir

η κυρία = Mrs., Madam
αγαπητός, η, ο = dear
φέτος = this year

291

η πόλη = city , town
το χωριό = village
λαβαίνω / παίρνω =I receive
αγαπημένος , η, ο= dearest
το γράμμα,
η επιστολή = letter
το γραμματόσημο = stamp
η τάξη = class
το Γυμνάσιο = Secondary
School (lower)
το Λύκειο = Secondary
school (upper)
τα αρχαία ελληνικά =
ancient Greek
η γεωγραφία = geography
τα μαθηματικά = mathematics
η φυσική = physics
η μουσική = music
η γυμναστική = physical
education
ο χαιρετισμός = greeting,
regards
με τιμή = yours faithfully
ο πύργος = tower
η βουλή = parliament
ο Τάμεσης = Thames
η πλατεία = square
το μουσείο = museum
με αγάπη = with love
σε φιλώ = I kiss you
τηλεφωνώ = I telephone

το θέμα = subject, matter
τα αγγλικά = English language
τα Νέα Ελληνικά =Modern
Greek
η ιστορία = history
τα γαλλικά =French language
η βιολογία = biology
η χημεία = chemistry
τα θρησκευτικά = religious
education
το καλοκαίρι = summer
οι διακοπές = holidays
φιλικός, η, ο = friendly
ειλικρινά = sincerely
τα αξιοθέατα = sights
το παλάτι = palace
ο ποταμός = river
ο ζωολογικός κήπος = Zoo
το κέρινο ομοίωμα = wax
work
με πολλή αγάπη = with lots of
love
με πολλά φιλιά = with lots
of kisses
η υπογραφή = signature
πέρυσι = last year
του χρόνου = next year
το γραμματοκιβώτιο = letter
box

Samples of friendly letters

15 Απριλίου 20.....

1. Αγαπητή μου Ελένη,

Φέτος είμαι στην τρίτη τάξη του Γυμνασίου. Κάνουμε δέκα μαθήματα. Μαθαίνω Αγγλικά και Γαλλικά. Του χρόνου θα πάω στο Λύκειο. Θέλω να σπουδάσω γλώσσες. Εσύ τι κάνεις; Σε ποια τάξη είσαι; Πώς είναι ο αδελφός σου; Οι γονείς και τα αδέλφια μου είναι καλά και σου στέλνουν πολλούς χαιρετισμούς. Πότε θα έρθεις στην Ελλάδα / Κύπρο; Θα χαρώ πολύ να σε δω. Περιμένω το γράμμα σου.

Με αγάπη
Κατερίνα

2 Μαΐου 20.....

2. Αγαπητή μου Κατερίνα,

Έλαβα το γράμμα σου με μεγάλη χαρά. Τώρα είμαι στην τετάρτη τάξη. Μαθαίνω και εγώ Γαλλικά αλλά μου αρέσει πολύ η Ιστορία. Νομίζω θα σπουδάσω Ιστορία. Εδώ στην Αγγλία έχουμε τις εξετάσεις που λέγονται G.C.S.E. Αυτές τις εξετάσεις συνήθως τις δίνουμε στην πέμπτη τάξη. Μετά έχουμε τις εξετάσεις G.C.E. Advanced Level (σε προχωρημένο επίπεδο) σε τρία θέματα. Ο αδελφός μου ο Νίκος είναι στην έκτη τάξη και προετοιμάζεται για τις εξετάσεις G.C.E. "A".

Θα έρθουμε στην Κύπρο τον Αύγουστο για τρεις βδομάδες. Θα χαρώ πολύ και εγώ να σε δω.
Πολλούς χαιρετισμούς στην οικογένειά σου.

Με αγάπη
Ελένη

---

30 Ιουνίου 20......

3. Αγαπητέ Νίκο

Τελείωσα το σχολείο μου φέτος. Ελπίζω να πάω στο Πανεπιστήμιο τον Οκτώβριο.
Πριν μερικές βδομάδες πήγα στο ποδόσφαιρο. Έπαιζε η Άρσεναλ με την Λίβερπουλ. Ήταν ωραίο παιχνίδι.
Δυστυχώς δεν θα μπορέσω να έρθω φέτος στην Ελλάδα. Αν έρθεις εσύ στο Λονδίνο θα χαρώ να σε φιλοξενήσω. Θα πάμε να δούμε όλα τα αξιοθέατα του Λονδίνου.
Αν έρθεις στο Λονδίνο, γράψε μου πότε φτάνεις ακριβώς για να έρθω στο αεροδρόμιο να σε πάρω.
Περιμένω τα νέα σου.

Με φιλικούς χαιρετισμούς
Πέτρος

---

15 Ιουλίου 20.....

4. Αγαπητέ Πέτρο,

Σ' ευχαριστώ για το γράμμα σου. Με χαρά σε πληροφορώ ότι φτάνω στο Λονδίνο στο αεροδρόμιο Heathrow στις 5 Αυγούστου στις 8.50 το βράδυ. Θα μείνω για τρεις βδομάδες.

Θέλω να καλυτερέψω τα Αγγλικά μου.

Θα χαρώ να δω τον Πύργο του Λονδίνου, τη Βουλή, το Παλάτι του Μπάκιγχαμ, τα Μουσεία, τα κέρινα ομοιώματα στο Madame Tussaud's και τον Ζωολογικό κήπο. Είναι η πρώτη φορά που έρχομαι στο Λονδίνο. Σε παρακαλώ γράψε μου τι θέλεις να σου φέρω από την Ελλάδα.

Με πολλούς χαιρετισμούς
Νίκος

A FORMAL LETTER

Λονδίνο .... 20 ....

Κύριο Α. Ιωαννίδη,
Πελοποννήσου 35
Αθήνα.

Αγαπητέ Κύριε,
    Έλαβα το γράμμα σας με ημερομηνία 2 Μαρτίου 20 .... και σας ευχαριστώ.

Σχετικά με την επίσκεψη του Κολεγίου σας στο Λονδίνο σας πληροφορώ τα ακόλουθα: Το ξενοδοχείο μας θα σας κάνει έκπτωση για τους 50 μαθητές σας αφού προκρατήσετε τα ανάλογα δωμάτια έγκαιρα. Θα σας κοστίσει £30 λίρες τη μέρα για το κάθε άτομο. Η τιμή συμπεριλαμβάνει το πρωινό και το δείπνο. Στο κάθε δωμάτιο υπάρχει τηλέφωνο, τηλεόραση και λουτρό. Η τιμή που σας προσφέρουμε είναι για δίκλινα δωμάτια. Θα σας κοστίσει δηλαδή, £560 λίρες για το κάθε άτομο, για τις δυο βδομάδες.

    Το ξενοδοχείο μας βρίσκεται στο κέντρο του Λονδίνου, έτσι θα μπορείτε να επισκεφτείτε όλα τα αξιοθέατα.

Παρακαλώ να μας γράψετε το αργότερο μέχρι τις 25 Μαΐου αν θέλετε να σας κρατήσουμε τα δωμάτια για τις δυο τελευταίες βδομάδες του Αυγούστου.

Μετά τιμής
Χριστόφορος Νικολάου
(Διευθυντής Ξενοδοχείου)

EXERCISE 71

Write a letter to a friend introducing your family.

15 Οκτωβρίου 20....

Αγαπ...........(1) ....
Σου γράφω λίγα λόγια για την οικογένεια μου. Τον .... (2) .... μου τον λένε Γιώργο. Αυτός είναι ......(3)....... . Τη .... (4)........ μου τη λένε Μαρία. Αυτή είναι (5) . Έχω έναν .....(6)..... και μια ......(7).......... . Ο Παύλος είναι ....(8)......... χρονών και Έλλη είναι ....(9)....... χρονών. Εγώ όπως ξέρεις είμαι .... (10) .... χρόνων και θέλω να σπουδάσω .... (11) ....

.... (12) ....

1. dear	5. doctor	9. fourteen
2. father	6. brother	10. eighteen
3.teacher	7 . sister	11.1anguages
4. mother	8. sixteen	12.regards

EXERCISE 72.

Write a letter to a friend describing your school, the subjects you study etc.

5 Νοεμβρίου 20.....

Αγαπητ .....(1)......

Το ....(2)...... μου λέγεται Άγιος Παύλος. Τώρα είμαι στην ......(3)...... τάξη. Το σχολείο μου είναι.....(4)........ στο σπίτι μου . Έχει .....(5)...... μαθητές, και .... (6) .... δασκάλους. Τα .....(7)...... που μου αρέσουν είναι ....(8)......, ... (9)......, ... (10).........., ... (11)..........., και .... (12) ....

Του χρόνου που θα είμαι στην .....(13)...... τάξη θα κάνω .... (14)............. μαθήματα.

.... (15)............

1. dear	6. thirty	11. mathematics
2. School	7. lessons	12. music
3. third	8. English	13. fourth
4. near	9. history	14. fewer
5. five hundred	10. French	15. regards

EXERCISE 73

You write to the Manager of a hotel to reserve rooms:

20 Μαρτίου 20.....

Αγαπ .....1...... Κύρ ....2....

Θα ήθελα να περάσω ......3........ μαζί με την .....4..... μου στο ξενοδοχείο σας.

Μπορείτε σας παρακαλώ να μου προκρατήσετε ....5 ....

297

με ντους από .....6..... μέχρι ....7 .... Προτιμούμε να είναι στον .... 8 .... θα ήθελα επίσης ναξέρω αν είναι δυνατό να έχουμε .... 9......... ...στο ξενοδοχείο σας, και αν το ξενοδοχείο είναι ....10 ....

.... 11 ....

Ν. Αλεξάνδρου.

1. dear
2. Sir
3. three weeks
4. family
5. two rooms
6. 1st August

7 . 20th August
8. second floor
9 . supper
10. near the sea
11. yours faithfully

Ελληνικά γραμματόσημα -Greek Stamps

ΔΙΑΛΟΓΟΣ: Μια επίσκεψη = A visit

Δάφνη: Καλησπέρα Άννα
Άννα: Καλησπέρα Δάφνη.
Δ: Ωραίο το σπίτι σου Άννα.
Α: Έλα να σου συστήσω την οικογένειά μου.
Πατέρα, μητέρα, η φίλη μου η Δάφνη.
Κύριος Νικολάου: Καλωσόρισες Δάφνη.
Δ: Ευχαριστώ πολύ.
Α: Αυτός είναι ο μικρός μου αδελφός ο Κωστάκης.
Δ: Γεια σου Κωστάκη. Η αδελφή σου η Χριστίνα πού είναι;
Α: Είναι στον κήπο. Πάμε όλοι στον κήπο να πιούμε το καφεδάκι μας.

Κέρκυρα - Παναγία των Βλαχερνών

SUMMARY OF THE TENSES

ACTIVE VOICE
(Group 1 - i.e. Verbs not accented on the last letter)

Present Indicative	Subjunctive	Imperative	Imperfect (Past Continuous)
γράφω	να γράφω		έγραφα
γράφεις	να γράφεις	γράφε	έγραφες
γράφει	να γράφει		έγραφε
γράφουμε	να γράφουμε		γράφαμε
γράφετε	να γράφετε	γράφετε	γράφατε
γράφουν	να γράφουν		έγραφαν

Past (Aorist)

Indicative	Subjunctive	
έγραψα	να γράψω	
έγραψες	να γράψεις	γράψε
έγραψε	να γράψει	
γράψαμε	να γράψουμε	
γράψατε	να γράψετε	γράψετε
έγραψαν	να γράψουν	

Participle	= γράφοντας
Conditional	= θα έγραφα
Future Continuous	= θα γράφω
Future Simple	= θα γράψω
Perfect	= έχω γράψει, έχω γραμμένο

Future Perfect = θα έχω γράψει
Past Perfect = είχα γράψει
Perfect Subjunctive = να έχω γράψει

ACTIVE VOICE
(Group 2 - i.e. Verbs accented on the last letter)

Present Indicative	Subjunctive	Imperative	Imperfect (Past Continuous)
μιλώ	να μιλώ		μιλούσα
μιλάς	να μιλάς	μίλα	μιλούσες
μιλά	να μιλά		μιλούσε
μιλούμε	να μιλούμε		μιλούσαμε
μιλάτε	να μιλάτε	μιλάτε	μιλούσατε
μιλούν	να μιλούν		μιλούσαν

Past (Aorist)

μίλησα	να μιλήσω	
μίλησες	να μιλήσεις	μίλησε
μίλησε	να μιλήσει	
μιλήσαμε	να μιλήσουμε	
μιλήσατε	να μιλήσετε	μιλήστε
μίλησαν	να μιλήσουν	

Participle	= μιλώντας
Conditional	= θα μιλούσα
Future Continuous	= θα μιλώ
Future Simple	= θα μιλήσω
Perfect	= έχω μιλήσει
	(έχω μιλημένο)

301

Past Perfect	= είχα μιλήσει
Future Perfect	= θα έχω μιλήσει
Perfect Subjunctive	= να έχω μιλήσει

PASSIVE VOICE

Present Indicative	Subjunctive	Impera-tive	Imperfect (Past Continuous)
διδάσκομαι	να διδάσκομαι		διδασκόμουν
διδάσκεσαι	να διδάσκεσαι		διδασκόσουν
διδάσκεται	να διδάσκεται		διδασκόταν
διδασκόμαστε	να διδασκόμαστε		διδασκόμαστε
διδάσκεστε	να διδάσκεστε		διδασκόσαστε
διδάσκονται	να διδάσκονται		διδάσκονταν

Past (Aorist)

διδάχτηκα	να διδαχτώ	
διδάχτηκες	να διδαχτείς	διδάξου
διδάχτηκε	να διδαχτεί	
διδαχτήκαμε	να διδαχτούμε	
διδαχτήκατε	να διδαχτείτε	διδαχτείτε
διδάχτηκαν	να διδαχτούν	

Participle	= διδαγμένος
Conditional	= θα διδασκόμουν
Future Continuous	= θα διδάσκομαι
Future Simple	= θα διδαχτώ
Perfect	= έχω διδαχτεί

Past Perfect	= είχα διδαχτεί
Future Perfect	= θα έχω διδαχτεί
Perfect Subjuctive	= να έχω διδαχτεί

EXERCISE 74

1. Conjugate the verb στέλνω in the Present, Future Simple and Past.
2. Conjugate the verb σκέφτομαι in the Present, Future Simple and Past.

The monastery of St. Barnabas (near Famagusta) in Cyprus

ΕΠΑΓΓΕΛΜΑΤΑ = PROFESSIONS
ΔΟΥΛΕΙΕΣ = OCCUPATIONS

ο,η αεροσυνοδός = air-host/ air-hostess
ο ανθρακωρύχος = coalminer
ο ανταποκριτής, η ανταποκρί-τρια = reporter
ο αρχιτέκτονας, η αρχιτεκτό-νισσα = architect
ο, η αρχαιολόγος = archeolo-gist
ο αστυφύλακας = policeman
ο αχθοφόρος = porter
ο, η βιβλιοθηκάριος = librar-ian
ο, η βιβλιοπώλης = bookseller
ο βιβλιοδέτης = bookbinder
ο γαλατάς = milkman
ο, η γεωπόνος = agriculturist
ο, η γιατρός = doctor
ο γλύπτης/ η γλύπτρια = sculptor
ο, η γραμματέας = secretary
η δακτυλογράφος = typist
ο δάσκαλος, η δασκάλα = teacher
ο, η δημοσιογράφος = jour-nalist
ο δικαστής, η δικαστίνα = judge
ο, η δικηγόρος = solicitor , lawyer

ο, η διερμηνέας= interpreter
ο εκδότης, η εκδότρια = publisher
ο, η έμπορος = merchant
ο εργάτης, η εργάτρια = worker , labourer
ο, η ζωγράφος = artist, painter
ο, η ζωολόγος = zoologist
ο, η ηθοποιός = actor , film-star
ο ηλεκτρολόγος = electrician
ο καθηγητής, η καθηγήτρια = professor , lecturer
ο καλλιτέχνης, η καλλιτέχνιδα = artist, entertainer
ο κηπουρός = gardener
ο κρεοπώλης = butcher
ο κουρέας = barber
ο λογιστής, η λογίστρια = accountant
ο λούστρος = shoe-shiner
ο μάγειρας, η μαγείρισσα = cook, chef
η μαμή = midwife
ο μανάβης, η μανάβισσα = greengrocer
ο μηχανικός = mechanic
ο μπακάλης, η μπακάλισσα = grocer

ο μεταφραστής, η μεταφρά-
στρια = translator
ο ναύτης = sailor
η νοικοκυρά = housewife
ο νοσοκόμος, η νοσοκόμα=
nurse
ο, η ξενοδόχος = hotelier
ο, η οδοντογιατρός = dentist
ο, η οπτικός = optician
ο, η οφθαλμολόγος =
ophtalmologist,
eye specialist
ο παπουτσής = shoe maker
ο πράκτορας = tourist agent
ο πιλότος = pilot
ο ποδοσφαιριστής = foot-
baller
ο ράφτης, η ράφτρα =tailor
ο ρολογάς = watch/ clock
maker
ο σερβιτόρος, η σερβιτόρα =
waiter / waitress
ο σιδηρουργός = blacksmith
ο, η στενοδακτυλογράφος =
shorthand typist
ο, η συγγραφέας = author
ο σχεδιαστής, η σχεδιάστρια

= designer
ο σχολιαστής, η σχολιάστρια
= commentator
ο ταχυδρόμος = postman
ο τηλεφωνητής, η
τηλεφωνήτρια
= telephonist
ο τραγουδιστής, η
τραγουδίστρια
= singer
ο τραπεζίτης = banker
ο, η τυπογράφος = printer
ο, η υπάλληλος = clerk
ο, η φωτογράφος = photogra-
pher
ο, η φαρμακοποιός = chemist,
pharmacist
ο, η χημικός = chemist
ο χτίστης = builder
ο, η χειρουργός = surgeon
ο ψαράς = fisherman,
fishmonger
ο ψωμάς = baker
ο, η ωτορινολαρυγγολόγος =
ear, nose and throat specialist

LIST OF IRREGULAR VERBS

Present	Future	Past	English
αγαναχτώ	θα αγαναχτήσω	αγανάχτησα	to be exasperated
αγγέλλω	θα αγγείλω	άγγειλα	to announce
αγρυπνώ	θα αγρυπνήσω	αγρύπνησα	to stay awake
ανεβαίνω	θα ανεβώ	ανέβηκα	to go up
απονέμω	θα απονείμω	απόνειμα	to award
αρέσω	θα αρέσω	άρεσα	to like, to please
αυξάνω	θα αυξήσω	αύξησα	to increase
αφαιρώ	θα αφαιρέσω	αφαίρεσα	to subtract
αφήνω	θα αφήσω	άφησα	to leave, let go
βάζω	θα βάλω	έβαλα	to put on
βαστώ	θα βαστάξω	βάσταξα	to hold
βγάζω	θα βγάλω	έβγαλα	to take out
βγαίνω	θα βγω	βγήκα	to go out
βλέπω	θα δω	είδα	to see
βόσκω	θα βοσκήσω	βόσκησα	to graze
βρίσκω	θα βρω	βρήκα	to find
γέρνω	θα γείρω	έγειρα	to lean on
γερνώ	θα γεράσω	γέρασα	to be old
γίνομαι	θα γίνω	έγινα	to become
δέρνω	θα δείρω	έδειρα	to hit
διαμαρτύρομαι	θαδιαμαρτυρηθώ	διαμαρτυρήθηκα	to protest
διδάσκω	θα διδάξω	δίδαξα	to teach
δίνω	θα δώσω	έδωσα	to give
διψώ	θα διψάσω	δίψασα	to be thirsty
εξαιρώ	θα εξαιρέσω	εξαίρεσα	to exempt
έρχομαι	θα έρθω	ήρθα	to come
εύχομαι	θα ευχηθώ	ευχήθηκα	to wish
θέλω	θα θελήσω	θέλησα	to want
κάθομαι	θα καθίσω	κάθισα	to sit
καίω	θα κάψω	έκαψα	to burn
κάνω	θα κάνω (κάμω)	έκανα (έκαμα)	to do, make
καταλαβαίνω	θα καταλάβω	κατάλαβα	to understand
κατεβαίνω	θα κατεβώ	κατέβηκα	to go down

κερνώ	θα κεράσω	κέρασα	to treat
κλαίω	θα κλάψω	έκλαψα	to cry
κοιμούμαι	θα κοιμηθώ	κοιμήθηκα	to sleep
λαβαίνω	θα λάβω	έλαβα	to receive
λέγω	θα πω	είπα	to say
μαθαίνω	θα μάθω	έμαθα	to learn
μένω	θα μείνω	έμεινα	to stay
μπαίνω	θα μπω	μπήκα	to enter
μπορώ	θα μπορέσω	μπόρεσα	to be able
ντρέπομαι	θα ντραπώ	ντράπηκα	to be shy
ξεχνώ	θα ξεχάσω	ξέχασα	to forget
παθαίνω	θα πάθω	έπαθα	to undergo, to suffer
παίρνω	θα πάρω	πήρα	to take
παραγγέλλω	θα παραγγείλω	παράγγειλα	to order
πεινώ	θα πεινάσω	πείνασα	to be hungry
πάω	θα πάω	πήγα	to go
περνώ	θα περάσω	πέρασα	to pass
πετυχαίνω	θα πετύχω	πέτυχα	to succeed
πετώ	θα πετάξω	πέταξα	to fly (off), to throw (away)
πέφτω	θα πέσω	έπεσα	to fall
πηγαίνω	θα πάω	πήγα	to go
πίνω	θα πιω	ήπια	to drink
πλένω	θα πλύνω	έπλυνα	to wash
πονώ	θα πονέσω	πόνεσα	to feel pain, suffer
ρουφώ	θα ρουφήξω	ρούφηξα	to sip
σέβομαι	θα σεβαστώ	σεβάστηκα	to respect
σιωπώ	θα σιωπήσω	σιώπησα	to be silent
σπάζω (σπάω)	θα σπάσω	έσπασα	to break
στέκομαι	θα σταθώ	στάθηκα	to stand
στέλνω	θα στείλω	έστειλα	to send
στενοχωρώ	θα στενοχωρήσω	στενοχώρησα	to upset someone
συγχωρώ	θα συγχωρέσω	συγχώρεσα	to forgive
σωπαίνω	θα σωπάσω	σώπασα	to keep quiet
σφάλλω	θα σφάλω	έσφαλα	to err, do wrong
τραβώ	θα τραβήξω	τράβηξα	to pull, to head for

τρέχω	θα τρέξω	έτρεξα	to run
τρώγω	θα φάω	έφαγα	to eat
υπόσχομαι	θα υποσχεθώ	υποσχέθηκα	to promise
φαίνομαι	θα φανώ	φάνηκα	to seem, to appear
φεύγω	θα φύγω	έφυγα	to leave
φοβούμαι	θα φοβηθώ	φοβήθηκα	to be afraid of
φορώ	θα φορέσω	φόρεσα	to wear
φταίω	θα φταίξω	έφταιξα	to blame
χαίρομαι	θα χαρώ	χάρηκα	to be pleased
χορταίνω	θα χορτάσω	χόρτασα	to have enough. satisfy
ψάλλω	θα ψάλω	έψαλα	to chant

RHODES

COUNTRIES AND PEOPLE

Country	People	Adjective	Meaning
η Αγγλία	Άγγλος, ίδα	αγγλικός, η, ο	English
η Αίγυπτος	Αιγύπτιος, ια	αιγυπτιακός, η, ο	Egyptian
η Αμερική	Αμερικανός, ίδα	αμερικάνικος, η, ο	American
	Αμερικάνος, α		
η Αυστραλία	Αυστραλός, ίδα	αυστραλιανός, η, ο	Australian
η Αυστρία	Αυστριακός, ή	αυστριακός, η, ο	Austrian
το Βέλγιο	Βέλγος, ίδα	βελγικός, η, ο	Belgian
η Βουλγαρία	Βούλγαρος, άρα,	βουλγαρικός, η, ο	Bulgarian
η Γαλλία	Γάλλος, ίδα	γαλλικός, η, ο	French
η Γερμανία	Γερμανός, ίδα	γερμανικός, η, ο	German
η Γιουγκο -	Γιουγκοσλάβος, α	γιουγκοσλαβικός,η, ο	YugosIav
σλαβία			
η Δανία	Δανός, έζα	δανέζικος, η, ο	Danish
η Ελλάδα	Έλληνας, ίδα	ελληνικός, η, ο	Greek
η Ιαπωνία	Ιάπωνας, έζα	ιαπωνικός, η, ο	Japanese
η Ιρλανδία	Ιρλανδός, έζα	ιρλανδικός, η, ο	Irish
η Ινδία	Ινδός, ή	ινδικός, η, ο	Indian
η Ιταλία	Ιταλός, ίδα	ιταλικός, η, ο	Italian
η Ισπανία	Ισπανός, ή, ίδα	ισπανικός, η, ο	Spanish
ο Καναδάς	Καναδός, έζα	καναδικός, η, ο	Canadian
η Κύπρος	Κύπριος, α	κυπριακός, η, ο	Cypriot
η Νορβηγία	Νορβηγός, ίδα	νορβηγικός, η, ο	Norwegian
η Ολλανδία	Ολλανδός, έζα	ολλανδέζικος, η, ο	Dutch
η Κίνα	Κινέζος, έζα	κινέζικος, η, ο	Chinese
η Πολωνία	Πολωνός, έζα	πολωνικός, η, ο	Polish
η Ρωσία	Ρώσος, ίδα	ρωσικός, η, ο	Russian
η Σουηδία	Σουηδός, έζα	σουηδικός,η ,ο	Swedish
η Τουρκία	Τούρκος, άλα	τούρκικος, η, ο	Turkish

Greece: Administrative Regions
Διοικητικός χάρτης της Ελλάδας

NI
KI ␣ EVROS
DROUPOLI

MITILINI

HIOS

HIOS

EGEOU ␣ SAMOS
SAMOS

SAMOS

RODOS

DODEKANISSOS

AGIOS
NIKOLAOS
LASSITHI

Η Ακαδημία

Το Πανεπιστήμιο

PART TWO
Reading and Responding passages

ΠΡΩΤΟ ΜΑΘΗΜΑ
Η οικογένεια Σωκράτη
Ένα οικογενειακό δέντρο

παντρεμένος, η, ο = married
η συννυφάδα = sister-in-law
κουνιάδος, α = brother-in-law
λατρεύω = I love, adore
κατάγομαι = I come from
ο, η δημοσιογράφος = journalist
ο πεθερός = father-in-law
η πεθερά = mother-in-law

οι γονείς = parents
ο καθηγητής = lecturer, professor
η λαχτάρα =longing
σπουδάζω = I study
ο σύζυγος = husband
η σύζυγος = wife
τα πεθερικά = the in-laws
το δέντρο=tree

Ο Αλέκος και η Αθηνά Σωκράτη είναι παντρεμένοι και μένουν στην Αθήνα. Οι γονείς του Αλέκου κατάγονται από την Σίφνο. Οι γονείς της Αθηνάς κατάγονται από την Κρήτη. Ο Αλέκος έχει έναν αδελφό τον Κρίτωνα που είναι παντρεμένος με την Θεοδώρα. Η Αθηνά έχει μια αδελφή την Ιωάννα που είναι παντρεμένη με τον Χρήστο. Ο Αλέκος και η Αθηνά γνωρίστηκαν στην Αθήνα όταν πήγαν εκεί για να σπουδάσουν.

Ο Αλέκος και η Αθηνά έχουν τρία παιδιά: τον Νίκο, τον Σοφοκλή και την Έλλη. Ο Κρίτωνας και η Θεοδώρα έχουν δύο παιδιά, τον Άριστο και την Αγγελική. Η Ιωάννα και ο Χρήστος έχουν τρία παιδιά: την Άννα, την Σοφία και τον Γιώργο.

Ο Δημήτρης είναι ο πατέρας του Αλέκου, είναι δηλαδή ο παππούς των παιδιών και ο πεθερός της Αθηνάς. Η Ελένη είναι η μητέρα του Αλέκου, είναι δηλαδή η γιαγιά των παιδιών και η πεθερά της Αθηνάς. Ο πατέρας της Αθηνάς λέγεται Μανόλης και είναι ο παππούς των παιδιών και πεθερός του Αλέκου. Η μητέρα της Αθηνάς λέγεται Κατερίνα και είναι η γιαγιά των παιδιών και πεθερά του Αλέκου.

Η Αθηνά και η Θεοδώρα είναι συννυφάδες. Τα παιδιά τους είναι ξαδέλφια. Ο Αλέκος είναι κουνιάδος της Θεοδώρας, δηλαδή είναι αδελφός του συζύγου της. Ο Χρήστος είναι ο γαμπρός του Αλέκου και του Κρίτωνα γιατί είναι ο σύζυγος της αδελφής τους. Ο παππούς και η γιαγιά λατρεύουν τα εγγόνια τους. Πάντα τα περιμένουν με μεγάλη λαχτάρα είτε τα Χριστούγεννα, είτε το Πάσχα είτε το καλοκαίρι. Η οικογένεια του Αλέκου και της Αθηνάς συνήθως πάνε το καλοκαίρι στην Κρήτη ή στην Σίφνο γιατί εκεί ζουν οι γονείς τους και έχουν πολλούς συγγενείς και φίλους.

Ο Αλέκος είναι καθηγητής σ' ένα κολέγιο. Διδάσκει την ελληνική γλώσσα, την ιστορία και τη λογοτεχνία. Η Αθηνά είναι δημοσιογράφος, εργάζεται σε μια εφημερίδα.

EXERCISE 1
Συμπληρώστε τα κενά.

1. Ο Αλέκος είναι_____ με την Αθηνά και _____ στην Αθήνα.
2. Η Ιωάννα είναι _____ της Αθηνάς και _____ του Αλέκου.
3. Ο Σοφοκλής είναι _____ του _____ και της Αθηνάς.
4. Τα πεθερικά της Αθηνάς είναι από την _____ και οι γονείς της από την _____.
5. Η Άννα και η Σοφία είναι _____ και έχουν έναν _____.
6. Η Θεοδώρα είναι η _____ του Άριστου και της _____.
7. Ο Κρίτωνας είναι ο _____ της Θεοδώρας.
8. Ο Μανόλης είναι ο _____ και η Κατερίνα είναι η _____ της Αθηνάς.
9. Ο Κρίτωνας είναι _____ του Αλέκου.
10. Ο Κρίτωνας είναι _____ του Άριστου και της Αγγελικής.

11. Ο Χρήστος είναι ο _____ της Ιωάννας και _____ του Δημήτρη.

12. Η Κατερίνα είναι _____ του Χρήστου.

13. Ο Κρίτωνας είναι _____ της Αθηνάς.

14. Ο Χρήστος και η Ιωάννα είναι οι _____ της Άννας, της Σοφίας και του Γιώργου.

15. Ο Αλέκος είναι _____ και η Αθηνά είναι _____ του Άριστου και της Αγγελικής.

16. Ο Αλέκος είναι _____ σ' ένα κολέγιο.

17. Η Αθηνά είναι _____ σε μια εφημερίδα.

18. Το καλοκαίρι συνήθως πάνε στην _____ και στην _____.

EXERCISE 2
Write about 80-100 words on the following topic:
Η οικογένειά μου = My family

Μια ελληνική οικογένεια.

ΔΕΥΤΕΡΟ ΜΑΘΗΜΑ
Η Αθηνά Σωκράτη

ο μαθητής = pupil
το Γυμνάσιο = Lower Secondary
η έκθεση = essay
γιορτάζω = I celebrate
καστανός, η, ο = chestnut colour
η μπλούζα = blouse
τα δακτυλίδι = ring
ο σταυρός = cross
το επάγγελμα = profession
το τακούνι = heel (of a shoe)

το Λύκειο = Upper Secondary
το Δημοτικό = Primary school
περιγράφω = I describe
τα γενέθλια = birthday
η φούστα = skirt
το βραχιόλι = bracelet
το σκουλαρίκι = earring
η καριέρα =career
η δημοσιογραφία = Journalism
η συνέντευξη = interview

Ο Αλέκος και η Αθηνά Σωκράτη έχουν τρία παιδιά: τον Νίκο, τον Σοφοκλή και την Έλλη. Ο Νίκος είναι 15 χρόνων και είναι μαθητής στην Α΄ τάξη του Λυκείου. Ο Σοφοκλής είναι 13 χρόνων και είναι στη Β΄ τάξη του Γυμνασίου. Η Έλλη είναι δέκα χρόνων και είναι στην Δ΄ τάξη του Δημοτικού.

Μια μέρα ο Σοφοκλής έγραψε μια έκθεση για το σχολείο του όπου έπρεπε να περιγράψει τη μητέρα του. Να τι έγραψε στην έκθεσή του:

"Η μητέρα μου λέγεται Αθηνά Σωκράτη και είναι δημοσιογράφος. Εργάζεται για αρκετά χρόνια τώρα στην εφημερίδα "Το Βήμα". Στις 20 Μαρτίου θα γιορτάσει τα γενέθλιά της, θα γίνει 40 χρόνων. Η μητέρα μου γεννήθηκε και μεγάλωσε στο Ηράκλειο της Κρήτης αλλά όταν τελείωσε το Λύκειο πήγε στην Αθήνα για να σπουδάσει δημοσιογράφος. Παντρεύτηκε με τον πατέρα μου όταν ήταν 23 χρόνων.

Η μητέρα μου είναι μια όμορφη γυναίκα με μακριά μαύρα μαλλιά και καστανά μάτια. Πάντα ντύνεται ωραία, κάποτε φοράει ένα ωραίο φόρεμα, κάποτε πανταλόνι, και κάποτε φούστα μαζί με μια ωραία μπλούζα. Δεν φοράει παπούτσια με ψηλά τακούνια γιατί είναι μια ψηλή γυναίκα. Στα χέρια της έχει βραχιόλια και ένα ρολόι, στα δάκτυλά της έχει δακτυλίδια και στο λαιμό φοράει ένα χρυσό σταυρό. Στα αυτιά πάντα φοράει σκουλαρίκια. Το πιο αγαπημένο της χρώμα είναι το άσπρο.

Η μητέρα μου σπούδασε δημοσιογραφία στην Αθήνα. Στα πρώτα χρόνια της καριέρας της ταξίδεψε σχεδόν σ' όλη την Ευρώπη: πήγε στην Αγγλία, στην Γαλλία, στην Γερμανία, στην Ιταλία, στο Βέλγιο, στην Ισπανία, στην Ολλανδία και στη Ρωσία. Της αρέσει πολύ αυτό το επάγγελμα γιατί την ενδιαφέρει να γνωρίζει τι γίνεται στον κόσμο. Της αρέσει ιδιαίτερα να παίρνει συνεντεύξεις από πολιτικούς, ηθοποιούς και άλλους καλλιτέχνες. Η τελευταία συνέντευξη που είχε ήταν με τον Πρόεδρο της Ελλάδας. Τα πιο αγαπημένα της χόμπι είναι το θέατρο, η μουσική και το κολύμπι.

Το βράδυ, μετά το φαγητό, πάντα καθόμαστε όλη η οικογένεια και μιλάμε πώς περάσαμε την ημέρα μας."

EXERCISE 3

1. Σε ποια τάξη είναι ο Νίκος;
2. Σε ποια τάξη είναι η Έλλη;
3. Πού γεννήθηκε η Αθηνά;
4. Πότε είναι τα γενέθλιά της;
5. Πότε παντρεύτηκε η Αθηνά;
6. Τι δουλειά κάνει η Αθηνά;
7. Τι χρώμα είναι τα μαλλιά και τα μάτια της;
8. Γιατί δεν φοράει ψηλά τακούνια;
9. Τι φοράει στα χέρια και στα δάκτυλα;
10. Τι φοράει στο λαιμό;
11. Γιατί νομίζετε ότι της αρέσει η δουλειά που κάνει;
12. Ποια είναι τα αγαπημένα της χόμπι;

EXERCISE 4
Write about 80-100 words:

Ο εαυτός μου = Myself
(You could mention the colour of your eyes, hair, age, height, your school, work, where you live etc.)

Εύζωνας

ΤΡΙΤΟ ΜΑΘΗΜΑ
Ο Αλέκος Σωκράτης

φωνάζω = I call
ο Αιγόκερως = Capricorn
το ποδόσφαιρο = football
η ομάδα = team
αναφέρω = mention
η θητεία = service
ο αστερισμός = star sign

η φιλολογία = literature
υποστηρίζω = I support
συζητώ = I discuss, argue
στρατιωτικός = military
η μετεκπαίδευση = postgraduate studies

Μια μέρα ο Νίκος Σωκράτης μίλησε στην τάξη του για τον πατέρα του. Να τι είπε:
"Ο πατέρας μου λέγεται Αλέξανδρος Σωκράτης αλλά όλοι τον φωνάζουν Αλέκο. Είναι ένας ψηλός και λεπτός άντρας, περίπου 1,80 μέτρα. Έχει γαλανά μάτια και γκρίζα μαλλιά και είναι 45 χρόνων. Τα γενέθλιά του είναι στα τέλη του Δεκέμβρη και ανήκει στον αστερισμό του Αιγόκερω.

Ο πατέρας μου γεννήθηκε στο νησί Σίφνος και όταν τελείωσε την στρατιωτική του θητεία πήγε στην Αθήνα για σπουδές. Πάντα του άρεσε να διαβάζει μυθιστορήματα και Ιστορία γι' αυτό σπούδασε Φιλολογία στο Πανεπιστήμιο. Μετά έκανε μετεκπαίδευση στην Αγγλία. Όταν ήταν 28 χρόνων παντρεύτηκε τη μητέρα μου. Τώρα είναι καθηγητής σ' ένα κολέγιο. Διδάσκει την ελληνική γλώσσα, Ιστορία και Λογοτεχνία. Του αρέσει πολύ το διάβασμα, το θέατρο και το ποδόσφαιρο.

Το πιο αγαπημένο του χρώμα είναι το κόκκινο γι' αυτό υποστηρίζει και την ποδοσφαιρική ομάδα του Ολυμπιακού! Γι' αυτό το λόγο πάντα φοράει κόκκινη γραβάτα! Πολλές φορές συζητάμε για το ποδόσφαιρο γιατί εγώ είμαι οπαδός του Παναθηναϊκού.

Επειδή ο πατέρας μου είναι καθηγητής της Ιστορίας του

αρέσει να ταξιδεύει σε ιστορικούς τόπους. Στην Πελοπόννησο επισκεφτήκαμε την Ολυμπία, την Σπάρτη, τον Μιστρά, τις Μυκήνες, και το Άργος. Επισκεφτήκαμε επίσης την Θήβα, τους Δελφούς, τη Δωδώνη, τη Βεργίνα και πολλούς άλλους τόπους. Κάθε πρωί, πηγαίνοντας στο Κολέγιο, αγοράζει μια εφημερίδα από το περίπτερο. Δεν αγοράζει τσιγάρα γιατί ευτυχώς δεν καπνίζει. Τα βράδια μιλάμε για διάφορα θέματα αλλά πάντα αναφερόμαστε και στο ποδόσφαιρο!"

EXERCISE 5

1. Ποιο μήνα γεννήθηκε ο Αλέκος Σωκράτης;
2. Τι χρώμα έχουν τα μάτια και τα μαλλιά του;
3. Πού γεννήθηκε και γιατί έφυγε από τον τόπο του;
4. Σε ποιο αστερισμό ανήκει;
5. Τι δουλειά κάνει τώρα;
6. Πόσων χρόνων ήταν όταν παντρεύτηκε;
7. Ποια είναι τα αγαπημένα του χόμπι;
8. Γιατί πάντα φοράει κόκκινη γραβάτα;
9. Γιατί του αρέσει να ταξιδεύει σε αρχαιολογικούς χώρους;
10. Ποιους αρχαιολογικούς χώρους επισκέφτηκαν στην Πελοπόννησο;
11. Γιατί πάει στο περίπτερο κάθε πρωί;
12. Τι συζητάνε το βράδυ στο σπίτι;

EXERCISE 6
Write about 80-100 words

Οι γονείς μου = My parents

ΔΙΑΛΟΓΟΣ – Στα καταστήματα = At the shops.

Αθηνά: Σας παρακαλώ, πόσο κάνει αυτό το φόρεμα;

Υπάλληλος: Ποιο φόρεμα; Αυτό εκεί το ριγέ;

Α: Όχι, αυτό το κόκκινο.

Υ: Κοστίζει 150 ευρώ γιατί είναι μεταξωτό.

Α: Μήπως έχετε κανένα άλλο, μάλλινο ή βαμβακερό;

Υ: Ναι, έχουμε και φορέματα από συνθετικό ύφασμα.

Α: Να το δοκιμάσω αυτό.

Υ: Σας πηγαίνει πολύ.

Α: Λέω να το πάρω. Πόσο έχει;

Υ: Αυτό είναι 100 ευρώ.

SOME GREETINGS

ΚΑΛΑ ΧΡΙΣΤΟΥΓΕΝΝΑ
MERRY CHRISTMAS
*
ΕΥΤΥΧΙΣΜΕΝΟΣ Ο ΝΕΟΣ
ΧΡΟΝΟΣ
HAPPY NEW YEAR
*
ΧΡΟΝΙΑ ΠΟΛΛΑ
MANY HAPPY RETURNS

ΤΕΤΑΡΤΟ ΜΑΘΗΜΑ
ΤΟ ΣΠΙΤΙ = THE HOUSE

ο όροφος = floor, storey
διώροφος, η, ο = two storey
περιποιημένος, η, ο = well looked after, tidy, well kept
το σαλόνι = sitting room
η πολυθρόνα = armchair
ο καναπές = sofa
ο πίνακας = painting, blackboard
η τηλεόραση = television
το γραφείο = office, desk
το ράφι = shelf
ακατάστατος, η, ο = untidy
το χαλί = carpet
το βάζο = vase
το δωμάτιο = room
η τραπεζαρία = dining room
η κεντρική θέρμανση = central heating
ορεινός, η, ο = mountainous
το ισόγειο = ground floor
παριστάνω = I depict
έγχρωμος, η, ο = coloured
ο ηλεκτρονικός υπολογιστής = computer

ροζ = pink
το ραδιόφωνο = radio
το πλυντήριο = washing machine
ο διάδρομος = passage, hall
η γωνιά = corner
η κουρτίνα = curtain
το βίντεο = video
η βιντεοκασέτα = video cassette
φωτεινός, η, ο = bright
επιστρέφω = I return
το πάτωμα = floor
η Βουλή = Parliament
το αξιοθέατο = sight
πρωτόγονος, η, ο = primitive
η ηλεκτρική κουζίνα = cooker
το ψυγείο = refrigerator
τα κομφόρ = comfort, modern conveniences
αναπαυτικός, η, ο
άνετος, η, ο } = comfortable

ΤΟ ΣΠΙΤΙ

Το σπίτι της οικογένειας του Σωκράτη βρίσκεται στην οδό Κορίνθου. Είναι ένα ωραίο μικρό διώροφο σπίτι με περιποιημένο κήπο. Το ισόγειο έχει τα ακόλουθα δωμάτια. Ανοίγοντας την πόρτα βλέπουμε το διάδρομο. Στα δεξιά είναι το σαλόνι. Αυτό είναι το πρώτο δωμάτιο. Μπαίνουμε στο σαλόνι και βλέπουμε ένα ροζ καναπέ με δυο πολυθρόνες και ένα τραπέζι με καρέκλες. Το σπίτι έχει κεντρική θέρμανση.

Στον τοίχο υπάρχει ένας πίνακας που παριστάνει την Ακρόπολη με τον Παρθενώνα. Επίσης βλέπουμε πολλές φωτογραφίες. Στη γωνιά βρίσκεται το ραδιόφωνο, μια έγχρωμη τηλεόραση και ένα βίντεο και ελληνικές βιντεοκασέτες. Στο πάτωμα υπάρχει ένα υπέροχο χρωματιστό χαλί.

Το δεύτερο δωμάτιο είναι το γραφείο του Αλέκου Σωκράτη. Στο γραφείο του βλέπουμε έναν ηλεκτρονικό υπολογιστή και ένα, τηλέφωνο. Τα ράφια στον τοίχο είναι γεμάτα από πολλά βιβλία, γιατί ο κ. Σωκράτης είναι καθηγητής.

Το τρίτο δωμάτιο είναι η τραπεζαρία και βρίσκεται δίπλα στην κουζίνα. Στην τραπεζαρία βλέπουμε δύο μεγάλα παράθυρα στολισμένα με φωτεινές κουρτίνες. Στη μέση του δωματίου υπάρχει ένα μεγάλο τραπέζι με έξι καρέκλες. Πάνω στο τραπέζι είναι ένα βάζο με λουλούδια. Υπάρχει μια μεγάλη κουζίνα. Η κουζίνα έχει ψυγείο, πλυντήριο, ηλεκτρική κουζίνα και γενικά όλα τα κομφόρ.

EXERCISE 7
Answer in Greek

1. Πού βρίσκεται το σπίτι της οικογένειας του Σωκράτη;
2. Ποιο είναι το πρώτο δωμάτιο;
3. Τι χρώμα έχει ο καναπές;
4. Τι παριστάνει ο πίνακας στο σαλόνι;
5. Τι έχει στο πάτωμα στο σαλόνι;
6. Ποιο είναι το δεύτερο δωμάτιο;
7. Γιατί ο κ. Σωκράτης έχει πολλά βιβλία;
8. Ποιο είναι το τρίτο δωμάτιο;
9. Πόσες καρέκλες είναι στην τραπεζαρία;

10. Τι έχει πάνω στο τραπέζι;
11. Η κουζίνα είναι μικρό ή μεγάλο δωμάτιο;
12. Ποια είναι τα κομφόρ στην κουζίνα;

EXERCISE 8
Write about 80-100 words on the following topic:
Το σπίτι μου – My house
or: Το διαμέρισμά μου = My apartment

Αθήνα - η Βουλή

ΠΕΜΠΤΟ ΜΑΘΗΜΑ
ΤΟ ΣΠΙΤΙ = THE HOUSE

το υπνοδωμάτιο = bedroom
η κρεβατοκάμαρα = bedroom
το βράδυ = evening
το ντουλάπι = cupboard
ο καθρέφτης = mirror
η κρεμάστρα = coat hanger
το μπάνιο / λουτρό = bath, bathroom
κατεβαίνω = I descend, I go down
το τριαντάφυλλο = rose
το κρίνο = lily
το γαρίφαλο = carnation
το γιασεμί = jasmin
το ούζο = ouzo
το κρεβάτι = bed
δυστυχώς = unfortunately
το θέατρο = theatre

ελεύθερος, η, ο = free
οι πρώτες βοήθειες = first aid
το ταβάνι = ceiling
η τουαλέτα = W.C. (or) dressing table
κρύος, α, ο = cold
το κέντρο = club
το Πανεπιστήμιο = University
η οδοντόπαστα = toothpaste
το άρωμα = aroma
το γλυκό = sweet, cake
ελκυστικός = appealing
διατάζω = I order
φέρνω = I bring
το πουλί = bird
επίσης = also
λογής-λογής = all sorts
κελαηδώ = sing chirp (birds)

ΤΟ ΣΠΙΤΙ

Ανεβαίνουμε τώρα τη σκάλα για να δούμε τα άλλα δωμάτια. Το πρώτο δωμάτιο που βλέπουμε είναι το δωμάτιο της Έλλης. Στο δεύτερο δωμάτιο μένει ο Νίκος και στο τρίτο μένει ο Σοφοκλής. Πιο πέρα βρίσκεται το τέταρτο υπνοδωμάτιο (ή κρεβατοκάμαρα) του Αλέκου και της Αθηνάς Σωκράτη. Υπάρχουν τέσσερα υπνοδωμάτια στο σπίτι. Στους τοίχους υπάρχουν ντουλάπια.

Στην κάθε κρεβατοκάμαρα βλέπουμε ένα κρεβάτι, δύο

καρέκλες και μια τουαλέτα. Από το ταβάνι κρέμεται το ηλεκτρικό φως. Στο πάτωμα έχει χαλί. Μετά την κρεβατοκάμαρα του Σοφοκλή βρίσκεται το μπάνιο (λουτρό) με ζεστό και κρύο νερό. Στον τοίχο βρίσκεται μια κρεμάστρα και εκεί βάζουν τις πετσέτες όταν κάνουν μπάνιο. Επίσης υπάρχει ένα μικρό ντουλάπι με καθρέφτη. Στο ντουλάπι αυτό υπάρχουν είδη πρώτης βοήθειας καθώς και η οδοντόπαστα, οι οδοντόβουρτσες, και τα ξυριστικά του κ. Σωκράτη. Δίπλα στο μπάνιο (λουτρό) βρίσκεται η τουαλέτα. Τελικά, κατεβαίνουμε τη σκάλα και πάμε να δούμε τον κήπο. Τι κήπος στ' αλήθεια! Είναι περίπου πενήντα μέτρα. Υπάρχουν λογής-λογής λουλούδια, τριαντάφυλλα, γαρίφαλα, κρίνα, γιασεμιά κ.α. Υπάρχουν επίσης μερικά δέντρα, μηλιές, αχλαδιές και ροδακινιές. Στα δέντρα κάθονται πολλά όμορφα πουλιά που κελαηδούν.

EXERCISE 9
Answer in Greek:

1. Ποιος μένει στο πρώτο υπνοδωμάτιο;
2. Ποιος μένει στο τρίτο υπνοδωμάτιο;
3. Σε ποιο υπνοδωμάτιο μένουν ο κ. και η κ. Σωκράτη;
4. Τι έχει η κάθε κρεβατοκάμαρα;
5. Πόσα υπνοδωμάτια υπάρχουν;
6. Πού βρίσκεται η κρεμάστρα;
7. Τι βάζουν στην κρεμάστρα;
8. Πού βρίσκονται τα είδη πρώτης βοήθειας;
9. Πού είναι η τουαλέτα;
10. Πόσο μεγάλος είναι ο κήπος;
11. Τι λουλούδια υπάρχουν;
12. Τι δέντρα υπάρχουν;

EXERCISE 10
Write about 80-100 words on the following topic:
Ένα φιλικό μου σπίτι = A friend's house

Proverb = Παροιμία

Ο φίλος στην ανάγκη φαίνεται
A friend in need is a friend indeed.

Η Μύκονος

ΕΚΤΟ ΜΑΘΗΜΑ
ΤΟ ΠΡΟΓΕΥΜΑ = BREAKFAST

το πιάτο = plate
το πιατάκι = saucer
συγυρίζω = I tidy
η καφετιέρα = coffee-pot
η οδοντόπαστα = toothpaste
η οδοντόβουρτσα = toothbrush
πλένω = I wash
σκουπίζω = I wipe (brush)
το τραπεζομάντιλο = tablecloth
το αβγό = egg
τηγανητός, η, ο = fried
το τυρί = cheese
τα πιατικά = crockery
βραστός, η, ο =boiled
ο μπαμπάς = dad
ενώ = while
το άτομο = person

η φρυγανιά = toast
η ζάχαρη = sugar
τα μαχαιροπίρουνα = cutlery
μαγειρεύω = I cook
καθαρίζω = I clean
το περίπτερο = kiosk, newsagent
η εφημερίδα = newspaper
το περιοδικό = magazine
το τσιγάρο = cigarette
το σπίρτο = match
τα ρέστα = the change (money)
αλλάζω = I change
η πιτζάμα = pyjama
κάποτε = sometimes
η σχολική στολή = school uniform
το μεσημεριανό = lunch

ΤΟ ΠΡΟΓΕΥΜΑ

Κάθε πρωί η οικογένεια Σωκράτη ξυπνά στις 7 π.μ. Τα παιδιά πάνε στο μπάνιο (λουτρό) για να πλυθούν. Πρώτος πηγαίνει ο Νίκος. Παίρνει την οδοντόβουρτσα και την οδοντόπαστα και πλένει τα δόντια του. Μετά πλένει το πρόσωπό του με ζεστό νερό και σαπούνι. Μετά σκουπίζεται με την πετσέτα. Τέλος, βγάζει τις πιτζάμες και φορεί τη σχολική του στολή. Είναι τώρα έτοιμος για το πρωινό και πηγαίνει

328

αμέσως στην τραπεζαρία.

Τα παιδιά πρώτα λένε "καλημέρα" στη μαμά και το μπαμπά. Όλοι βοηθάνε να ετοιμάσουν το τραπέζι. Έχει άσπρο, καθαρό τραπεζομάντιλο, ένα μαχαίρι και πιρούνι και φλιτζάνια για το κάθε άτομο. Επίσης υπάρχουν πιάτα και πιατάκια για τα φλιτζάνια. Μια καφετιέρα και χυμός πορτοκάλι. Στη μέση του τραπεζιού είναι το γάλα, η ζάχαρη, το βούτυρο και η μαρμελάδα. Υπάρχουν επίσης βραστά αβγά και φρυγανιές, και όλοι τρώνε με όρεξη. Τα παιδιά πίνουν χυμό πορτοκάλι. Ενώ τρώνε ακούνε μουσική και τις πρωινές ειδήσεις από το ραδιόφωνο. Όταν τελειώσουν όλοι βοηθάνε να καθαρίσουν το τραπέζι. Τα παιδιά φεύγουν για το σχολείο τους και ο Αλέκος και η Αθηνά Σωκράτη πάνε στην εργασία τους. Ο Αλέκος Σωκράτης πηγαίνει στο περίπτερο και παίρνει την εφημερίδα του.

EXERCISE 11
Answer in Greek:

1. Τι ώρα ξυπνά η οικογένεια Σωκράτη;
2. Πού πηγαίνουν τα παιδιά μόλις ξυπνήσουν;
3. Τι έκανε ο Νίκος όταν πήγε στο μπάνιο;
4. Τι φόρεσε ο Νίκος όταν έβγαλε τις πιτζάμες;
5. Τι βλέπουμε στο τραπέζι κάθε πρωί;
6. Ποιος ετοιμάζει το τραπέζι για το πρωινό;
7. Τι ήπιαν τα παιδιά;
8. Τι έφαγε η οικογένεια για το πρωινό της;
9. Πού πήγαν τα παιδιά μετά το πρωινό;
10. Τι αγόρασε ο κ. Σωκράτης από το περίπτερο;
11. Ποιος καθάρισε το τραπέζι;
12. Πού πήγαν ο Αλέκος και η Αθηνά Σωκράτη;

Συνδιάλεξη σ' ένα καφενείο

Σερβιτόρος: Καλημέρα σας.

Πελάτης: Καλημέρα σας.

Σ: Τι τι θα πάρετε;

Π: Ένα καφέ παρακαλώ.

Σ: Τι καφέ θέλετε;

Π: Τι καφέ έχετε;

Σ: Έχουμε νεσκαφέ και ελληνικό καφέ.

Π: Δεν έχω δοκιμάσει τον ελληνικό καφέ.

Σ: Υπάρχουν τρία είδη: σκέτος – χωρίς ζάχαρη – γλυκός με ζάχαρη και μέτριος.

Π: Λοιπόν θα δοκιμάσω ένα σκέτο.

Σ: Ορίστε ο καφές σας.

(Λίγο μετά).

Σ: Σας άρεσε ο σκέτος καφές.

Π: Δεν ξέρω, είναι λίγο πικρός για μένα.

Σ: Στην Ελλάδα τον πίνουμε με νερό.

Π: Δεν πειράζει – μου φέρνετε ένα νεσκαφέ!

EXERCISE 12
Write about 80-100 words on the following topic:
Το πρόγευμά μου = My breakfast.

ΕΒΔΟΜΟ ΜΑΘΗΜΑ
ΤΟ ΓΕΥΜΑ = LUNCH

το εστιατόριο = restaurant
το γκαρσόνι, ο σερβιτόρος = waiter
εξυπηρετώ = I serve
η κανάτα = jug
το χοιρινό = pork
το βοδινό κρέας = beef
το μοσχάρι = veal
τηγανητές πατάτες = fried potatoes (chips)
ψητός, η, ο = roast
το μπιζέλι (αρακάς) = peas
το καρότο = carrot
το φασολάκι = green beans
ο λογαριασμός = bill
ικανοποιημένος, η, ο = satisfied
ο κατάλογος, το μενού = menu
διατάζω, παραγγέλλω = I order
πηγαινοέρχομαι = I come and go

η μερίδα = portion
το ξενοδοχείο = hotel
μόνος, η, ο = single, alone
μονός, η, ο = single, odd
διπλός, η, ο = double
προτιμώ = I prefer
το τσεκ, η επιταγή = cheque
υπογράφω = I sign
η διεύθυνση = address
το επάγγελμα = profession
το διαβατήριο = passport
πληρώνω = I pay
αλλού = elsewhere
ο μικρός = the young boy
η βαλίτσα = suitcase
η θέα = view
το παράθυρο = window
σήμερα = today
η μπριζόλα = chop, cutlet
προσθέτω = I add
ο μουσακάς = minced meat with vegetables

ΤΟ ΓΕΥΜΑ

Την Τρίτη το μεσημέρι, η οικογένεια Σωκράτη πήγε στο εστιατόριο για το γεύμα. Κοντά στην Πλατεία Συντάγματος, υπάρχει ένα πολύ καλό εστιατόριο. Λέγεται "Καλή Όρεξη" και έτσι λοιπόν η οικογένεια πήγε εκεί.

Στο εστιατόριο υπάρχει πολύς κόσμος και επειδή κάνει

ζέστη, πολλοί κάθονται έξω. Το γκαρσόνι πηγαινοέρχεται για να εξυπηρετήσει τους πελάτες.

- Καθίστε, παρακαλώ. Ορίστε τον κατάλογο.

Κάθισαν όλοι στις καρέκλες γύρω στο τραπέζι που είναι καλυμμένο με ένα άσπρο τραπεζομάντιλο. Στη μέση υπάρχει μια κανάτα με νερό και ένα βαζάκι με λουλούδια. Αφού διάλεξαν όλοι τα φαγητά της αρεσκείας τους ο κ. Σωκράτης φωνάζει το γκαρσόνι. Η μικρή Έλλη λέει: "εγώ θέλω μπιφτέκια με τηγανητές πατάτες". "Εγώ προτιμώ μουσακά", είπε ο Σοφοκλής. "Εγώ θα πάρω αρνίσιες μπριζόλες" είπε ο Νίκος. "Και εγώ θα πάρω αρνί ψητό, ψητές πατάτες και φρέσκα φασολάκια", είπε η κ. Αθηνά. "Εγώ θα πάρω ψητό μοσχάρι με τηγανητές πατάτες, μπιζέλια και καρότα" είπε ο κ. Σωκράτης. Να μας φέρετε δύο παγωμένες μπίρες και τρεις πορτοκαλάδες. Στο τέλος να μας φέρετε όλους από ένα κανταΐφι και δύο καφέδες, πρόσθεσε ο κ. Σωκράτης.

Ο σερβιτόρος έφερε τα φαγητά και είπε: "Καλή όρεξη". Όταν τελείωσαν το μεσημεριανό τους, ο σερβιτόρος ρώτησε αν τους άρεσαν τα φαγητά. Όλοι είπαν ότι ήταν υπέροχα και ο κ. Σωκράτης πλήρωσε το λογαριασμό. Μετά έφυγαν όλοι ικανοποιημένοι και περπάτησαν μέχρι την Ακρόπολη.

EXERCISE 13
Answer in Greek

1. Πότε πήγε η οικογένεια Σωκράτη για το γεύμα;
2. Πού βρίσκεται το εστιατόριο;
3. Πώς λέγεται το εστιατόριο;
4. Τι είπε το γκαρσόν στην οικογένεια;
5. Τι υπάρχει στη μέση του τραπεζιού;
6. Τι έφαγε ο κ. Σωκράτης;
7. Ποιος έφαγε μπιφτέκια;

8. Τι ήπιαν τα παιδιά;
9. Τι έφαγε ο Νίκος;
10. Τι ήπιαν ο Αλέκος και η Αθηνά Σωκράτη;
11. Τι πήρε η οικογένεια μετά το φαγητό;
12. Που πήγε η οικογένεια μετά;

Cheers - Στην υγειά σας

EXERCISE 14

Write about 80-100 words on the following topic:
Στο εστιατόριο – At the restaurant.

Order a meal for yourself and family / or friends.

ΚΑΤΑΛΟΓΟΣ – MENU	
ΟΡΕΚΤΙΚΑ Ντολμάδες Τζατζίκι Ταραμοσαλάτα	APPETIZERS Stuffed Vine-leaves Garlic + yoghurt Eggfish salad
ΕΝΤΡΑΔΕΣ Μοσχάρι με πατάτες Στιφάδο Γιουβέτσι Αρνάκι με πιλάφι φασολάκια	ENTREES Veal (with potatoes) Onion stew Veal in clay bowl Lamb (with) rice String beans
ΨΑΡΙΑ Αστακός Μπαρμπούνια	FISH Lobster Red Mullet

ΛΑΔΕΡΑ Μπάμιες Γίγαντες Φασολάκια φρέσκα	**COOKED IN OIL** Okra Beans String beans
ΤΗΣ ΩΡΑΣ Σουβλάκι Μπριζόλες Μπιφτέκια Παϊδάκια	**A LA MINUTE** Veal on Skewer Meat Cutlets Mince Burgers Lamb Chops
ΚΙΜΑΔΕΣ Ντομάτες Γεμιστές. Μακαρόνια με κιμά Μουσακάς	**MINCE MEAT** Stuffed tomatoes Spaghetti and Mince Mousaka
ΨΗΤΑ Κοτόπουλο Αρνί Μοσχάρι	**GRILLED** Chicken Lamb Veal
ΣΑΛΑΤΕΣ Χωριάτικη Ντομάτα Αγγούρι	**SALADS** Greek Salad Tomato Cucumber
ΓΛΥΚΑ Κρέμα Καραμελέ Μπακλαβάς Παγωτό	**DESSERTS** Creme Caramel Baklava Ice-cream

ΟΓΔΟΟ ΜΑΘΗΜΑ
ΜΙΑ ΕΠΙΣΚΕΨΗ = A VISIT

ο επιχειρηματίας = business man
πολυτάξιδος, η, ο = widely-traveled
το κλειδί = the key
φτάνω = I arrive
με συγχωρείτε = excuse me
προορίζω = I destine, intend
το ενδιαφέρον = interest
καλώ = I invite
δηλώνω = I declare
η φωτογραφική μηχανή = camera
η βαλίτσα = suitcase
ανοίγω = I open
η χειραψία = handshake
φεύγω = I leave
πληρώνω = I pay

το κασετόφωνο = cassette-player
το ουίσκι = whisky
ο φόρος = duty (customs)
το δώρο = present (gift)
το γεγονός = event
η δουλειά = work
το τελωνείο = Customs office
το γραφείο = office
το κουδούνι = bell
η σύσταση = introduction
προσκαλώ = I invite
προσκαλεσμένος, η, ο = guest
το παγάκι = ice-cube
η μόδα = fashion
ο οικοδεσπότης = host
η οικοδέσποινα = hostess (of the house)

ΜΙΑ ΕΠΙΣΚΕΨΗ

Σήμερα είναι Τρίτη 15 Δεκεμβρίου και η οικογένεια του Αλέκου Σωκράτη θα επισκεφτεί το σπίτι του Φοίβου Νικολάου. Μετά το βραδινό φαγητό, όλοι είναι έτοιμοι και μπαίνουν στο αυτοκίνητο. Σε λίγη ώρα φτάνουν στο σπίτι του κ. Νικολάου, που είναι στο Χαλάνδρι, λίγο έξω από την Αθήνα.

Η Έλλη χτυπά το κουδούνι και την πόρτα ανοίγει η μικρή Ντίνα η οποία τους λέγει: Περάστε, παρακαλώ, ο μπαμπάς και η μαμά σας περιμένουν.

Στο σαλόνι βρίσκεται η οικογένεια του κ. Φοίβου Νικολάου: η Λόλα, η γυναίκα του, ο Αντώνης, ο γιος τους και η Ντίνα, η κόρη τους. Αμέσως αρχίζουν οι χειραψίες και τα καλωσορίσματα. Στη γωνία είναι στολισμένο το Χριστουγεννιάτικο δέντρο. Βγάζουν τα παλτά τους και κάθονται στους αναπαυτικούς καναπέδες. Ο κ. Νικολάου είναι επιχειρηματίας. Είναι επίσης πολυτάξιδος. Έχει επισκεφτεί σχεδόν όλες τις χώρες της Ευρώπης. Δεν περνά πολλή ώρα και οι οικοδεσπότες φέρνουν διάφορα γλυκά, καφέ και αναψυκτικά στους καλεσμένους τους. Τα παιδιά μιλούν για το σχολείο τους, για το ποδόσφαιρο και για την τηλεόραση. Παίζουν παιχνίδια στον ηλεκτρονικό υπολογιστή. Οι γυναίκες και οι άντρες μιλούν για τις δουλειές τους, για τη μόδα, για την πολιτική και τα γεγονότα της ημέρας. Μετά από τον καφέ οι οικοδεσπότες έφεραν το ούζο, ποτήρια, παγάκια καθώς και μεζέδες για τους ξένους τους. Η Ντίνα έφερε την φωτογραφική μηχανή και έβγαλε μερικές φωτογραφίες. Όταν πέρασε αρκετή ώρα, στις 11.30 μ.μ. η οικογένεια Σωκράτη ετοιμάστηκε για να γυρίσει στο σπίτι. Η Αθηνά και ο Αλέκος κάλεσαν τη Λόλα και τον Φοίβο να επισκεφτούν το σπίτι τους όποτε έχουν καιρό.

EXERCISE 15

1. Ποιο σπίτι επισκέφτηκε η οικογένεια του Σωκράτη;
2. Πότε επισκέφτηκαν αυτό το σπίτι;
3. Πού βρίσκεται αυτό το σπίτι;
4. Ποιος χτύπησε το κουδούνι και ποιος άνοιξε την πόρτα;
5. Ποιοι βρίσκονταν στο σαλόνι;
6. Τι ήπιαν στο σαλόνι;
7. Για τι μιλούσαν τα παιδιά;
8. Τι μιλούσαν οι άντρες και οι γυναίκες;

9. Τι ήπιαν μετά τον καφέ;

10. Τι έκανε η Ντίνα;

11. Πότε έφυγε η οικογένεια του Σωκράτη;

12. Τι είπε η Αθηνά και ο Αλέκος στη Λόλα και στον Φοίβο;

EXERCISE 16

Write 80-100 words on the following topic:
Μια επίσκεψη = A visit.

Το νησί Ύδρα

ΕΝΑΤΟ ΜΑΘΗΜΑ
ΣΤΗΝ ΑΓΟΡΑ = AT THE MARKET

το πάρκιν = car park
το ψώνισμα = shopping
η λαϊκή = local market
η φρουταγορά = fruit market
η ψαραγορά = fish market
το λαχανικό = vegetable
ο πωλητής = seller
ο πελάτης = customer
το συκώτι = liver
το κουνέλι = rabbit
το κοτόπουλο = chicken
ο κιμάς = mince
το σέλινο = celery
το μανιτάρι = mushroom
το κρεμμύδι = onion
το κολοκυθάκι = courgette
το κουνουπίδι = cauliflower
ο μαϊντανός = parsley
ο αρακάς, το μπιζέλι = peas
το βερίκοκο = apricot
το παντζάρι = beetroot
η μαρίδα = srpat
το σκόρδο = garlic

η δέσμη = bunch
το μπούτι = leg (meat)
η κρεαταγορά = meat market
η λαχαναγορά = vegetable market
η σπάλα = shoulder meat
το αρνί (ακι) = lamb (meat)
το κατσίκι = goat
το μπαρμπούνι = red mullet
η γαρίδα = shrimp, prawn
το χταπόδι = octopus
το καβούρι = crab
ο μπακαλιάρος = cod
το λαχανάκι = sprout
το χοιρινό = pork
το μοσχαρίσιο = veal
το ροδάκινο = peach
το καλαμάρι = squid
πρωί, πρωί = early in the morning
ο ιχθυοπώλης/ ο ψαράς = fishmonger

Σήμερα είναι Σάββατο και η οικογένεια του κ. Σωκράτη κάνει τα ψώνια. Ξεκίνησαν με το αυτοκίνητό τους πρωί-πρωί γιατί θέλουν να αγοράσουν πολλά πράγματα. Σε λίγο φτάνουν στο κέντρο της Αθήνας. Αφήνουν το αυτοκίνητό τους στο πάρκιν και πάνε στην αγορά. Για να τελειώσουν γρήγορα τα ψώνια, ο κ. Σωκράτης πήγε να αγοράσει το κρέας και τα ψάρια, πήγε στην κρεαταγορά και στην ψαραγορά. Η κ. Σωκράτη πήγε να πάρει τα λαχανικά και τα παιδιά πήγαν να πάρουν τα φρούτα. Στην λαϊκή αγορά υπάρχει πολύς κόσμος. Οι πωλητές φωνάζουν δυνατά καλώντας τους πελάτες να πάρουν κάτι από κοντά τους. "Εδώ ψάρια, φρέσκα ψάρια, μπαρμπούνια, γαρίδες, χταπόδια, καβούρια, μπακαλιάροι, φιλέτα..." διαλαλεί ένας ψαράς. Ο κ. Σωκράτης σταματά και κοιτάζει: Μπαρμπούνια (λεθρίνια), μπακαλιάροι, μαρίδες, χταπόδια. Μετά λέει στον ιχθυοπώλη: "Μου δίνετε ένα κιλό γαρίδες και ένα κιλό μπαρμπούνια"; "Μάλιστα κύριε, αμέσως". Λίγο πιο πέρα πουλάνε όλα τα είδη κρέατα. Κοιτάζει τις τιμές: Αρνί, κατσίκι, κοτόπουλα, μοσχάρι (μπριζόλες), μοσχάρι (φιλέτο). Ο κ. Σωκράτης αγοράζει από εδώ δυο κοτόπουλα, δύο κιλά μοσχάρι φιλέτο, κιμά, ένα αρνίσιο μπούτι και μια σπάλα, και ένα αρνίσιο συκώτι. Δεν αγόρασε χοιρινό. Η κ. Σωκράτη είχε πάει στη λαχαναγορά. Εδώ υπάρχουν όλα τα λαχανικά της εποχής. Κοιτάζει τα λαχανικά και τις τιμές: Πατάτες, κρεμμύδια, καρότα, ντομάτες, αγγούρια, μελιτζάνες, μαρούλια, μπιζέλια, σέλινα, κουνουπίδια, παντζάρια, σπανάκι, κολοκυθάκια, λαχανάκια. Έβγαλε τη σημείωση που είχε μαζί της και αγόρασε τα πιο κάτω: 1. Μισό κιλό μανιτάρια. 2. Ένα κιλό ντομάτες. 3. Ένα κιλό κρεμμύδια. 4. Ένα κιλό μελιτζάνες. 5. Ένα κιλό κολοκυθάκια. 6. Μια δέσμη μαϊντανό. 7. Δυο μαρούλια. Δεν αγόρασε κουνουπίδι και αρακά.

Τα παιδιά πήγαν στη φρουταγορά. Εκεί είχε όλα τα φρούτα της εποχής: μήλα, ροδάκινα, βερίκοκα, κεράσια, καρπούζια, πεπόνια, δαμάσκηνα, αχλάδια, σταφύλια, σύκα... Αγόρασαν δύο κιλά ροδάκινα, δύο κιλά δαμάσκηνα, ένα κιλό σταφύλια και δύο κιλά μήλα. Δεν αγόρασαν πορτοκάλια και μανταρίνια.

Όταν όλοι τελείωσαν συναντήθηκαν και πήγαν στο αυτοκίνητό τους για να γυρίσουν στο σπίτι.

EXERCISE 17
Answer in Greek:

1. Τι κάνει η οικογένεια το Σάββατο;
2. Πού άφησαν το αυτοκίνητό τους;
3. Πού πήγε ο κ. Σωκράτης;
4. Πού πήγε η κ. Σωκράτη;
5. Πού πήγαν τα παιδιά;
6. Τι ψάρια αγόρασε ο κ. Σωκράτης;
7. Τι κρέας δεν αγόρασε;
8. Τι λαχανικά δεν αγόρασε η κ. Σωκράτη;
9. Ποια φρούτα αγόρασαν τα παιδιά;
10. Ποια φρούτα δεν αγόρασαν;

EXERCISE 18
Write 80-100 words on the following topic:

Στην αγορά = At the market

ΔΕΚΑΤΟ ΜΑΘΗΜΑ
ΣΤΟ ΠΑΝΤΟΠΩΛΕΙΟ - ΣΤΟ ΜΠΑΚΑΛΙΚΟ
AT THE GROCER'S

ο ιδιοκτήτης = owner, proprietor

τακτοποιώ = I arrange, sort out

τα τρόφιμα = food

τα ρεβίθια = chick-peas

η φακή =lentil

το κουκί = broad-bean

το ξύδι = vinegar

το ρύζι = rice

η κονσέρβα = tinned food

το σαπούνι = soap

η δωδεκάδα = dozen

ο κύρ(ιος) = Mr. (friendly way of saying Mr.)

πρόσχαρος, η, ο = cheerful

το λουκάνικο = sausage

το βάθος = depth (far end)

αναφέρω = I mention

το σαμπουάν = shampoo

το χαρτί υγείας = toilet paper

η τουαλέτα = toilet

βιαστικός, η, ο = in a hurry

η σκόνη πλυσίματος = washing powder

π.χ. (παραδείγματος χάριν) = for example

Μετά από την αγορά η κ. Αθηνά αφού τακτοποίησε όλα τα ψώνια βγήκε για να πάει στο γειτονικό παντοπωλείο του κυρ-Θανάση που είναι στην οδό Σαλαμίνας. Μόλις μπήκε στο παντοπωλείο ο κυρ-Θανάσης καλωσόρισε την κ. Αθηνά. Ο κυρ-Θανάσης είναι ένας πρόσχαρος άντρας περίπου 65 χρονών.

Το παντοπωλείο είναι ανοιχτό από τις εφτά το πρωί μέχρι τις οκτώ το βράδυ. Η γυναίκα και ο γιος του κυρ-Θανάση τον βοηθάνε. Η κυρία Θανάση δουλεύει εκεί το πρωί. Ο γιος δουλεύει μέχρι τις τέσσερις και ο κ. Θανάσης δουλεύει τις υπόλοιπες ώρες.

Στο παντοπωλείο υπάρχει ό,τι χρειάζεται ένα σπίτι. Υπάρχουν τρόφιμα π.χ. ψωμιά, φασόλια, ρεβίθια, φακές, κουκιά, μακαρόνια. Υπάρχουν επίσης κονσέρβες όλων των ειδών, τυριά, βούτυρα, αβγά κλπ.

Η κ. Αθηνά κοιτάζει τον κατάλογό της και λέει: Θέλω δύο

πακέτα ελληνικό καφέ, δώδεκα αβγά, ένα μπουκάλι ελαιόλαδο, ένα μπουκάλι ξύδι, ένα κιλό ρύζι και τυρί. Μετά παίρνει δύο πακέτα μακαρόνια, λουκάνικα και μπισκότα. Επίσης παίρνει ένα πακέτο σκόνη πλυσίματος.

Στο βάθος του καταστήματος υπάρχουν όλα τα είδη που χρειάζονται για το μπάνιο και την τουαλέτα – σαπούνια, σαμπουάν, χαρτί τουαλέτας. Από εκεί παίρνει μερικά σαπούνια, μία οδοντόπαστα, χαρτί τουαλέτας (υγείας) και ό,τι άλλο χρειάζεται. Μετά πληρώνει τον κυρ-Θανάση. Του έδωσε 40 Ευρώ. Ο κυρ-Θανάσης ρωτάει τι κάνει ο κ. Σωκράτης και τα παιδιά. "Είναι όλοι μια χαρά" απαντά η κ. Αθηνά. Ο κυρ-Θανάσης έδωσε μια μεγάλη σοκολάτα στην κ. Αθηνά για την κορούλα της την Έλλη. Μετά ρωτάει η κ. Αθηνά για την οικογένεια του κυρ-Θανάση και τέλος τον αποχαιρετά και φεύγει.

EXERCISE 19
Answer in Greek:

1. Πού βρίσκεται το παντοπωλείο;
2. Σε ποιον ανήκει το παντοπωλείο;
3. Πόσων χρόνων είναι ο ιδιοκτήτης;
4. Τι ώρες δουλεύει εκεί το πρωί;
5. Ποιος δουλεύει εκεί το πρωί;
6. Ποιος δουλεύει μέχρι τις τέσσερις;
7. Πότε δουλεύει ο κυρ-Θανάσης;
8. Αναφέρετε τρία πράγματα που αγόρασε η κ. Αθηνά;
9. Τι αγόρασε για το μπάνιο και την τουαλέτα;
10. Πόσα πλήρωσε για τα ψώνια;
11. Τι ρώτησε ο κυρ-Θανάσης;
12. Τι έδωσε ο κ. Θανάσης στην κ. Αθηνά;

EXERCISE 20
Write 80-100 words:

Σε ένα κατάστημα = At a shop

Παροιμία: Ό,τι έγινε, έγινε.
It's no use crying over spilt milk.

Κάρπαθος

ΕΝΔΕΚΑΤΟ ΜΑΘΗΜΑ
ΣΤΑ ΚΑΤΑΣΤΗΜΑΤΑ = AT THE SHOPS

το αρτοπωλείο (ο φούρνος) = bakery
το κρεοπωλείο = butcher's
το ψαλίδι = scissors
ο πεζός = pedestrian
η βιτρίνα = shop-window
ρουχισμός = clothing
το εσώρουχο = underwear
το κομμωτήριο = hairdresser's
το χτένισμα = hairstyle
ο καθρέφτης = mirror
ο στεγνωτήρας = drier
το φαρμακείο = chemist
το κασετόφωνο = cassette-recorder
ο πυρετός = fever
η κομμώτρια = hairdresser

η κολόνια = eau de Cologne
το κουρείο = barber's
το ψιλικατζίδικο = haberdashery
ο επίδεσμος = bandage
το ζαχαροπλαστείο = confectioner's
το σωληνάριο = tube
το κρυολόγημα = cold
η γρίπη = flu
ο πονοκέφαλος = headache
η ζαλάδα = dizziness
το χάπι = tablet, pill
το πολύφωτο = chandelier
η μέλισσα = bee
χαζεύω = I gaze, idle about.

Είναι ένα ευχάριστο απόγευμα και η οικογένεια Σωκράτη πηγαίνει να δει τα καταστήματα. Σε λίγο φτάνουν στο κέντρο της Αθήνας, στην Πλατεία της Ομόνοιας. Από εκεί προχωρούν πεζοί προς την Πλατεία Συντάγματος. Σταματούν σε μια βιτρίνα που είναι γεμάτη από βιβλία. Είναι ένα βιβλιοπωλείο και εκεί υπάρχουν όλα τα είδη βιβλία: λογοτεχνικά, ιστορικά, πολιτικά.

Κοντά στο βιβλιοπωλείο υπάρχει ένα άλλο κατάστημα με είδη ρουχισμού. Εκεί μπαίνουν και βλέπουν κοστούμια, φορέματα, πουκάμισα, γραβάτες, κάλτσες, εσώρουχα, μπλούζες. Εκεί αγοράζουν πανταλόνια και πουκάμισα για τα δυο αγόρια και ένα φόρεμα για την Έλλη.

Λίγα βήματα πιο πέρα βρίσκεται ένα κομμωτήριο. Η κ. Αθηνά

είχε κλείσει ραντεβού για τις 4.00 μ.μ. γιατί θέλει να κόψει λίγο τα μαλλιά της και να κάνει ένα χτένισμα. Μπαίνει μέσα και η Ρένα η κομμώτρια την καλωσορίζει. Της λέει να καθίσει στην καρέκλα μπροστά στον καθρέφτη. Εκεί υπάρχουν κολόνιες, σαμπουάν, χτένες, ρολά, στεγνωτήρες, ψαλίδια κλπ. Θα μείνει εκεί περίπου μια ώρα έτσι συμφώνησαν να συναντηθούν στο Ζαχαροπλαστείο η "Μέλισσα", στις 5.30 μ.μ.

Ο κ. Σωκράτης και τα παιδιά προχωρούν. Σε λίγο βλέπουν ένα μεγάλο κατάστημα – είναι φαρμακείο. Εκεί βλέπουν στη βιτρίνα διάφορα φαρμακευτικά είδη – σωληνάρια με κρέμες, χάπια, επιδέσμους, σιρόπια για τη γρίπη ή το κρυολόγημα κλπ. Μπαίνουν μέσα και παίρνουν λίγα χάπια γιατί κάποτε υποφέρουν από πονοκεφάλους και ζαλάδες. Μετά στάθηκαν μπροστά από μια βιτρίνα με ηλεκτρικά είδη. Εκεί είδαν ηλεκτρονικούς υπολογιστές, τηλεοράσεις, ραδιόφωνα, κασετόφωνα, βίντεο κλπ. Πιο πέρα είδαν ένα τουριστικό γραφείο με πολύχρωμες εικόνες από διάφορα μέρη του κόσμου. Είδαν επίσης ένα ψιλικατζίδικο, ένα ταχυδρομείο, ένα κουρείο, ένα κρεοπωλείο, ένα φούρνο κ.α. Στο μεταξύ πέρασε η ώρα χαζεύοντας στις βιτρίνες και πήγαν στο ζαχαροπλαστείο όπου σε λίγο έφτασε και η κυρία Αθηνά.

EXERCISE 21

1. Από πού ξεκίνησαν τον απογευματινό τους περίπατο;
2. Ποιο κατάστημα είδαν στην αρχή;
3. Πού πήγε η κ. Αθηνά;
4. Γιατί έπρεπε να μείνει μια ώρα εκεί;
5. Τι αγόρασαν στα παιδιά;
6. Τι είδαν στο φαρμακείο;
7. Πώς λένε την κομμώτρια;
8. Τι ηλεκτρικά είδη είδαν;
9. Τι είδαν στο τουριστικό γραφείο;
10. Πού συναντήθηκαν στο τέλος;

EXERCISE 22
Write about 80-100 words:
Τι κάνω το Σαββατοκύριακο.

Ο Μυστράς κοντά στην Σπάρτη

ΔΩΔΕΚΑΤΟ ΜΑΘΗΜΑ
ΜΙΑ ΚΥΡΙΑΚΑΤΙΚΗ ΕΠΙΣΚΕΨΗ = A SUNDAY VISIT

το πανεπιστήμιο = University
το μεσημέρι = noon, lunch time
ο λογιστής = accountant
επικρατώ = prevail
φτιάχνω, κάνω = I make
η συννυφάδα = sister-in-law
(relation between wives and brothers)
η σούπα αυγολέμονο = egg and lemon soup
ο φοιτητής = student
ο φούρνος = oven, bakery
το γαλατομπούρεκο = milk-pie, custard cake
η νύφη = sister-in-law
ο ανεψιός = nephew
η ανεψιά = niece
ο μπακλαβάς = honey and nut cake

Ο Αλέκος Σωκράτης έχει έναν αδελφό τον Κρίτωνα. Ο Κρίτωνας μένει με την οικογένειά του στην Κηφισιά. Τη γυναίκα του τη λένε Θεοδώρα. Έχουν δυο παιδιά τον Άριστο και την Αγγελική. Ο Άριστος είναι είκοσι χρόνων και είναι φοιτητής στο Πανεπιστήμιο. Η Αγγελική είναι δεκαοκτώ χρόνων και είναι στην τρίτη τάξη του Λυκείου.

Είναι σχεδόν μεσημέρι και τους περιμένουνε για φαγητό. Είναι αγαπημένα αδέλφια και κάθε βδομάδα πρέπει να επισκεφτεί η μια οικογένεια την άλλη. Το ίδιο αγαπημένα είναι και τα ξαδέρφια που χαίρονται να βρίσκονται μαζί.

Το αυτοκίνητο φτάνει στην Κηφισιά και σταματάει έξω απ' το σπίτι. Αμέσως όλοι βρίσκονται στην είσοδο και καλωσορίζουν την οικογένεια. Αμέσως όλοι βοηθάνε να ετοιμάσουν το τραπέζι. Ο Κρίτωνας είναι λογιστής και λέει στον Αλέκο τον αδελφό του για τις δουλειές του. Μετά αρχίζουν να μιλάνε για την πολιτική κατάσταση που επικρατεί στην Ελλάδα, στην Κύπρο και αλλού. Τα ξαδέρφια μιλάνε για τα μαθήματά τους, για τις επισκέψεις που κάνανε τη βδομάδα που πέρασε και παίζουν διάφορα παιχνίδια στον ηλεκτρονικό υπολογιστή. Το τραπέζι είναι έτοιμο. Αρχίζουν με σούπα αυγολέμονο. Μετά τρώνε αρνί ψητό με πατάτες του φούρνου και μπιζέλια. Στη μέση του τραπεζιού υπάρχει χωριάτικη σαλάτα. Όλοι τρώνε με μεγάλη όρεξη. Ο Αλέκος και η Αθηνά πίνουν ρετσίνα. Ο Κρίτωνας, η Θεοδώρα και ο Άριστος πίνουν μπίρα. Οι άλλοι πίνουν αναψυκτικά. Στο τέλος τρώνε μπακλαβά και γαλατομπούρεκα που έφτιαξε η Θεοδώρα. Ύστερα βγαίνουν στον κήπο και εκεί παίρνουν το καφεδάκι τους.

EXERCISE 23
Answer in Greek:

1. Πώς λέγεται ο αδελφός του Αλέκου;
2. Πώς λέγεται η συννυφάδα της Αθηνάς;
3. Πόσα ανεψάκια έχει ο κ. Σωκράτης;
4. Τι δουλειά κάνει ο Άριστος;
5. Πόσων χρόνων είναι η Αγγελική;
6. Σε ποιο μέρος της Αθήνας πήγαν;
7. Τι έκαναν μόλις έφτασαν;
8. Τι έφαγαν το μεσημέρι;
9. Τι ήπιαν τα παιδιά;
10. Τι ήπιαν ο Κρίτωνας, η Θεοδώρα και ο Άριστος;
11. Τι γλύκισμα φάγανε;
12. Πού ήπιαν τον καφέ τους;

EXERCISE 24
Write about 80-100 words:
Η πόλη που ζω.

ΔΙΑΛΟΓΟΣ

Στο αεροδρόμιο = At the Airport.

Νίκος: Γιώργο, φεύγω τώρα για το Λονδίνο. Έρχεσαι μαζί μου στο αεροδρόμιο;

Γιώργος: Ναι, ας πάρουμε ένα ταξί.

Νίκος: Ταξί, ταξί. Στο αεροδρόμιο παρακαλώ.

Γιώργος: Τι ώρα φεύγει το αεροπλάνο;

Νίκος: Φεύγει στις 8 ακριβώς. Εγώ όμως πρέπει να είμαι εκεί μια ώρα πιο νωρίς.

Γιώργος: Έχεις δίκιο. Γίνεται ο έλεγχος των διαβατηρίων και του τελωνείου. Έχεις το εισιτήριό σου;

Νίκος: Ναι, το έχω μαζί μου με το διαβατήριό μου και το συνάλλαγμά μου.

Γιώργος: Τι ώρα φτάνεις στο Λονδίνο;

Νίκος: Φτάνω στις 10.00 ώρα Αγγλίας.

Γιώργος: Πότε θα γυρίσεις;

Νίκος: Σε δύο βδομάδες.

Γιώργος: Λοιπόν, γεια σου Νίκο και καλό ταξίδι. Μην ξεχάσεις να φέρεις και λίγο ουίσκι! Γεια σου.

Νίκος: Ευχαριστώ, γεια σου.

A new international airport was opened in Athens in March 2001. The new airport at Spata is named after the Greek liberal statesman Ελευθέριος Βενιζέλος (1864-1936). Spata is about 20 kilometres east of Athens.

ΔΕΚΑΤΟ ΤΡΙΤΟ ΜΑΘΗΜΑ
ΣΤΟ ΑΕΡΟΔΡΟΜΙΟ = AT THE AIRPORT

το αεροδρόμιο / ο αερολιμένας = airport
η άφιξη = arrival
η αίθουσα αναμονής = hall, lounge
αποτελώ = consist
το άτομο = person
σπουδάζω = I study
προσγειώνομαι = I land
το τελωνείο = customs office
ο ταμίας = cashier
η προσγείωση = landing
ο υπάλληλος = clerk, officer
πλησιάζω = I approach

ο έλεγχος διαβατηρίων = passport control
η αναχώρηση = departure
το άρωμα = perfume
η βαλίτσα = suitcase
δηλώνω = I declare
η χειραψία = handshake
η πτήση = flight
επιβλητικός, η, ο = imposing
το φαγοπότι = eating and drinking
το πούρο = cigar
η ποσότητα = quantity
η μετεκπαίδευση = post graduate studies

Σήμερα φτάνει στην Αθήνα από το Λονδίνο η οικογένεια του κ. Γιάννη Ροβέρτου. Η οικογένεια αυτή αποτελείται από τέσσερα άτομα: τον κ. Γιάννη Ροβέρτο, την κυρία Σούζαν και τα δύο παιδιά τους, τον Πέτρο και τη Σοφία. Στο αεροδρόμιο τους περιμένει η οικογένεια του κ. Σωκράτη γιατί είναι πολύ καλοί φίλοι. Περιμένουν στην αίθουσα αφίξεων. Ο κ. Σωκράτης γνώρισε την οικογένεια αυτή όταν έκανε μετεκπαίδευση στο Λονδίνο.

Η αγγλική οικογένεια ταξιδεύει με αεροπλάνο της Ολυμπιακής. Θα φτάσουν στις έξι το απόγευμα. Επιτέλους φτάνουν. Κατεβαίνουν από το αεροπλάνο και περνάνε στον έλεγχο διαβατηρίων όπου δείχνουν τα διαβατήριά τους. Ο κ. Ροβέρτος έχει μαζί του δυο μπουκάλια ουίσκι, μερικές κολόνιες και σοκολάτες. Τώρα δεν υπάρχει πρόβλημα στο τελωνείο γιατί η Ελλάδα είναι στην Ευρωπαϊκή Ένωση.

Βγαίνουν από το τελωνείο και αμέσως συναντούν τον κ. Σωκράτη. Αρχίζουν τα φιλιά, οι χειραψίες, τα "καλωσορίσατε". Βάζουν τις βαλίτσες στο αυτοκίνητο και φεύγουν από το αεροδρόμιο.

"Πώς περάσατε στο ταξίδι; Πόση ώρα σας πήρε να φτάσετε"; ρωτάει ο Νίκος και η Έλλη τον Πέτρο και την Σοφία.

"Υπέροχα, ήταν μια θαυμάσια πτήση, μας πήρε τρεισήμισι ώρες", απαντούν οι νέοι φίλοι τους.

Σε λίγο πλησιάζουν στην Αθήνα. Να και η Ακρόπολη με τον επιβλητικό της Παρθενώνα. Τι πανόραμα, Θεέ μου, λένε τα παιδιά. Θα πάμε αύριο όλοι μαζί στην Ακρόπολη για να δούμε τον Παρθενώνα από κοντά.

Φτάνουν στο σπίτι. Το τραπέζι είναι έτοιμο και σε λίγο αρχίζει το φαγοπότι. Μιλούνε, προγραμματίζουν πού θα πάνε, τι θα δούνε, τι θα αγοράσουν.

EXERCISE 25
Answer in Greek:

1. Πώς λένε τη γυναίκα του κ. Ροβέρτου;
2. Πώς λένε τα παιδιά του;
3. Πού περίμενε η οικογένεια Σωκράτη;
4. Πώς γνωρίστηκε ο κ. Σωκράτης με τον κ. Ροβέρτο;
5. Τι ώρα έφτασε το αεροπλάνο;
6. Με ποιο αεροπλάνο ταξίδεψαν;
7. Πού πήγε η οικογένεια αμέσως μετά την προσγείωση;
8. Τι είχε μαζί του ο κ. Ροβέρτος;
9. Τι ρώτησαν ο Νίκος και η Έλλη;
10. Τι απάντησαν τα παιδιά;
11. Τι εντύπωση έκανε στους Άγγλους όταν πλησίαζαν στην Αθήνα;
12. Τι έκαναν όταν έφτασαν στο σπίτι;

EXERCISE 26
Write about 80-100 words:
Μια μέρα στο αεροδρόμιο.

ΔΙΑΛΟΓΟΣ:
Στο τελωνείο του αεροδρομίου.
At the Airport Customs.

Υπάλληλος: Το διαβατήριό σας παρακαλώ.

Επιβάτης: Ορίστε.

Υπάλληλος: Δεν έχετε τίποτα να δηλώσετε; Ρολόγια, φωτογραφικές μηχανές, ραδιόφωνα;

Επιβάτης: Όχι, κύριε. Δεν έχουμε τίποτε από αυτά τα πράγματα.

Υπάλληλος: Ποιες είναι οι αποσκευές σας;

Επιβάτης: Αυτές.

Υπάλληλος: Ανοίξτε αυτή τη βαλίτσα, σας παρακαλώ.

Επιβάτης: Ορίστε.

Υπάλληλος: Μάλιστα. Κλείστε τη βαλίτσα. Ανοίξτε και αυτή την τσάντα που κρατάτε στο χέρι. Ω! τι βλέπω, μεγάλες ποσότητες από τσιγάρα, πούρα και αρώματα! Πρέπει να πληρώσετε φόρο τελωνείου. Περάστε στο γραφείο.

Επιβάτης: Πόσα πρέπει να πληρώσω;

Υπάλληλος: Θα σας πει ο ταμίας.

353

ΔΕΚΑΤΟ ΤΕΤΑΡΤΟ ΜΑΘΗΜΑ
Η ΑΘΗΝΑ = ATHENS

ο βράχος = rock
βλασταίνω = I sprout, grow
ο φιλοξενούμενος = guest
επιθυμώ (πεθυμώ) = I desire, long for
το λεωφορείο = bus
η πλατεία = square
ο υπόγειος σιδηρόδρομος, το μετρό = the underground
η στήλη = column
το αφεντικό = boss
ο ρυθμός = style, rhythm
παρθένος, α, ο = virgin, pure

συναγωνίζομαι = I compete
το σύνταγμα = constitution
ό,τι = whatever
το λαχείο = raffle, lottery
ανυπομονώ = I am anxious
η ψυχή = heart, soul
το πεζοδρόμιο = pavement
η ταμπέλα = the sign
το κοντάρι = spear
απολυταρχικός, η, ο = absolute
κλασικός, η, ο = classical

Την άλλη μέρα οι φιλοξενούμενοι της οικογένειας Σωκράτη ξύπνησαν πολύ νωρίς. Όλοι ανυπομονούσαν να δούνε την Αθήνα, να θαυμάσουνε την πόλη που διάβασαν τόσα πολλά γι' αυτή. Όταν ήταν όλοι έτοιμοι, πήραν το λεωφορείο και ξεκίνησαν.

"Εδώ είναι η πλατεία της Ομόνοιας" είπε ο κ. Σωκράτης. Είναι το κέντρο της Αθήνας. Υπάρχει επίσης υπόγειος σιδηρόδρομος – το μετρό. Η πλατεία είναι γεμάτη από κόσμο. Όλοι μιλάνε δυνατά. Άλλοι πουλάνε ζεστά κουλούρια, άλλοι λαχεία, παγωτά, ό,τι φανταστείς και ό,τι επιθυμεί η ψυχή σου.

Τα καταστήματα είναι στολισμένα με όλα τα είδη ρουχισμού και μάλιστα της τελευταίας μόδας. Υπάρχουν επίσης βιβλιοπωλεία και εστιατόρια με τραπέζια και καρέκλες έξω στο πεζοδρόμιο. "Βλέπετε κάνει τόση ζέστη εδώ, που αναγκαζόμαστε να τρώμε έξω", είπε η κυρία Αθηνά.

Ο Πέτρος προσπαθεί να διαβάσει συλλαβιστά μια ταμπέλα

που έγραφε: "ΚΑΦΕΝΕΙΟ". Εδώ πηγαίνει καθένας να πιει καφέ ή ένα αναψυκτικό, να διαβάσει την εφημερίδα του και να κουβεντιάσει για πολιτικά ή οτιδήποτε άλλο, εξήγησε ο Σοφοκλής. "Γιατί η Αθήνα είναι γεμάτη από περίπτερα"; ρώτησε η Σοφία. "Στα περίπτερα", της εξήγησε η κυρία Αθηνά, "ένας μπορεί να αγοράσει εφημερίδες, περιοδικά, τσιγάρα, σπίρτα, σοκολάτες, κάρτες, ενθύμια και άλλα πράγματα. Ο κάθε Έλληνας θέλει να κάνει το μικρό – επιχειρηματία, θέλει να είναι ο ίδιος το αφεντικό"!

Σε λίγο μπαίνουν στην οδό Πανεπιστημίου. Στα αριστερά βλέπουν την Εθνική Βιβλιοθήκη, το Πανεπιστήμιο και την Ακαδημία. Τρία ωραιότατα κτίρια χτισμένα σε κλασικό ρυθμό.

Προχωρώντας φτάνουν στην Πλατεία Συντάγματος. Εδώ το 1843, ο λαός ξεσηκώθηκε και ζητούσε σύνταγμα από το βασιλιά Όθωνα που κυβερνούσε απολυταρχικά. Από τότε πήρε το όνομά της η πλατεία.

Η Ακαδημία

Μετά το Σύνταγμα πλησιάζουν στις στήλες του Ολυμπίου Δία. Εδώ κάποτε βρισκόταν ο ναός του Δία. Ανεβαίνουν μετά στην Ακρόπολη. Εκεί βρίσκονται τουρίστες από πολλές χώρες, από τη Γερμανία, Γαλλία, Αμερική, Ελβετία, Αγγλία κλπ.

Τι υπέροχο θέαμα ο Παρθενώνας στ' αλήθεια! Ο ναός αυτός χτίστηκε τον 5ο αιώνα πριν το Χριστό από το Φειδία, τον Ικτίνο και τον Καλλικράτη, την εποχή του Περικλή. Ο ναός ήταν αφιερωμένος στην παρθένα θεά Αθηνά γι' αυτό πήρε το όνομα Παρθενώνας, δηλαδή ο ναός της Παρθένας θεάς.

Δίπλα στον Παρθενώνα βρίσκεται το Ερεχθείο με τις Καρυάτιδες. Πιο πέρα είναι μια γέρικη ελιά. Πολλοί λένε ότι είναι η ελιά που βλάστησε όταν η Αθηνά συναγωνιζόμενη τον Ποσειδώνα στο ποιος θα δώσει το όνομά του στην πόλη, χτύπησε το κοντάρι της στον ιερό βράχο της Ακρόπολης.

Οι τουρίστες βγάζουν αναμνηστικές φωτογραφίες συνεχώς. Από την Ακρόπολη βλέπουν ολόκληρη την Αθήνα να ξαπλώνεται τριγύρω. Λίγο πιο πέρα υπάρχουν άλλοι λόφοι, του Λυκαβηττού και του Φιλοπάππου.

Φεύγοντας από την Ακρόπολη κατεβαίνουν προς την Πλάκα. Στενά δρομάκια, μαγαζιά με όλα τα είδη ενθύμια για τους τουρίστες. Κάθονται σε μια ταβερνούλα για να πάρουνε κάτι.

EXERCISE 27
Answer in Greek:

1. Γιατί ξύπνησαν νωρίς οι ξένοι;
2. Πώς ταξίδεψαν στο κέντρο της πόλης;
3. Τι είδαν στην πλατεία της Ομόνοιας;
4. Τι είναι το καφενείο;
5. Τι μπορούμε να αγοράσουμε από το περίπτερο;
6. Πώς είναι χτισμένη η Ακαδημία;
7. Τι έγινε το 1843 στην Αθήνα;

8. Ποιος έχτισε τον Παρθενώνα;
9. Γιατί ονομάστηκε ο Παρθενώνας έτσι;
10. Τι υπάρχει στην Πλάκα;

EXERCISE 28

Write about 80-100 words

Ο καλύτερός μου φίλος / Η καλύτερή μου φίλη

ΣΥΝΔΙΑΛΕΞΗ – ΜΙΑ ΓΝΩΡΙΜΙΑ
CONVERSATION – A MEETING

- Είστε Άγγλος;
- Μάλιστα. Είμαι Άγγλος αλλά δε γνωρίζω καλά τα Ελληνικά. Θέλω όμως να τα μάθω. Εσείς πρέπει να είστε Έλληνας.
- Μάλιστα. Είμαι Έλληνας. Μένω στην Αθήνα. Είμαι καθηγητής. Πόσο καιρό είστε στην Αθήνα;
- Ήρθα στην Αθήνα με τη γυναίκα μου και τα δυο παιδιά μας πριν πέντε μέρες. Μας αρέσει η Ελλάδα πολύ. Θα μείνουμε εδώ για τρεις βδομάδες. Μετά θα γυρίσουμε στο Λονδίνο.
- Τι είδατε στην Αθήνα ως τώρα;
- Πήγαμε στην Ακρόπολη και είδαμε τον Παρθενώνα και το Ερέχθειο. Πήγαμε επίσης στο Αρχαιολογικό και στο Βυζαντινό Μουσείο.
- Έχετε πάει στις ταβέρνες;
- Ναι, πήγαμε χτες το βράδυ με μερικούς φίλους και ήπιαμε ρετσίνα. Ακούσαμε ελληνική μουσική στο μπουζούκι. Είδαμε μερικούς να χορεύουν τον χορό του Ζορμπά και ενθουσιαστήκαμε.
- Πού σκοπεύετε να πάτε αύριο;
- Αύριο σκοπεύουμε να πάμε στην Αίγινα. Θα πάρουμε το καράβι από τον Πειραιά.
- Θα θέλατε να έρθετε στο σπίτι μου να γνωρίσετε και την

357

οικογένειά μου;
- Ναι, θα χαρούμε πολύ, έτσι θα μπορέσω να εξασκηθώ με τα Ελληνικά μου.
- Πολύ καλά, ελάτε την Πέμπτη το βράδυ στις οκτώ. Μένουμε στην Οδό Καλλικράτη αριθμός 10.
- Ευχαριστώ πολύ. Χάρηκα πολύ που γνωριστήκαμε.
- Και εγώ επίσης. Γεια σας.
- Γεια σας. Θα σας δούμε την Πέμπτη.

EXERCISE 29
Write about 80-100 words:
Οι διακοπές μου – My holidays

Η Ακρόπολη με τον Παρθενώνα.

ΔΕΚΑΤΟ ΠΕΜΠΤΟ ΜΑΘΗΜΑ
Ο ΠΕΙΡΑΙΑΣ = PIRAEUS

η τύχη = fate, fortune
διασχίζω = I traverse, cut across
φορτώνω = I load
ξεφορτώνω = I unload
το εμπόρευμα = merchandise, cargo
η συνοικία = district
τραβώ = I pull, I head for
το υπερωκεάνιο = ship liner
ήδη = already
το εμπορικό πλοίο = cargo ship

το ατσάλι = steel
αράζω = berth, moor
αραγμένος = moored, berthed
ο γερανός = crane
το ταμείο = ticket office
ο εργάτης = worker
η αποθήκη = warehouse
το εργοστάσιο = factory
η καπνοδόχος = chimney
η βιομηχανία = industry
η ξενιτιά = abroad

Σήμερα είναι Πέμπτη. Πέρασαν ήδη τρεις μέρες από τότε που έφτασαν οι Άγγλοι φίλοι του κ. Σωκράτη. Σήμερα θέλουν να επισκεφτούνε τον Πειραιά. Θέλουν να πάνε μόνοι γιατί θέλουν να μάθουν τους δρόμους. Παίρνουν το λεωφορείο και πάνε στην πλατεία της Ομόνοιας. Εκεί κατεβαίνουν στο υπόγειο μαζί με εκατοντάδες άλλους ανθρώπους, που άλλοι πάνε για να ψωνίσουν από τα υπόγεια καταστήματα και άλλοι για να πάρουν τον υπόγειο ηλεκτρικό σιδηρόδρομο (το μετρό) και να πάνε στα σπίτια τους ή στις δουλειές τους.

Ο κ. Ροβέρτος πηγαίνει στο "Ταμείο" και λέει: "Τέσσερα εισιτήρια για τον Πειραιά, παρακαλώ". Μετά μπαίνουν στο τρένο και σε λίγο φτάνουν.

Ο Πειραιάς είναι το μεγαλύτερο λιμάνι της Ελλάδας. Εδώ κάθε μέρα φτάνουν πολλά πλοία από άλλα λιμάνια. Μεγάλα υπερωκεάνια και πολλά εμπορικά πλοία είναι αραγμένα εκεί. Τεράστιοι ατσαλένιοι γερανοί και χιλιάδες εργάτες φορτώνουν και ξεφορτώνουν τα εμπορεύματα. Κοντά στο λιμάνι υπάρχουν μεγάλες αποθήκες εμπορευμάτων και από εκεί ξεκινούν οι σιδηρόδρομοι, που διασχίζουν όλη την Ελλάδα. Κοντά στο λιμάνι είναι μαζεμένος πολύς κόσμος. Πολλοί φεύγουν για τα νησιά. Άλλοι πάνε στην Κρήτη, στη Ρόδο και άλλοι για τις Κυκλάδες και τα νησιά του Σαρωνικού. Πέρα από το λιμάνι υψώνονται οι καπνοδόχοι πολλών μικρών και μεγάλων εργοστασίων. Σ' αυτά εργάζονται χιλιάδες εργάτες και πολλοί μηχανικοί και παράγονται πολλά βιομηχανικά προϊόντα. Ο Πειραιάς είναι το μεγαλύτερο βιομηχανικό κέντρο της Ελλάδας.

Μια όμορφη συνοικία του Πειραιά είναι η Καστέλα γύρω από το Μικρολίμανο. Εδώ σταμάτησε η οικογένεια του κ. Ροβέρτου για να γευματίσει.

Εκεί, σε μια ταβέρνα φάγανε φρέσκο ψάρι με πατάτες, κεφτέδες και μια πλούσια χωριάτικη σαλάτα. Μετά φάγανε καρπούζι και πεπόνι. Ήπιαν επίσης ένα μπουκάλι παγωμένη ρετσίνα και αναψυκτικά.

Το απόγευμα τράβηξαν στα νοτιοανατολικά του Πειραιά. Είδαν τις συνοικίες Παλαιό και Νέο Φάληρο, Καλαμάκι, Άλιμος, Ελληνικό, όπου βρίσκεται το μεγάλο αεροδρόμιο, Γλυφάδα, Βούλα και τελικά σταμάτησαν στη Βουλιαγμένη για να κάνουνε κολύμπι.

EXERCISE 30
Απαντήστε τις ερωτήσεις:

1. Πώς ταξίδεψαν από την Ομόνοια στον Πειραιά;
2. Τι είδαν στον υπόγειο της Ομόνοιας;
3. Γιατί πήγε ο κ. Ροβέρτος στο Ταμείο;
4. Τι είδαν όταν έφτασαν στο λιμάνι;
5. Γιατί ήταν μαζεμένος πολύς κόσμος;
6. Πού δουλεύουν οι εργάτες;

7. Πού σταμάτησε η οικογένεια για το γεύμα της;
8. Τι φάγανε και τι ήπιανε;
9. Πού πήγανε μετά το φαγητό τους;
10. Πού πήγαν για κολύμπι;

EXERCISE 31
Write about 80-100 words:
Ένας ελληνικός γάμος – A Greek wedding

ΣΥΝΔΙΑΛΕΞΗ – ΣΤΟ ΕΣΤΙΑΤΟΡΙΟ
CONVERSATION – AT THE RESTAURANT

- Τον κατάλογο, σας παρακαλώ.

- Ορίστε, τι θα πάρετε;

- Τι έχετε σήμερα;

- Σήμερα έχουμε ωραιότατο αρνί ψητό, έχουμε επίσης φρέσκα ψάρια. Έχουμε φρέσκο μπαρμπούνι, αν σας αρέσει. Θέλετε να πιείτε κάτι πριν αρχίσετε;

- Ναι, φέρτε μας ένα μπουκάλι παγωμένη ρετσίνα.

- Αποφασίσατε τι θα πάρετε;

- Εγώ θα πάρω αρνί ψητό, η Μαρία προτιμά ψάρι μπαρμπούνι και ο Χριστόφορος προτιμά σουβλάκια και πατάτες τηγανητές.

- Μήπως θέλετε τίποτε άλλο να σας φέρω;

- Ναι, μια χωριάτικη σαλάτα.

- Ορίστε, τα φαγητά σας. Τι φρούτα προτιμάτε να πάρετε.

- Να μας φέρετε ροδάκινα, πεπόνι, και καρπούζι.

- Ορίστε τα φαγητά σας. Καλή όρεξη.

- Το λογαριασμό παρακαλώ.

- Ο λογαριασμός σας είναι 55 ευρώ.

- Ορίστε 60 ευρώ. Κρατήστε τα ρέστα.

- Ευχαριστώ πολύ.

EXERCISE 32
Write about 80-100 words:
A short conversation between a waiter and a customer.
Στο εστιατόριο / στην ταβέρνα.

Το λιμάνι του Πειραιά

ΔΕΚΑΤΟ ΕΚΤΟ ΜΑΘΗΜΑ
ΣΤΗΝ ΠΕΛΟΠΟΝΝΗΣΟ = IN PELOPONNESE

η γέφυρα = bridge
ενώνω = I join, unite
το κανάλι = canal
αποχωρίζω = I separate
κηρύσσω = I preach
η εκστρατεία = expedition
το εργαστήριο = workshop
υπόλοιπος, η, ο = remainder
η Αποκριά = last Sunday
before Lent
το καθετί = each thing
η βαλίτσα = suitcase

(ε)νοικιάζω = I hire
ίσιος, α, ο = sraight
τεχνητός, η, ο = artificial
η βιοτεχνία = handicraft
η παρέλαση = parade
το καρναβάλι = carnival
ο πολιούχος = patron saint
ο ισθμός = canal, isthmus
η Στερεά Ελλάδα = Central
Greece
ο, η υπάλληλος = clerk
ο αχθοφόρος = porter

Την επομένη μέρα ο κ. Ροβέρτος ενοικίασε ένα αυτοκίνητο. Το Σάββατο το πρωί οι δύο οικογένειες ξεκίνησαν με τα αυτοκίνητά τους για να πάνε στην Επίδαυρο. Ήθελαν να δουν μια αρχαία τραγωδία στο θέατρο της Επιδαύρου. Θα παρουσιαζόταν η "Αντιγόνη" του Σοφοκλή.

Ύστερα από λίγη ώρα ταξίδι έφτασαν στην Κόρινθο. Κάθισαν σε ένα κέντρο (καφετέρια) κοντά στον Ισθμό της Κορίνθου για να πιούνε κάτι. Ο κ. Σωκράτης τους μίλησε για την Πελοπόννησο. Τους είπε ότι πήρε το όνομά της από το μυθικό βασιλιά Πέλοπα και ότι λέγεται και Μοριάς.

Όταν τελείωσαν τα αναψυκτικά τους, στάθηκαν στη γέφυρα του Ισθμού της Κορίνθου που ένωνε άλλοτε την Πελοπόννησο με την Στερεά Ελλάδα. Το 1893 στο πιο στενό μέρος του Ισθμού ανοίχτηκε ένα τεράστιο κανάλι και έτσι η Πελοπόννησος αποχωρίστηκε από την υπόλοιπη Ελλάδα.

Επισκέφτηκαν ύστερα την αρχαία Κόρινθο και τη νέα πόλη της Κορίνθου που έχει 45.000 κατοίκους. Είδαν τον επιβλητικό

363

ναό του Αγίου Παύλου γιατί όπως ξέρουμε ο Άγιος Παύλος πήγε εκεί να κηρύξει το χριστιανισμό. Μετά ξεκίνησαν για το Άργος που ήταν για πολλά χρόνια κέντρο του Μυκηναϊκού πολιτισμού. Λίγο πιο πέρα από την πόλη βρίσκονται οι Μυκήνες όπου κάποτε βασίλευε ο Αγαμέμνονας ο αρχηγός της εκστρατείας στην Τροία για να φέρει πίσω την "Ωραία Ελένη". Το Άργος σήμερα είναι μια πόλη με 35.000 κατοίκους. Στο Άργος σταμάτησαν για να φάνε. Το απόγευμα ξεκίνησαν για το Ναύπλιο που για λίγα χρόνια ήταν πρωτεύουσα της Ελλάδας (1821). Όταν ο ήλιος πήγαινε να βασιλέψει έφτασαν στην Επίδαυρο. Εκεί ήταν εκατοντάδες αυτοκίνητα και πολύς κόσμος. Πιο πέρα βρίσκεται και το αρχαίο θέατρο της Επιδαύρου.

Το βράδυ παρακολούθησαν την τραγωδία και μετά επέστρεψαν στην Κόρινθο όπου έμεινε τη νύχτα η οικογένεια του κ. Ροβέρτου ενώ ο κ. Σωκράτης γύρισε με την οικογένειά του στην Αθήνα.

Το άλλο πρωί η οικογένεια Ροβέρτου ξεκίνησε από την Κόρινθο για να πάει στην Πάτρα. Πέρασαν από το Ξυλόκαστρο, το Αίγιο και έφτασαν στην Πάτρα. Η Πάτρα είναι ωραία πόλη με ίσιους δρόμους και μεγάλες πλατείες. Εδώ στην Πάτρα γεννήθηκε ο μεγάλος ποιητής Κωστής Παλαμάς. Το συγχρονισμένο τεχνητό λιμάνι της Πάτρας έχει μεγάλη κίνηση. Στο κέντρο της πόλης υπάρχουν μεγάλα και ωραία καταστήματα και πολλά εργαστήρια βιοτεχνίας. Πολιούχος άγιος της Πάτρας είναι ο Άγιος Ανδρέας.

Κάθε χρόνο την Άνοιξη, τις Αποκριές στην Πάτρα οργανώνεται μεγάλη παρέλαση καρναβαλιού. Τότε συγκεντρώνονται εκεί χιλιάδες επισκέπτες απ' όλα τα μέρη της Ελλάδας.

Την επόμενη μέρα ξεκίνησαν για την αρχαία Ολυμπία και μετά κατέβηκαν κάτω στην Σπάρτη και στο Μιστρά. Ο κ. Ροβέρτος που ήξερε την ελληνική ιστορία εξηγούσε στην οικογένειά του για το καθετί που έβλεπαν.

EXERCISE 33

Απαντήστε τις ερωτήσεις:

1. Γιατί πήγαν οι δυο οικογένειες στην Επίδαυρο;
2. Πού σταμάτησαν για να πιούνε κάτι;
3. Πότε ανοίχτηκε ο Ισθμός της Κορίνθου;
4. Ποιος ήταν ο Αγαμέμνονας;
5. Πού σταμάτησαν για να φάνε;
6. Τι είδαν όταν έφτασαν στην Επίδαυρο;
7. Ποιος Έλληνας ποιητής γεννήθηκε στην Πάτρα;
8. Τι γίνεται στην Πάτρα κάθε χρόνο την Άνοιξη;
9. Πού πήγε η οικογένεια μετά από την Πάτρα;
10. Τι εξηγούσε ο κ. Ροβέρτος στην οικογένεια;

EXERCISE 34
Write about 80-100 words:
Ένα πρόγραμμα στην τηλεόραση που μου άρεσε.

ΣΥΝΔΙΑΛΕΞΗ – ΣΤΟ ΞΕΝΟΔΟΧΕΙΟ
CONVERSATION – AT THE HOTEL

Υπάλληλος: Καλημέρα σας κύριε, μπορώ να σας εξυπηρετήσω;
Σμιθ: Καλημέρα σας. Ενδιαφέρομαι να κρατήσω δύο δωμάτια για μια βδομάδα.
- Τι δωμάτια θέλετε, δίκλινα ή μονόκλινα;
- Θα ήθελα ένα δίκλινο για μένα και τη γυναίκα μου και ένα δίκλινο για τα δύο παιδιά μας.
- Πολύ ωραία. Στον δεύτερο όροφο έχουμε διαθέσιμα (ελεύθερα) δύο δίκλινα δωμάτια.
- Πόσο θα κοστίσουν τα δύο δωμάτια μαζί;
- Είναι 100 ευρώ την ημέρα το καθένα. Δηλαδή 200 ευρώ και τα δύο.
- Η τιμή περιλαμβάνει και το πρόγευμα;

- Όχι, δυστυχώς. Αν θέλετε, μπορείτε να πληρώσετε 15 ευρώ για το κάθε άτομο.
- Εντάξει. Θα έχουμε και πρόγευμα. Θέλετε να σας πληρώσουμε τώρα ή στο τέλος;
- Μπορείτε να πληρώσετε στο τέλος της παραμονής σας. Απλά συμπληρώστε αυτό το δελτίο και αφήστε το διαβατήριό σας. Ο αχθοφόρος θα πάρει τις βαλίτσες σας πάνω στα δωμάτιά σας. Σας ευχόμαστε ευχάριστη διαμονή στο ξενοδοχείο μας.
-Ευχαριστώ, ευχαριστούμε.

EXERCISE 35
Write about 80-100 words.
Write a short conversation between a customer and the Receptionist at a hotel.

Η Πελοπόννησος

ΔΕΚΑΤΟ ΕΒΔΟΜΟ ΜΑΘΗΜΑ
ΣΤΗ ΘΕΣΣΑΛΟΝΙΚΗ = IN THESSALONIKI

ο γύρος = the round (tour)
η παραλία = sea-front
αποφασίζω = I decide
νοικιάζω = I hire, rent
η εθνική οδός = motorway
το Δημαρχείο = Town Hall
η επανάσταση = revolution
οδηγώ = I drive
εξαργυρώνω = I change
(money)

η βενζίνη = petrol
η κοιλάδα = valley
τα σύνορα = borders
ο πύργος = tower
η έκθεση = exhibition
το άγαλμα = statue
η κορυφή = peak, summit
ο ήρωας = hero
αποφεύγω = I avoid

Μετά το γύρο της Πελοποννήσου η οικογένεια Ροβέρτου ήθελε να πάει στη Θεσσαλονίκη. Έτσι λοιπόν αποφάσισαν να πάνε με το αυτοκίνητο που είχαν νοικιάσει για να δούνε και τα βόρεια μέρη της Ελλάδας. Ξεκίνησαν από την Αθήνα στις έξι το πρωί γιατί ο κ. Ροβέρτος δεν ήθελε να οδηγεί όταν κάνει ζέστη. Μπαίνουν στην εθνική οδό και σε λίγη ώρα φτάνουν κοντά στη Θήβα. Κάνουν ένα σύντομο σταθμό και μετά ξεκινάνε για τη Λαμία. Εκεί κοντά βρίσκεται και ένα ωραίο άγαλμα του Αθανάσιου Διάκου ήρωα της επανάστασης του 1821. Συνεχίζουν και φτάνουν στο Βόλο. Εκεί σταματάνε για να φάνε, να ξεκουραστούν λίγο και να βάλουνε και βενζίνα στο αυτοκίνητο. Στο Βόλο έμειναν για δύο ώρες μέχρι να γίνει δροσερό το απόγευμα. Μετά συνέχισαν το ταξίδι.

Περνάνε από τη Λάρισα και την κοιλάδα των Τεμπών που είναι ένας μαγευτικός τόπος. Πάνω από την κοιλάδα των Τεμπών, στα σύνορα Θεσσαλίας και Μακεδονίας, υψώνονται οι κορυφές του Ολύμπου. Εδώ πίστευαν οι αρχαίοι Έλληνες, πως κατοικούσαν οι Θεοί. Η Θεσσαλία είναι μια απέραντη πεδιάδα. Σε λίγο φτάνουν στην Κατερίνη που βρίσκεται στη Μακεδονία. Η Μακεδονία είναι η πατρίδα του Μεγάλου Αλεξάνδρου. Εκεί επίσης γεννήθηκε ο φιλόσοφος Αριστοτέλης. Έφτασαν επιτέλους στη Θεσσαλονίκη. Η Θεσσαλονίκη χτίστηκε το 315 π.Χ. από το βασιλιά της Μακεδονίας τον Κάσσανδρο και της έδωσε το όνομα της γυναίκας του Θεσσαλονίκης που ήταν αδελφή του Μεγάλου Αλεξάνδρου. Το πιο επιβλητικό σημείο της πόλης είναι ο Λευκός Πύργος. Κοντά στον Πύργο είναι το Θέατρο, ο Δημοτικός Κήπος, το Αρχαιολογικό Μουσείο και ο χώρος της Διεθνούς Έκθεσης Θεσσαλονίκης. Στη Θεσσαλονίκη γεννήθηκε, έζησε και μαρτύρησε ο Άγιος Δημήτριος. Στη θέση όπου μαρτύρησε υψώνεται ο μεγαλοπρεπής ναός του Αγίου Δημητρίου. Εκεί επίσης υπάρχει το ωραίο πανεπιστήμιο της Θεσσαλονίκης. Το 863 οι αδελφοί Μεθόδιος και Κύριλλος διέδωσαν το χριστιανισμό στους Σλάβους και εφεύραν τη σλαβική γραφή.

Στο κέντρο της πόλης βρίσκεται η αγορά με μεγάλα και ωραία καταστήματα, το Δημαρχείο, οι τράπεζες και πολλά μεγάλα ξενοδοχεία. Κεντρικοί δρόμοι της Θεσσαλονίκης είναι η οδός Μεγάλου Αλεξάνδρου, η οδός Αριστοτέλη και η Εγνατία οδός.

Η Θεσσαλονίκη είναι το δεύτερο μεγαλύτερο λιμάνι της Ελλάδας. Κοντά στο Λευκό Πύργο, στην παραλία βρίσκονται πολλά εστιατόρια, καφενεία και κέντρα όπου κάθονται απέξω πολλοί πίνοντας το ουζάκι τους.

EXERCISE 36
Απαντήστε τις ερωτήσεις:

1. Γιατί ξεκίνησαν για τη Θεσσαλονίκη πολύ πρωί;
2. Ποιος ήταν ο πρώτος τους σταθμός;
3. Πόσες ώρες έμειναν στο Βόλο;

4. Τι είναι τα Τέμπη;
5. Ποιους μεγάλους άντρες έβγαλε η Μακεδονία;
6. Ποιος έχτισε τη Θεσσαλονίκη και πότε;
7. Από πού πήρε το όνομά της η Θεσσαλονίκη;
8. Ποιος άγιος έζησε στη Θεσσαλονίκη;
9. Ποια αξιοθέατα μπορούμε να δούμε εκεί;
10. Τι μπορούμε να δούμε στην παραλία;

EXERCISE 37
Write about 80-100 words
Μια επίσκεψη που έκανα.

ΣΥΝΔΙΑΛΕΞΗ – ΣΤΗΝ ΤΡΑΠΕΖΑ
CONVERSATION – AT THE BANK

- Καλημέρα κυρία Γκόρτον, πού πάτε πρωί-πρωί;
- Καλημέρα κ. Χρίστο. Πάω στην τράπεζα.
- Σε ποια τράπεζα πάτε;
- Θα πάω στην πιο κοντινή, γιατί θέλω να αλλάξω / εξαργυρώσω μια επιταγή και μερικά δολάρια.
- Η Εθνική Τράπεζα της Ελλάδας είναι στον επόμενο δρόμο, στα δεξιά.
- Ευχαριστώ, θα πάω εκεί. (Στην Τράπεζα).
Υπάλληλος: Καλημέρα σας κυρία. Πώς μπορώ να σας εξυπηρετήσω;
- Θα ήθελα να εξαργυρώσω μια ταξιδιωτική επιταγή, παρακαλώ.
- Μπορείτε να την εξαργυρώσετε εδώ.
- Πόσα ευρώ πάει η λίρα Αγγλίας σήμερα; Πόσο πάει το Αμερικανικό δολάριο;
- Το Αμερικανικό δολάριο έχει 1 ευρώ και η Αγγλική λίρα έχει τώρα 1,55 ευρώ. Πόσες λίρες και πόσα δολάρια θέλετε να αλλάξετε;

- Η επιταγή είναι για 400 λίρες. Έχω και 500 δολάρια.
- Το διαβατήριό σας παρακαλώ.
- Ορίστε η επιταγή, τα δολάρια και το διαβατήριό μου.
- Πρέπει να υπογράψετε εδώ παρακαλώ. Πηγαίνετε τώρα στο ταμείο να πάρετε τα λεφτά σας.
- Πού είναι το ταμείο;
- Πιο κάτω στα αριστερά.
- Σας ευχαριστώ, χαίρετε.

EXERCISE 38
Write about 80-100 words:
Το καλοκαίρι – Summer

Ο Λευκός Πύργος

ΔΕΚΑΤΟ ΟΓΔΟΟ ΜΑΘΗΜΑ
ΣΤΗΝ ΚΡΗΤΗ = IN CRETE

η βιοτεχνία = handicraft
η αλληλογραφία = correspondence
αποχαιρετώ = I say goodbye
η διευθέτηση = arrangement
η μοίρα = fate, destiny
η γενέτειρα = birthplace
υψώνω = I raise
η αναγέννηση = renaissance
ο πολιτικός = statesman

ο συγγραφέας = author
ο ναυτικός = seaman
ανατρέφω = I bring up
ο αγρότης = farmer
το εμπόριο = commerce, trade
τα ερείπια = ruins
υπόσχομαι = I promise
τακτικός, η, ο = regular
διάσημος, η, ο = famous

Οι Άγγλοι επισκέπτες έμειναν στην Ελλάδα για τρεις βδομάδες. Είδαν σχεδόν όλη την Ελλάδα. Έμειναν κατενθουσιασμένοι από ό,τι είδαν και από όπου πήγαν. Ήρθε όμως ο καιρός να γυρίσουν στο Λονδίνο. Τα παιδιά φίλεψαν πολύ και υποσχέθηκαν ότι θα έχουν τακτική αλληλογραφία. Πήγαν στο αεροδρόμιο και αποχαιρέτησαν τους φίλους τους που τους υποσχέθηκαν ότι θα ξαναγυρίσουν του χρόνου. Τους κάλεσαν και αυτοί να επισκεφτούν το Λονδίνο.

Στο μεταξύ, ο κ. Σωκράτης είχε κάνει διευθετήσεις για να πάει με την οικογένειά του στην Κρήτη και στην Κύπρο για λίγες μέρες. Τα παιδιά αγωνιούσαν να δούνε αυτά τα δύο μεγάλα νησιά, που είχανε κοινή ιστορία και την ίδια μοίρα. Τη Δευτέρα πήγαν στο αεροδρόμιο και πήραν το αεροπλάνο για το Ηράκλειο. Στην Κρήτη ζουν σήμερα 500,000 άνθρωποι. Οι πιο πολλοί είναι αγρότες. Άλλοι είναι ψαράδες και ναυτικοί και άλλοι ασχολούνται με το εμπόριο, τη βιοτεχνία, ή δουλεύουν στα εργοστάσια του νησιού.

Στην Κρήτη υψώνονται τα βουνά: τα Λευκά όρη, ο Ψηλορείτης (ή ΄Ιδη) όπου ανατράφηκε ο Δίας, η Δίκτη και τα βουνά της Σητείας. Το Ηράκλειο είναι η πιο μεγάλη πόλη της Κρήτης με 145,000 κατοίκους. Το Ηράκλειο παλαιότερα λεγόταν Χάνδακας και από τους Τούρκους λεγόταν Κάστρο.

Κοντά στο Ηράκλειο βρίσκονται τα ερείπια της Κνωσού. Εδώ, στα πανάρχαια χρόνια, ήταν το παλάτι του βασιλιά Μίνωα και στο λαβύρινθο βρισκόταν ο Μινώταυρος που τελικά τον σκότωσε ο Θησέας.

Η δεύτερη μεγαλύτερη πόλη της Κρήτης είναι τα Χανιά με κάπου 85,000 κατοίκους. Άλλες πόλεις είναι ο Άγιος Νικόλαος, η Σητεία η γενέτειρα του ποιητή Βιτσέντζου Κορνάρου, η Ιεράπετρα, το Ρέθυμνο κ.α.

Στην Κρήτη γεννήθηκε ο διάσημος ζωγράφος της Αναγέννησης ο Δομίνικος Θεοτοκόπουλος, γνωστός σ' όλο τον κόσμο σαν Ελ Γκρέκο, ο μεγάλος έλληνας πολιτικός Ελευθέριος Βενιζέλος (1864-1936) και ο συγγραφέας Νίκος Καζαντζάκης (1883-1957) που έγραψε τον "Αλέξη Ζορμπά". Στην Κρήτη η οικογένεια Σωκράτη έμεινε μια βδομάδα.

Ελευθέριος Βενιζέλος
1864 - 1936

Νίκος Καζαντζάκης
1883 - 1957

EXERCISE 39

Απαντήστε τις ερωτήσεις:
1. Πόσο καιρό έκαναν οι Άγγλοι στην Ελλάδα;
2. Πώς ταξίδεψε η οικογένεια στην Κρήτη;
3. Με τι δουλειές ασχολούνται οι Κρητικοί;
4. Ποια βουνά υπάρχουν στην Κρήτη;
5. Τι υπάρχει στην Κνωσό;
6. Ποιες πόλεις έχει η Κρήτη;
7. Ποιος Κρητικός ήταν μεγάλος πολιτικός;
8. Ποιος έγραψε το βιβλίο "Ο Ζορμπάς";
9. Πόσος είναι ο πληθυσμός της Κρήτης;
10. Ποιος ποιητής γεννήθηκε στη Σητεία;

EXERCISE 40

Write about 80-100 words
Μια επίσκεψη σε ένα νησί

ΣΥΝΔΙΑΛΕΞΗ – ΣΤΟ ΠΕΡΙΠΤΕΡΟ
CONVERSATION – AT THE KIOSK

-Έχετε αγγλικές εφημερίδες και περιοδικά;

-Μάλιστα, στο περίπτερό μας έχουμε ό,τι θέλετε, ελληνικές και ξένες εφημερίδες, περιοδικά, κάρτες.

-Δώστε μου την εφημερίδα Observer. Μήπως έχετε και αγγλικά περιοδικά;

-Μάλιστα, ποιο περιοδικό θέλετε;

-Δώστε μου το περιοδικό Economist. Επίσης δέκα κάρτες από διάφορα μέρη της Ελλάδας.

-Ορίστε.

-Πόσο κάνουν;

-Όλα μαζί κάνουν 9,50 ευρώ. Θέλετε να διαβάσετε και ένα ελληνικό περιοδικό;

-Ναι, δώστε μου το περιοδικό "Ιστορία" και μια ελληνική εφημερίδα, τα "Νέα".

-Ορίστε, όλα μαζί 12,50 ευρώ.

-Έχετε ρέστα από ένα 200 ευρώ, δεν έχω ψιλά.

-Μάλιστα, ορίστε τα ρέστα σας.

-Ευχαριστώ, γεια σας.

-Γεια σας.

EXERCISE 41

Write about 80-100 words
Σε ένα περίπτερο.

ΔΕΚΑΤΟ ΕΝΑΤΟ ΜΑΘΗΜΑ
ΣΤΗΝ ΚΥΠΡΟ = IN CYPRUS

η εισβολή = invasion
εισβάλλω = to invade
πολυβασανισμένος = long suffering
αράζω = to berth
ο μεσαίωνας = Middle ages
το τμήμα = part, section
η αυτοκρατορία = empire
κουρσεύω = conquer, pillage
αυθόρμητος, η, ο = spontaneous
κατακτώ = to occupy
η κοινότητα = community
ο καταυλισμός = camp

κηρύσσω = I preach
αλματώδης = remarkable
ο πρόσφυγας = refugee
η Δημοκρατία = Republic
η συμφορά = calamity
το πραξικόπημα = coup
το βιοτικό επίπεδο = standard of living
διώχνω = I expel
η συνθήκη = condition
ο Βενετσιάνος = Venetian
το επιχείρημα = pretext, excuse

Από την Κρήτη η οικογένεια του κ. Σωκράτη ξεκίνησε με πλοίο για να πάνε στην Κύπρο. Όλοι αγωνιούσαν να δούνε το πολυβασανισμένο νησί της Αφροδίτης. Το επόμενο πρωινό το πλοίο άραξε στο λιμάνι της Λεμεσού.

Η Κύπρος όπως και η Κρήτη έχει μεγάλη ιστορία. Την πήραν οι Ασσύριοι, οι Αιγύπτιοι, οι Πέρσες, οι Ρωμαίοι. Το μεσαίωνα αποτελούσε τμήμα της Βυζαντινής αυτοκρατορίας. Το 1192 την πήραν οι Φράγκοι και την κράτησαν ως το 1489 που την κυβέρνησαν οι Βενετσιάνοι ως το 1571. Εκείνη τη χρονιά την κούρσεψαν οι Τούρκοι όπως είχαν κουρσέψει και την υπόλοιπη Ελλάδα νωρίτερα. Το 1878 το νησί έπεσε στα χέρια των Άγγλων που το κράτησαν ως το 1960 οπότε έγινε η Κύπρος ανεξάρτητη δημοκρατία.

Σ' όλη την ιστορία της, η Κύπρος είχε πολλές συμφορές. Μα η πιο χειρότερη ήταν εκείνη του 1974. Οι Τούρκοι εισέβαλαν στην Κύπρο μετά το πραξικόπημα του Ιούλη. Χρησιμοποίησαν το επιχείρημα ότι κινδύνευε η τουρκική κοινότητα! Κατάχτησαν 40% της Κυπριακής γης διώχνοντας 200.000 Κυπρίους από τα σπίτια τους.

Οι όμορφες πόλεις της Αμμοχώστου, της Κερύνειας, της Μόρφου, βρίσκονται τώρα στην κατοχή των Τούρκων. Χιλιάδες πρόσφυγες ξεριζώθηκαν από τη γη τους και ζούνε τώρα σε δύσκολες συνθήκες στο νότιο μέρος. Ζούνε, όμως, με την ελπίδα του γυρισμού.

Η Κύπρος έχει πληθυσμό 780,000. Πρωτεύουσα είναι η Λευκωσία. Άλλες πόλεις είναι η Λεμεσός, η Λάρνακα και η Πάφος. Στην Πάφο, σύμφωνα με την παράδοση, γεννήθηκε η θεά της ομορφιάς, η Αφροδίτη.

Από το 1960-1974 η Κύπρος είχε κάνει αλματώδη ανάπτυξη. Ο τουρισμός και η οικονομία του νησιού καθώς και το βιοτικό επίπεδο είχαν αναπτυχθεί. Υπάρχουν αεροδρόμια στη Λάρνακα και στην Πάφο.

Ο Αρχιεπίσκοπος Μακάριος ήταν ο πρώτος Πρόεδρος της Κύπρου (1960 μέχρι το 1977). Η εκκλησία της Κύπρου είναι αυτόνομη από το Πατριαρχείο.

Από τότε που έγινε η εισβολή πέρασε πολύς καιρός και ακόμη το Κυπριακό πρόβλημα δε λύθηκε. Οι πρόσφυγες περιμένουν με αγωνία τη μέρα που θα γυρίσουν στην πατρική τους γη.

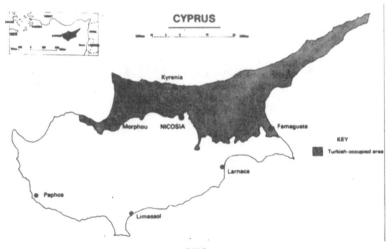

Στην Κύπρο υπάρχουν δύο οροσειρές: το Τρόοδος και ο Πενταδάκτυλος. Στο κέντρο και ανατολικά του νησιού είναι η εύφορη πεδιάδα της Μεσαορίας. Υπάρχουν τα ερείπια αρχαίων πόλεων στη Σαλαμίνα, στην Πάφο, στην Κερύνεια, στην Αμαθούντα, και αλλού. Το 45 μ.Χ. πήγαν στην Κύπρο οι απόστολοι Παύλος και Βαρνάβας για να κηρύξουν το Χριστιανισμό. Πολιούχος άγιος της Κύπρου είναι ο απόστολος Βαρνάβας.

Στην Κύπρο υπάρχουν πολλά μοναστήρια, όπως του Κύκκου, του Απ. Ανδρέα, του Σταυροβουνιού, της Παναγίας του Μαχαιρά, του Απ. Βαρνάβα, του Αγ. Νεοφύτου κ.α.

Η οικογένεια του κ. Σωκράτη ταξίδεψε σε όλη την ελεύθερη Κύπρο. Θαύμασε τις ομορφιές του νησιού, συγκινήθηκε από την αυθόρμητη φιλοξενία των κατοίκων και έκλαψε όταν είδε τους προσφυγικούς καταυλισμούς. Έκαναν πολλές φιλίες στην Κύπρο και όταν γύρισαν στην Ελλάδα έγραφαν τακτικά στους φίλους τους.

EXERCISE 42
Απαντήστε τις ερωτήσεις:

1. Σε ποιο λιμάνι έφτασε η οικογένεια Σωκράτη;
2. Ποιοι κυβερνούσαν την Κύπρο από το 1192 – 1489;
3. Πότε πήραν οι Άγγλοι την Κύπρο;
4. Πόσος είναι ο πληθυσμός της Κύπρου;
5. Πόσοι πρόσφυγες είναι και πού βρίσκονται τώρα;
6. Ποιες πόλεις βρίσκονται κάτω από τους Τούρκους;
7. Πού γεννήθηκε η θεά Αφροδίτη;
8. Τι αναπτύχθηκε στην Κύπρο τα τελευταία χρόνια;
9. Ποιος ήταν ο πρώτος Πρόεδρος της Κύπρου;
10. Ποιοι κήρυξαν το Χριστιανισμό;

EXERCISE 43

Write about 80-100 words:
Τι ξέρω για την Κύπρο.

Ο Δρ. Κύπρος Τοφαλλής με τον Πρόεδρο Μακάριο
στο Προεδρικό Μέγαρο, 1973.

ΕΙΚΟΣΤΟ ΜΑΘΗΜΑ
ΧΡΙΣΤΟΥΓΕΝΝΑ – ΠΡΩΤΟΧΡΟΝΙΑ – ΦΩΤΑ
CHRISTMAS – NEW YEAR – EPIPHANY

η παραμονή = eve
ψήνω = I bake
το ηλιοβασίλεμα = sunset
ο βοσκός = shepherd
βελάζω = I bleat
το αμύγδαλο = almond
η καμπάνα = church bell
η βασιλόπιτα = New Year cake
ο λόφος = hill
το σωματείο = club
το πεύκο = pine tree
ο αγιασμός = holy water
το κακό πνεύμα = evil spirit

το έλατο = fir tree
ο λουκουμάς = honey-ball
αλληλοεύχονται = wish each other
ασημένιος, α, ο = silvery
το νόμισμα = coin
ο καλικάντζαρος = goblin
το βαμβάκι = cotton
ραντίζω = I sprinkle
ψάλλω = I chant
νηστίσιμος, η, ο = lenten food
το χάραμα = dawn
η κλήρωση = the draw
τα Επιφάνια = Epiphany

Παραμονή Χριστουγέννων στο χωριό. Το σπίτι μοσχοβολά από καθαριότητα. Η οικογένεια κάνει τις προετοιμασίες για τη μεγάλη γιορτή. Ψήνουν τα κουλούρια στο φούρνο και η μυρωδιά ξαπλώνεται παντού σ' όλο το χωριό. Το αυτοκίνητο σε λίγο έρχεται απ' την πόλη με τον πατέρα φέρνοντας τα Χριστουγεννιάτικα ψώνια και δώρα, γιατί όλα τα παιδιά θέλουν να φορέσουν κάτι το καινούργιο.

Ηλιοβασιλέματα! Η καμπάνα του χωριού χτυπά, καλώντας τους απλοϊκούς χωριάτες στην εκκλησία ν' ακούσουν τη λειτουργία για τη Γέννηση του Χριστού! Την ίδια ώρα ο βοσκός κατεβαίνει το λόφο με τα πρόβατά του. Στην αγκαλιά του κρατεί ένα ολόλευκο αρνάκι που βελάζει.

Τα σχολεία έχουν κλείσει και τα παιδιά νιώθουν ευτυχισμένα γιατί έχουν τις τόσο όμορφες γιορτές να περάσουν.

Μερικά παιδιά παίζουν με αμύγδαλα, άλλα παίζουν ποδόσφαιρο, άλλα κάθονται και λένε ιστορίες, και άλλα βοηθάνε στο σπίτι.

Τα σωματεία είναι στολισμένα με τα Χριστουγεννιάτικα δέντρα – το πεύκο ή το έλατο – που είναι στολισμένα με πορτοκάλια, μπαλόνια, βαμβάκι, που μοιάζει με χιόνι και λογής λογής δώρα. Πολλά παιδιά γυρίζουνε τα σπίτια και τραγουδάνε τα Κάλαντα. Ένα παιδί κρατάει ένα καραβάκι και ένα άλλο ένα τρίγωνο κι αρχίζουν να τα λένε:
"Καλήν ημέραν άρχοντες κι αν είναι ο ορισμός σας
Χριστού τη θεία γέννηση να πω στ' αρχοντικό σας..."
Χριστούγεννα! Χαράματα χτυπά η καμπάνα και οι χωρικοί ξεκινάνε για την εκκλησία ν' ακούσουνε το "Η Γέννησή σου Χριστέ ο Θεός ημών..." να το ψάλλει ο γερο-ασπρομάλλης παπάς. Στα πρόσωπα όλων ζωγραφίζεται η χαρά. Σφίγγουν όλοι τα χέρια και αλληλοεύχονται "Χρόνια πολλά".

Πλησιάζει η Πρωτοχρονιά. Στο σπίτι οι ίδιες προετοιμασίες. Η μητέρα ψήνει τη Βασιλόπιτα και κρύβει μέσα το ασημένιο νόμισμα. Όποιος το βρει θα είναι ο τυχερός της χρονιάς. Στο χωριό όλοι ξαγρυπνούν, κάθονται γύρω στο τζάκι, λένε ιστορίες, παραμύθια, διηγούνται για τους καλικάντζαρους. Άλλοι παρακολουθούν γιορτάσιμα προγράμματα στην τηλεόραση και άλλοι παίζουν χαρτιά για να περάσει η ώρα. Όλοι αναμένουν τα μεσάνυχτα. Όλοι προσμένουν το Νέο Χρόνο με μεγάλη ανυπομονησία. Επιτέλους φτάνει! Αγκαλιάζονται όλοι και φιλιούνται. Όλοι εύχονται: Χρόνια Πολλά, Ευτυχισμένος και ειρηνικός νάναι ο Νέος Χρόνος. Μετά πάνε για ύπνο. Τα παιδιά περιμένουν τον Άη Βασίλη στον ύπνο τους να φέρει τα δώρα.

Πρωτοχρονιά! Το χωριό γιορτάζει. Τη χαρά τη βλέπεις παντού! Σε γέρους ασπρομάλληδες, γριές ως τα μικρά παιδάκια. Οι μικροί χαιρετούν τους μεγάλους ευχόμενοι "Χρόνια πολλά" και αναμένουν ένα πρωτοχρονιάτικο δωράκι – την "πουλουστρίνα" όπως τη λένε στην Κύπρο.

Στο σωματείο του χωριού γίνονται ομιλίες, απαγγέλλονται ποιήματα, παρουσιάζεται ένα σκετς και τέλος όλοι τραγουδούν το: "Αρχιμηνιά και Αρχιχρονιά, και Αρχικαλός μας Χρόνος... Άης Βασίλης έρχεται από την Καισαρεία ..." Τέλος γίνεται η κλήρωση. Πλούσια δώρα. Όλοι πρέπει να κερδίσουν κάτι αυτή τη μέρα της χαράς.

Στις 5 του Γενάρη στην Κύπρο είναι η παραμονή των "Φώτων" (τα Επιφάνια). Ο παπάς του χωριού μαζί με 2-3 παιδιά που βαστούνε το "συκλί" (μικρό κουβά) με τον αγιασμό γυρίζει όλα τα σπίτια. Βαστάει μια δέσμη από βασιλικό και ραντίζει όλα τα δωμάτια ψάλλοντας το "Εν Ιορδάνη Βαπτιζομένου σου Κύριε..." Μετά ευλογεί το τραπέζι με τα νηστίσιμα φαγητά. Πίνει λίγο κρασί από το κάθε σπίτι και παίρνει μια μπουκιά από κάτι. Η σπιτονοικοκυρά δίνει κάτι στον παπά καθώς και τις πατροπαράδοτες "γλισταρκές" (παξιμάδια με σουσάμι).

Την άλλη μέρα είναι η γιορτή των Φώτων (τα Επιφάνια). Όλοι παίρνουν αγιασμό από την εκκλησία. Με το ράντισμα του παπά στα σπίτια εξαφανίζονται και οι καλικάντζαροι (τα κακά πνεύματα) που υποτίθεται τριγυρνούν λίγες μέρες πριν τα Χριστούγεννα μέχρι τα Φώτα. Μερικές οικογένειες φτιάχνουν λουκουμάδες και ρίχνουν μερικούς στη στέγη του σπιτιού, για να φάνε και να φύγουν οι καλικάντζαροι!

EXERCISE 44
Απαντήστε τις ερωτήσεις:

1. Τι κάνουν την παραμονή των Χριστουγέννων;
2. Γιατί χτύπησε η καμπάνα το ηλιοβασίλεμα;
3. Πώς είναι στολισμένα τα σωματεία;
4. Τι είναι η βασιλόπιτα;
5. Τι κάνουν την παραμονή της πρωτοχρονιάς;
6. Τι γίνεται στο σωματείο του χωριού;
7. Τι εύχονται την πρωτοχρονιά;
8. Τι κάνει ο παπάς του χωριού στις 5 του Γενάρη;
9. Γιατί ραντίζουμε τα σπίτια με αγιασμό;
10. Τι φτιάχνουν οι οικογένειες τα Επιφάνια;

EXERCISE 45
Write about 80-100 words.
Τα Χριστούγεννα

ΧΡΟΝΙΑ ΠΟΛΛΑ

ΚΑΙ

ΕΥΤΥΧΙΣΜΕΝΑ

ΕΙΚΟΣΤΟ ΠΡΩΤΟ ΜΑΘΗΜΑ
ΣΤΟ ΧΩΡΙΟ =IN THE VILLAGE

βασιλεύω = reign, set
ο γεωργός = farmer
το βόδι = ox
το αλέτρι = plough
η φαντασία = imagination
η φλογέρα = flute
η φασολάδα = dish of beans
το τρακτέρ = tractor

το χωράφι = field
η κατάσταση = situation
το εξωτερικό = abroad
η βουνοπλαγιά = hill side
ο ίσκιος = the shade
η γαλήνη = peace, tranquility
αισθάνομαι = I feel
το ηλιοβασίλεμα = sunset

Η ζωή στο χωριό είναι πολύ όμορφη. Πρώτα απ' όλα εκεί βασιλεύει η ησυχία. Ο κόσμος δεν βιάζεται όπως στις πόλεις. Ο ένας ξέρει τον άλλο και ο ένας βοηθά τον άλλο στα χωράφια. Ας ζήσουμε και εμείς λίγες στιγμές με τη φαντασία μας.

Είναι χαράματα. Στα παλιά τα χρόνια, στις εφτά η ώρα η καμπάνα της εκκλησίας του χωριού χτυπούσε καλώντας τα παιδιά να ετοιμαστούν για το σχολείο. Οι φτωχοί γεωργοί με τα βόδια και το αλέτρι βρίσκονται ήδη στα χωράφια και άρχισαν το όργωμα. Άλλοι οι πιο πλούσιοι πάνε με τα τρακτέρ.

Στο σπίτι η οικογένεια κάνει τις δουλειές του σπιτιού: Πλένουν, μαγειρεύουν, σιδερώνουν.

Στο καφενείο του χωριού, έξω στην αυλή κάτω από ένα πεύκο βρίσκονται μερικά τραπέζια και λίγες καρέκλες. Εκεί κάθονται οι γέροι του χωριού πίνοντας το καφεδάκι τους. Μιλούν για τα περασμένα, μιλούν για τη σημερινή κατάσταση στον τόπο τους. Λένε πόσοι έφυγαν από το χωριό και πήγαν είτε στην πόλη είτε στο εξωτερικό για να βρουν δουλειά. Αισθάνονται ότι το χωριό τους όλο και μικραίνει.

Έξω από το χωριό κοντά στη βουνοπλαγιά βρίσκεται ο βοσκός με τα πρόβατά του. Κάθεται στον ίσκιο ενός δέντρου και τρώει ψωμί, ελιές και τυρί. Μετά παίρνει στα χέρια τη φλογέρα του και αρχίζει μερικούς εύθυμους σκοπούς.

Η ώρα περνάει. Είναι απόγευμα. Τα παιδιά επιστρέφουν στο σπίτι από το σχολείο. Ο ήλιος πάει να βασιλέψει. Ο γεωργός με τα κουρασμένα βόδια του επιστρέφει και αυτός στο σπιτικό του, τώρα που βασίλεψε ο ήλιος.

Στο σπίτι, το στρογγυλό τραπέζι είναι στρωμένο, έτοιμο με το φτωχικό φαγητό, λίγο ψωμί, ζεστή φασολάδα και κρεμμύδι, ελιές, χωριάτικη σαλάτα.

Βράδιασε. Στο καφενείο απόμειναν λίγοι άνθρωποι. Η νύχτα προχωράει. Στον ουρανό λάμπουν τα αστέρια.

Το χωριό κοιμάται. Η ειρήνη, η γαλήνη βασιλεύει παντού.

EXERCISE 46
Απαντήστε τις ερωτήσεις:

1. Γιατί είναι όμορφη η ζωή στο χωριό;
2. Γιατί χτυπούσε η καμπάνα της εκκλησίας;
3. Πού πηγαίνουν οι γεωργοί;
4. Ποιοι κάθονται στο καφενείο;
5. Τι κάνουν στο καφενείο;
6. Γιατί έφυγαν πολλοί από το χωριό και πού πήγαν;
7. Τι αισθάνονται οι γέροι;
8. Πού βρίσκεται ο βοσκός;
9. Πότε επιστρέφουν οι γεωργοί;
10. Τι τρώνε το βράδυ;

EXERCISE 47
Write about 80-100 words
Η ζωή στο χωριό

ΕΙΚΟΣΤΟ ΔΕΥΤΕΡΟ ΜΑΘΗΜΑ
ΤΟ ΠΑΣΧΑ = EASTER

ο αυλόγυρος = courtyard
το στεφάνι = wreath
η ανάσταση = resurrection
το ομοίωμα = image, effigy
η Κυριακή των Βαΐων = Palm Sunday
τα βάγια = palm branches
ο επιτάφιος = sepulchre
η σταύρωση = crucifixion
χαρμόσυνος, η, ο = joyful
η μαγειρίτσα = easter soup
το τσουρέκι = easter bun
η χλωμάδα = paleness

το έθιμο = custom
τα πάθη = sufferings, passion
η γριούλα = old woman
διοργανώνω = I organise
Χριστός ανέστη = Christ is risen
Αληθώς ανέστη = Truly he is risen
το σακούλι = sack, bag
η φλαγούνα = Cypriot Easter cake
το χρυσάνθεμο = chrysanthemum

Πλησιάζει το Πάσχα. Τα σχολεία έκλεισαν και τα παιδιά περιμένουν με αγωνία την Κυριακή του Πάσχα. Τα έθιμα στα χωριά είναι ιδιαίτερα όμορφα. Το Σάββατο του Αγίου Λαζάρου που είναι μια βδομάδα πριν το Πάσχα, σε πολλά χωριά τα παιδιά φτιάχνουν στεφάνια από κίτρινα χρυσάνθεμα (που συμβολίζουν τη χλωμάδα του νεκρού Λάζαρου) και γυρίζουν στα σπίτια όπου τραγουδούν για την ανάσταση του Λαζάρου. Μαζεύουν χρήματα ή αβγά τα οποία πουλούν και με τα λεφτά αυτά οργανώνουν μετά μια εκδρομή με το σχολείο τους.

Την άλλη μέρα είναι η Κυριακή των Βαΐων. Είναι δηλαδή η μέρα που μπήκε ο Χριστός στα Ιεροσόλυμα και ο κόσμος τον καλωσόριζε με βάγια. Οι γριούλες σε πολλά χωριά παίρνουν σακούλια με κλωνάρια ελιάς και τα αφήνουν για πενήντα μέρες στην εκκλησία, για να ευλογηθούν.

Η Μεγάλη Βδομάδα αρχίζει τη Δευτέρα. Στις εκκλησίες

σε πολλά χωριά οι εικόνες είναι καλυμμένες στα μαύρα γιατί αυτή τη βδομάδα αρχίζουν τα πάθη του Χριστού. Τη Μεγάλη Πέμπτη γίνεται η σταύρωση. Το πρωί της Μεγάλης Παρασκευής τα κορίτσια του χωριού μαζεύουν λουλούδια και το απόγευμα στολίζουν τον Επιτάφιο. Το βράδυ η καμπάνα χτυπά θλιμμένα και όλο το χωριό πηγαίνει να ακούσει τη λειτουργία της ταφής του Χριστού.

Το πρωί του Μεγάλου Σαββάτου τα αγόρια μαζεύουν ξύλα γιατί το βράδυ θα ανάψουν μια μεγάλη φωτιά. Πάνω στη φωτιά θα κάψουν το ομοίωμα του Ιούδα που πρόδωσε το Χριστό. Κατά τα μεσάνυχτα η καμπάνα χτυπά χαρμόσυνα καλώντας τους Χριστιανούς να γιορτάσουν την Ανάσταση. Στον αυλόγυρο της εκκλησίας υπάρχει μια μεγάλη φωτιά και όλα τα παιδιά είναι μαζεμένα εκεί. Η εκκλησία είναι ολόφωτη από τα κεριά. Σε λίγο ο παπάς ψάλλει το *"Χριστός ανέστη εκ νεκρών θανάτω θάνατον πατήσας και τοις εν τοις μνήμασι ζωήν χαρισάμενος"* και όλοι ψάλλουν μαζί του. Μετά εύχονται ο ένας στον άλλο: Χριστός ανέστη! Αληθώς ανέστη.

Την Κυριακή θα φάνε τη σούπα μαγειρίτσα και το ψητό αρνί στη σούβλα. Στο σπίτι η οικογένεια ετοίμασε τα κόκκινα αυγά, τα κουλούρια, τη σούπα, τα τσουρέκια που είναι γλυκά ψωμάκια (στην Ελλάδα) και τις φλαγούνες (στην Κύπρο). Το μεσημέρι θα μαζευτούν όλοι οι συγγενείς, οι φίλοι και θα φάνε όλοι μαζί σαν να είναι μια μεγάλη οικογένεια.

EXERCISE 48
Απαντήστε τις ερωτήσεις:

1. Τι κάνουν τα παιδιά το Σάββατο του Αγίου Λαζάρου;
2. Τι παίρνουν τα παιδιά από τα σπίτια;
3. Γιατί παίρνουν οι γριούλες φύλλα ελιάς στην εκκλησία;
4. Γιατί οι εικόνες είναι σκεπασμένες στα μαύρα;
5. Τι κάνουν τα κορίτσια την Μ. Παρασκευή;

6. Γιατί χτυπά λυπημένα η καμπάνα;
7. Τι κάνουν τα αγόρια το Μ. Σάββατο;
8. Τι ψάλλει ο παπάς το βράδυ του Μ. Σαββάτου;
9. Τι τρώνε στο χωριό την Κυριακή του Πάσχα;
10. Ποιοι άλλοι τρώνε μαζί με την οικογένεια;

EXERCISE 49
Write about 80-100 words
Το Πάσχα

Η εκκλησία και το ηρώο του Χατζηθεοδοσίου στους Στύλλους της Κύπρου.

ΕΙΚΟΣΤΟ ΤΡΙΤΟ ΜΑΘΗΜΑ
ΟΙ ΕΠΟΧΕΣ = THE SEASONS

ανθίζω = to blossom, bloom
η φύση = nature
γιορτάζω = I celebrate
η διαδήλωση = demonstration
κρεμάω = I hang
το θέρος = harvest
φτιάχνω = I make
το στεφάνι = garland, wreath

το πρωτοβρόχι = early autumn
rain
το όργωμα = ploughing
η βροχή = rain
το περιβάλλον = environment
τα σύννεφα = clouds
κυριαρχώ = I dominate
η παγωνιά = freezing cold

Υπάρχουν τέσσερις εποχές. Η άνοιξη, το καλοκαίρι, το φθινόπωρο και ο χειμώνας. Την άνοιξη τα δέντρα και τα λουλούδια ανθίζουν. Γιορτάζουμε την 25η Μαρτίου που είναι εθνική μέρα και το Πάσχα. Την Πρωτομαγιά οι εργάτες γιορτάζουν με διαδηλώσεις. Τα παιδιά στα χωριά μαζεύουν λουλούδια και φτιάχνουν στεφάνια τα οποία κρεμάνε στην είσοδο του σπιτιού.

Τον Ιούνιο αρχίζει το καλοκαίρι. Τα σχολεία κλείνουν και μερικά παιδιά πάνε στα χωράφια για να βοηθήσουν τους γονείς τους στο θέρος. Άλλα παιδιά πάνε στη θάλασσα ή στο βουνό για να περάσουν τους ζεστούς μήνες του καλοκαιριού. Υπάρχουν πολλά φρούτα: ροδάκινα, δαμάσκηνα, καρπούζια, πεπόνια, σταφύλια. Ο ουρανός είναι καταγάλανος.

Το Σεπτέμβριο αρχίζει το φθινόπωρο. Αρχίζουν να πέφτουν τα πρωτοβρόχια. Οι γεωργοί πάνε στα χωράφια και αρχίζουν το όργωμα. Άλλοι πάνε με τρακτέρ και οι φτωχότεροι πάνε με τα βόδια και το αλέτρι. Τα σχολεία ανοίγουν. Τα παιδιά επιστρέφουν στα θρανία τους και νοιώθουν χαρούμενα γιατί θα πάρουν καινούργια βιβλία και τετράδια. Ο ουρανός αρχίζει να συννεφιάζει. Γιορτάζουμε επίσης την 28η Οκτωβρίου τη μέρα του "ΟΧΙ".

Το Δεκέμβριο αρχίζει ο χειμώνας. Οι βροχές πέφτουν συχνά, ο αέρας γίνεται πιο δυνατός, και όλοι ντύνονται στα μάλλινα ρούχα γιατί κάνει παγωνιά. Τον ίδιο μήνα είναι τα Χριστούγεννα. Τα σχολεία θα κλείσουν για τις γιορτές και θα ανοίξουν πάλι το Γενάρη. Με το Μάρτιο αρχίζει πάλι η Άνοιξη. Το πράσινο θα κυριαρχήσει στον κάμπο. Στην Ελλάδα και στην Κύπρο πάντα νιώθουμε τις τέσσερις εποχές. Νιώθουμε τις αλλαγές που γίνονται στη φύση, στο περιβάλλον μας, και τις χαιρόμαστε όλες.

EXERCISE 50
Απαντήστε τις ερωτήσεις:

1. Πότε αρχίζει η άνοιξη;
2. Τι κάνουν την Πρωτομαγιά;
3. Πού πηγαίνουν τα παιδιά το καλοκαίρι;
4. Τι φρούτα έχουμε το καλοκαίρι;
5. Πότε πέφτουν τα πρωτοβρόχια;
6. Πού πηγαίνουν οι γεωργοί;
7. Πώς εργάζονται οι γεωργοί;
8. Ποιο μήνα αρχίζει ο χειμώνας;
9. Τι φορούμε το χειμώνα;
10. Γιατί κλείνουν τα σχολεία το Δεκέμβρη;

EXERCISE 51
Write about 80-100 words.
Η εποχή που μου αρέσει.

ΕΙΚΟΣΤΟ ΤΕΤΑΡΤΟ ΜΑΘΗΜΑ
ΕΛΛΗΝΙΚΟΙ ΧΟΡΟΙ ΚΑΙ ΤΡΑΓΟΥΔΙΑ
GREEK DANCES AND SONGS

ατομικισμός = individualism
αγροτικός, η, ο = rural
η πτώση = fall
υποτάσσω = I subjugate
το δημοτικό τραγούδι = folksong
επικρατώ = I prevail
εξελίσσω = I develop
η αυτοκρατορία = empire
το κλαρίνο = clarinet
το λαγούτο = lute
αντικριστός, η, ο = face to face
οθωμανικός, η, ο = Ottoman

ο ρεμπέτης = the dropout
η επίδραση = influence
η καντάδα = cantada, serenade
ο συρτός χορός = dragging dance
ο πηδηχτός = leaping dance
η προέλευση = origin
το δρεπάνι = sickle
το κόσκινο = sieve
τα Εφτάνησα = Ionian Islands

Ύστερα από την πτώση της Κωνσταντινούπολης στα 1453 η Ελλάδα είχε υποταχθεί και παράμεινε κάτω από την Οθωμανική αυτοκρατορία μέχρι το 1829. Η Κύπρος ήταν κι αυτή κάτω από τους Τούρκους από το 1571 μέχρι το 1878. Τα μόνα νησιά που έμειναν έξω από την Τουρκική αυτοκρατορία, ήταν τα Εφτάνησα. Αυτά κυβερνιόνταν από τους Ιταλούς και μετά από τους Άγγλους.

Τα δημοτικά μας τραγούδια δημιουργήθηκαν τον καιρό της Τουρκοκρατίας, και ήταν επίσης την ίδια ώρα χοροί. Διάφορες περιοχές της Ελλάδας με το πέρασμα του χρόνου χρησιμοποιούσαν διαφορετικά μουσικά όργανα και έτσι έδιναν ένα τοπικό χρώμα στη μουσική και στους χορούς. Στην Ήπειρο, για παράδειγμα, επικράτησε το κλαρίνο. Στα νησιά του Αιγαίου κυριαρχεί το βιολί, η λύρα και το σαντούρι. Στην Κρήτη η λύρα και το λαγούτο, στην Κύπρο το βιολί και το λαγούτο. Στα Εφτάνησα που ήταν κάτω από τους Ιταλούς επικράτησε η κιθάρα και την Ιταλική επίδραση την βλέπουμε στις καντάδες.

Βασικά υπάρχουν δύο είδη χορών: ο **συρτός** (που έχει αρχαία ελληνική προέλευση, όπως βλέπουμε σε αναπαραστάσεις στα αρχαία βάζα) και ο **πηδηχτός**. Ένα είδος πηδηχτού χορού είναι και ο **τσάμικος** που έχει την προέλευσή του στην Ήπειρο και ήταν αρχικά ένας στρατιωτικός χορός. Ένας άλλος πολύ γνωστός χορός είναι ο **Καλαματιανός**. Ο χορός της Σούστας εξελίχθηκε στη Ρόδο. Πολλοί χοροί, τα τραγούδια και η μουσική αντικαθρεφτίζουν την αγροτική ζωή του τόπου. Στην Κύπρο, για παράδειγμα, έχουμε το χορό του δρεπανιού, το χορό του κόσκινου, δηλαδή είναι χοροί που συνδέονται με αντικείμενα τα οποία χρησιμοποιούν οι αγρότες. Στους γάμους επίσης έχουμε το χορό του γαμήλιου κρεβατιού όπου ένας άντρας χορεύει στους ώμους του το κρεβάτι που θα πλαγιάσει το νιόπαντρο αντρόγυνο.

Μετά τη Μικρασιατική καταστροφή του 1922-23 κάπου ενάμισι εκατομμύριο πρόσφυγες εγκαταστάθηκαν στην Ελλάδα. Μαζί τους είχαν φέρει και το μπουζούκι, το όργανο που επικρατεί σήμερα σε όλη τη χώρα.

Ο **Ζεϊμπέκικος** χορός κατάγεται από τη Σμύρνη. Αρχικά ήταν πολεμικός χορός στη δυτική Τουρκία. Ο ζεϊμπέκικος χορός εκφράζει τον ατομικισμό του χορευτή, ο οποίος μπορεί να χορεύει πάνω σ' ένα τραπέζι ή δαγκάνοντας μια καρέκλα, ή ένα τραπέζι, ή να χορεύει μ' ένα γεμάτο μπουκάλι ή ποτήρι στο κεφάλι.

Ο **Χασάπικος** χορός είναι γνωστότερος σήμερα σαν το Συρτάκι και συνήθως χορεύεται από δύο ή τρία άτομα με τα χέρια στους ώμους.

Το **Τσιφτετέλι** είναι βασικά χορός της κοιλιάς. Ο **Καρσιλαμάς** (αντικριστός) χορεύεται από δύο άτομα το ένα αντίκρυ στο άλλο.

Έχουμε πολλούς τραγουδιστές και τραγούδια. Έλληνες τραγουδιστές που απόχτησαν μεγάλη φήμη είναι η Σοφία

Βέμπο, η Γιώτα Λύδια, ο Τώνης Μαρούδας και ο Νίκος Γούναρης. Ο Βασίλης Τσιτσάνης ήταν ερμηνευτής του ρεμπέτικου τραγουδιού. Οι ρεμπέτες ήταν πρόσφυγες που σύχναζαν στα καμπαρέ, μεθούσαν, έπαιρναν ναρκωτικά και τραγουδούσαν τέτοια τραγούδια που αντικαθρέφτιζαν τον πόθο και τον καημό τους, το κατάντημά τους. Ο Γρηγόρης Μπιθικότσης και η Μαρία Φαραντούρη ερμήνευσαν τραγούδια του Μίκη Θεοδωράκη. Άλλοι δημοφιλείς τραγουδιστές τα τελευταία είκοσι χρόνια ήταν ο Τόλης Βοσκόπουλος, ο Γιάννης Πάριος, η Μαρινέλλα, ο Στέλιος Καζαντζίδης, η Βίκη Μοσχολιού, ο Στράτος Διονυσίου, ο Κόκοτας και άλλοι. Οι πιο πρόσφατοι δημοφιλείς τραγουδιστές είναι ο Δημήτρης Μητροπάνος, ο Γιώργος Νταλάρας, η Κατερίνα Κούκα, η Άννα Βίσση, η Καίτη Γαρμπή, η Ελευθερία Αρβανιτάκη, η Χαρούλα Αλεξίου και άλλοι.

Συνθέτες που άφησαν όνομα είναι ο Μάνος Χατζηδάκις, ο Μίκης Θεοδωράκης, ο Σταύρος Ξαρχάκος, ο Γιάννης Μαρκόπουλος, ο Μάριος Τόκας και άλλοι.

EXERCISE 52
Write about 100 words
Η ελληνική μουσική

Μίκης Θεοδωράκης

Μάριος Τόκας και
Δημήτρης Μητροπάνος

Γρηγόρης Μπιθικότσης

Βασίλης Τσιτσάνης

Τόλης Βοσκόπουλος

Ελευθερία Αρβανιτάκη

Γιώργος Νταλάρας

Καίτη Γαρμπή

Στέλλα Γεωργιάδου

Άντζελα Δημητρίου

PART THREE

TOPICS FOR PREPARED TALK AND SHORT ESSAYS

The topics are given as examples only and students may add or substitute anything in order to reflect their own particular interests or circumstances.

1. Η Οικογένειά μου

Με λένε Νίκο / Μαρία και είμαι δεκαέξι χρονών. Οι γονείς μου είναι από την Κύπρο. Ο πατέρας μου λέγεται Σωκράτης και είναι από την Αμμόχωστο. Η μητέρα μου λέγεται Αθηνά και είναι από τη Λευκωσία. Έχω επίσης δύο αδέλφια. Ο αδελφός μου ο Πέτρος είναι δεκαοκτώ χρονών και η αδελφή μου η Δέσποινα είναι δεκατεσσάρων χρονών.

Ο πατέρας μου είναι μηχανικός. Εργάζεται σε ένα συνεργείο αυτοκινήτων. Η μητέρα μου εργάζεται σε ένα εργοστάσιο που φτιάχνουν φορέματα. Εγώ και τα αδέλφια μου είμαστε ακόμα στο σχολείο. Θέλουμε όλοι να σπουδάσουμε. Ο αδελφός μου θέλει να γίνει ηλεκτρολόγος. Η αδελφή μου θέλει να γίνει δασκάλα. Εγώ θέλω να γίνω γιατρός.

Η οικογένειά μου μένει στο Λονδίνο. Έχουμε ένα ωραίο σπίτι με μεγάλο κήπο. Μαζί μας μένει ο παππούς και η γιαγιά μας. Κάθε χρόνο πάμε στην Κύπρο ή στην Ελλάδα για τις διακοπές μας.

2. Το σπίτι μου

Το σπίτι μου είναι στο Λονδίνο. Έχει τρία υπνοδωμάτια, ένα σαλόνι, μία τραπεζαρία και μία μεγάλη κουζίνα. Έχει επίσης ένα λουτρό (μπάνιο) και μία τουαλέτα.

Στο σαλόνι υπάρχει μια έγχρωμη τηλεόραση, καναπέδες,

ένα βίντεο, ένα μικρό τραπεζάκι και μερικές καρέκλες. Στην τραπεζαρία υπάρχει ένα μεγάλο τραπέζι με δέκα καρέκλες. Στην κουζίνα υπάρχει ένα ψυγείο, ηλεκτρική κουζίνα, ντουλάπια και άλλα πράγματα. Το δικό μου υπνοδωμάτιο είναι ωραία στολισμένο. Έχω μια μικρή τηλεόραση, πολλά βιβλία, χάρτες της Ελλάδας και της Κύπρου, έναν ηλεκτρονικό υπολογιστή και ένα στερεοφωνικό συγκρότημα. Το σπίτι μου έχει επίσης ένα μεγάλο κήπο, γύρω στα τριάντα μέτρα. Έχουμε δύο μηλιές, μια αχλαδιά, μια κερασιά και πολλά λουλούδια. Το σπίτι μου είναι πολύ κοντά στα καταστήματα και στο σχολείο μου.

3. Οι καλύτεροί μου φίλοι

Οι καλύτεροί μου φίλοι είναι ο Παύλος και η Χριστίνα. Είμαστε στην ίδια τάξη στο σχολείο. Πάντα μιλάμε για τα μαθήματά μας και αν κάποιος από μας έχει κανένα πρόβλημα βοηθάμε ο ένας τον άλλο. Έχουμε επίσης την ίδια ηλικία, είμαστε όλοι δεκαπέντε χρονών.

Ο Παύλος είναι ψηλός με μαύρα μαλλιά και μάτια. Η Χριστίνα είναι ξανθή με γαλανά μάτια. Το Σάββατο το πρωί εγώ και ο Παύλος παίζουμε ποδόσφαιρο με την ομάδα του σχολείου μας.

Το Σάββατο το βράδυ ή την Κυριακή συναντιόμαστε όλοι κάποτε στο σπίτι μου, κάποτε στο σπίτι της Χριστίνας και κάποτε στο σπίτι του Παύλου και μιλάμε, ακούμε μουσική ή παίζουμε διάφορα παιχνίδια. Οι γονείς μας είναι όλοι φίλοι μεταξύ τους.

Ο Παύλος θέλει να σπουδάσει στο πανεπιστήμιο και η Χριστίνα θέλει να σπουδάσει γλώσσες. Εγώ δεν ξέρω ακόμα αλλά για να είμαι ειλικρινής με τραβάει πολύ το ποδόσφαιρο.

4. Οι διακοπές μου

Πέρυσι το καλοκαίρι πήγα με την οικογένειά μου στην Κέρκυρα. Φύγαμε στις αρχές του Αυγούστου. Το ταξίδι με το αεροπλάνο από το Λονδίνο κράτησε τρεις ώρες. Η Κέρκυρα είναι ένα πολύ όμορφο και καταπράσινο νησί. Στη πόλη της Κέρκυρας είναι ο ναός του Αγίου Σπυρίδωνα, υπάρχουν πολλά καταστήματα, παλαιά κτίρια, ένα φρούριο, ταβέρνες και ξενοδοχεία. Στα βόρεια του νησιού είναι η Παλαιοκαστρίτσα και στην κορυφή του βουνού υπάρχει ένα μοναστήρι. Ταξιδεύοντας προς το κέντρο και στα ανατολικά του νησιού ένας μπορεί να δει το γραφικό Ποντικονήσι και το εκκλησάκι Παναγία των Βλαχερνών. Επισκεφτήκαμε επίσης το Αχίλλειο Μουσείο που βρίσκεται σε ένα ψηλό λόφο και από εκεί η θέα ήταν απίθανη. Η Κέρκυρα είναι κατάφυτη από ελιές. Ο κόσμος είναι πολύ φιλικός. Επισκεφτήκαμε επίσης τα νότια του νησιού. Υπάρχουν ωραίες και καθαρές παραλίες. Στο ξενοδοχείο και στις ταβέρνες είδαμε πολλούς να χορεύουν ντυμένοι στις Κερκυραϊκές στολές.

5. Το σχολείο μου

Το σχολείο μου λέγεται Άγιος Παύλος και βρίσκεται κοντά στο σπίτι μου. Ο διευθυντής του σχολείου είναι ο κ. Χριστοδουλίδης. Το σχολείο αυτό είναι Γυμνάσιο και υπάρχουν τώρα γύρω στα οκτακόσια παιδιά. Διδάσκουν γύρω στους τριάντα πέντε καθηγητές.

Τα μαθήματα που κάνουμε είναι: Ελληνικά, Μαθηματικά, Αγγλικά, Ιστορία, Γεωγραφία, Βιολογία, Φυσική, Χημεία, Γυμναστική, Μουσική και Θρησκευτικά. Τα παιδιά που είναι στην τετάρτη τάξη διαλέγουν μερικά μαθήματα και προετοιμάζονται για τις εξετάσεις.

Το σχολείο μου το αγαπώ πολύ γιατί εκεί έμαθα πολλά πράγματα, γνώρισα πολλά παιδιά και έκανα πολλούς φίλους και φίλες. Κάθε χρόνο έχουμε αθλητικούς αγώνες, μουσικά κονσέρτα, δραματάκια και άλλες εκδηλώσεις. Θα λυπηθώ πολύ όταν φύγω από το σχολείο μου.

6. Η πόλη που ζω

Ζω σε μια μεγάλη πόλη που λέγεται Λονδίνο. Το Λονδίνο είναι η πρωτεύουσα της Αγγλίας. Στην πόλη αυτή είναι τα γραφεία της Κυβέρνησης, η Βουλή που είναι ένα ωραιότατο παλαιό κτίριο κοντά στον ποταμό Τάμεση. Υπάρχουν πολλά εργοστάσια, γραφεία, θέατρα, μουσεία, πανεπιστήμια, σχολεία και εστιατόρια.

Στο Λονδίνο ζούνε επίσης πολλοί ξένοι και έρχονται πολλοί τουρίστες για να θαυμάσουν τα αξιοθέατα. Οι τουρίστες συνήθως επισκέπτονται το Βρετανικό Μουσείο, το Κοινοβούλιο, το παλάτι του Μπάκιγχαμ, τον ζωολογικό κήπο, τα κέρινα ομοιώματα στο Μαντάμ Τιζώτ, την εθνική Πινακοθήκη, τον Πύργο του Λονδίνου, την πλατεία Τραφάλγκαρ, το Αββαείο του Ουέστμινστερ και άλλα.

Μου αρέσει πολύ το Λονδίνο γιατί είναι μια μεγαλούπολη με ιστορία. Υπάρχουν πολλά καταστήματα, γραφικές λαϊκές αγορές και πολλά πράσινα πάρκα.

7. Η εργασία μου (η δουλειά μου)

Εργάζομαι σε ένα τουριστικό γραφείο. Αρχίζω δουλειά στις εννιά το πρωί και τελειώνω στις πέντε. Επειδή το γραφείο αυτό είναι στο κέντρο της πόλης πρέπει να πάω εκεί με το τρένο ή με το λεωφορείο. Έτσι πρέπει να φεύγω από το σπίτι κάθε πρωί γύρω στις οκτώ και μισή.

Το γραφείο ειδικεύεται σε διακοπές στην Ελλάδα και στην Κύπρο. Πρέπει να δίνω πληροφορίες στους ενδιαφερόμενους τουρίστες για τις χώρες αυτές. Πολλοί με ρωτάνε για τα ξενοδοχεία, για τον καιρό, για τα ιστορικά τοπία, για κρουαζιέρες στα νησιά και άλλα. Στο γραφείο είμαστε γύρω στα δέκα άτομα. Μου αρέσει αυτή η δουλειά γιατί μπορώ να ταξιδεύω τακτικά στην Ελλάδα και στην Κύπρο για να επιθεωρώ τα ξενοδοχεία. Μου αρέσει επίσης γιατί συναντώ πολλούς που ενδιαφέρονται να ταξιδέψουν στην πατρίδα μας.

Εργάζομαι στο γραφείο αυτό τρία χρόνια. Ο μισθός μου είναι αρκετά καλός, και γενικά είμαι πολύ ευχαριστημένος.

8. Τι κάνω το Σαββατοκύριακο

Το Σάββατο ξυπνώ στις οκτώ. Πάω αμέσως στο μπάνιο και πλένομαι και καθαρίζομαι. Μετά ντύνομαι και πάω κάτω στην τραπεζαρία για το πρωινό μου.

Στις δέκα το πρωί πάω με τη μητέρα μου να κάνουμε τα ψώνια. Πάμε με το αυτοκίνητο γιατί πάντα ψωνίζουμε πολλά πράγματα. Συνήθως πάμε σε κάποιο σούπερ-μάρκετ της γειτονιάς μας. Κάποτε πάμε και στη λαϊκή αγορά.

Το απόγευμα πάω στους φίλους μου ή έρχονται οι φίλοι μου στο σπίτι μου. Το βράδυ πάμε επίσκεψη σε συγγενείς ή φίλους και καμιά φορά πάμε στο θέατρο.

Την Κυριακή πάλι ξυπνώ στις οκτώ γιατί θέλω να διαβάζω την Κυριακάτικη εφημερίδα όταν παίρνω το πρωινό μου. Κάποτε πάμε στην εκκλησία και όταν είναι καλός ο καιρός καμιά φορά κάνουμε σούβλα και τρώμε με συγγενείς ή φίλους. Κάποτε πάμε σε κανένα γάμο ή σε πάρτι για γενέθλια φίλων ή συγγενών μας. Συνήθως πάω να κοιμηθώ γύρω στις έντεκα.

9. Τα Χριστούγεννα

Τα Χριστούγεννα τα περιμένω με μεγάλη λαχτάρα. Τα σχολεία κλείνουν για μερικές μέρες. Τα καταστήματα είναι στολισμένα πολύ όμορφα. Όλοι στέλνουμε κάρτες και δώρα στα αγαπημένα μας πρόσωπα. Στο σπίτι μας πάντα στολίζουμε ένα Χριστουγεννιάτικο δέντρο. Βάζουμε τα δώρα εκεί. Αγοράζουμε μια μεγάλη γαλοπούλα γιατί πάντα έρχονται πολλοί συγγενείς μας. Στην τηλεόραση υπάρχουν πολύ ωραία προγράμματα.

Την παραμονή των Χριστουγέννων καθόμαστε αργά το βράδυ και παίζουμε διάφορα παιχνίδια ή βλέπουμε τηλεόραση. Οι μεγάλοι παίζουν χαρτιά, για να περάσει η ώρα.

Τη μέρα των Χριστουγέννων πάμε όλοι στην εκκλησία και ευχόμαστε ο ένας στον άλλο "Χρόνια Πολλά". Μετά γυρίζουμε στο σπίτι, ανοίγουμε τα δώρα μας και αρχίζει η διασκέδαση. Τρώμε σούπα αυγολέμονο, γαλοπούλα, ψητές πατάτες, λαχανάκια, σαλάτα και διάφορα γλυκίσματα.

10. Μια επίσκεψη (σε ένα Μουσείο)

Την περασμένη εβδομάδα επισκεφτήκαμε με το σχολείο μου το Βρετανικό Μουσείο. Αυτό το Μουσείο είναι ένα από τα μεγαλύτερα στον κόσμο. Μου έκανε μεγάλη εντύπωση γιατί υπήρχαν εκθέματα από πολλές χώρες.

Στον πρώτο όροφο είδαμε πολλά αντικείμενα, βάζα, αγαλματάκια και άλλα οικιακά σκεύη από την Κίνα και άλλες ασιατικές χώρες. Μετά ανεβήκαμε στον επάνω όροφο και είδαμε Αιγυπτιακά έργα τέχνης. Είδαμε επίσης τις μούμιες των Φαραώ της Αιγύπτου. Είδαμε επίσης έργα από την αρχαία Βαβυλωνία, την Μεσοποταμία, την Περσία κλπ.

Κατεβήκαμε μετά και θαυμάσαμε τα Ρωμαϊκά έργα τέχνης. Είδαμε επίσης τα Ελληνικά μάρμαρα του Παρθενώνα, είδαμε ωραιότατους αμφορείς και άλλα οικιακά σκεύη. Είδαμε επίσης αγάλματα και προτομές όπως του Σωκράτη και του Περικλή, της Αφροδίτης κλπ. Είδαμε επίσης εκθέματα από την Κύπρο, θαυμάσαμε την αίθουσα όπου διατηρούνται αρχαίοι πάπυροι, και τα πιο παλαιά βιβλία. Η επίσκεψη στο Μουσείο ήταν πολύ ευχάριστη γιατί έμαθα πολλά πράγματα.

11. Τα προγράμματα που μου αρέσουν στην τηλεόραση

Η τηλεόραση βοηθάει τον άνθρωπο να μάθει πολλά πράγματα. Υπάρχουν προγράμματα εκπαιδευτικά, αθλητικά, πολιτικά, ψυχαγωγικά κλπ. Εμένα μου αρέσουν τα ψυχαγωγικά προγράμματα. Μου αρέσουν όλες οι κωμωδίες γιατί όταν γυρίζω στο σπίτι από τη δουλειά θέλω να κάτσω να ξεκουραστώ και να δω κάτι το εύθυμο και το ευχάριστο.

Μου αρέσουν επίσης τα προγράμματα με εκπαιδευτικό περιεχόμενο γιατί συνεχώς μαθαίνουμε καινούργια πράγματα. Παρακολουθώ επίσης καθημερινά τις ειδήσεις γιατί θέλω να ξέρω τι γίνεται στον κόσμο. Φυσικά υπάρχουν και τα προγράμματα με εγκληματικό περιεχόμενο ή βία. Αυτά δεν μου αρέσουν καθόλου γιατί δημιουργούν φόβο ή τρόμο στα παιδιά και αυτό πάντα τα αποφεύγω. Τα αθλητικά προγράμματα είναι επίσης ευχάριστα. Νομίζω όμως ότι η τηλεόραση μπορεί να αποβλακώνει τον άνθρωπο όταν κάθεται για ώρες μπροστά στο "κουτί" ή μπροστά στο "χαζοκούτι" όπως το λένε στην Ελλάδα.

12. Ένα ελληνικό έθιμο

Υπάρχουν πολλά ελληνικά έθιμα τα οποία συνδέονται με την θρησκεία ή με τον τρόπο ζωής των Ελλήνων. Τα θρησκευτικά έθιμα σχετίζονται κυρίως με τις γιορτές του Πάσχα, των Χριστουγέννων, της Πρωτοχρονιάς, των Φώτων κλπ. Άλλα ελληνικά έθιμα είναι αυτά που σχετίζονται με πανηγύρια, με τους γάμους, βαφτίσια, με τις εθνικές γιορτές κλπ.

Τα έθιμα που μου αρέσουν πιο πολύ είναι αυτά που σχετίζονται με το Πάσχα. Αρχίζουν με τα καρναβάλια, δηλαδή σαράντα μέρες πριν το Πάσχα. Μετά έχουμε το Σάββατο του Λαζάρου, την Κυριακή των Βαΐων όπου οι γριούλες παίρνουν σακούλια με φύλλα ελιάς στην εκκλησία. Τη Μεγάλη Βδομάδα οι εικόνες είναι σκεπασμένες στα μαύρα. Τη Μεγάλη Παρασκευή γίνεται ο Επιτάφιος. Στα σπίτια βάφουν τα κόκκινα αυγά, ψήνουν τα κουλούρια, τα τσουρέκια και στην Κύπρο τις φλαγούνες. Το Μεγάλο Σάββατο το βράδυ γίνεται η ανάσταση και όλοι ψάλλουν το "Χριστός Ανέστη". Όλοι γιορτάζουν, ψήνουν το αρνί στη σούβλα, τσουγκρίζουν τα αυγά. Το Πάσχα είναι η μέρα της χαράς, είναι η μέρα που η Ζωή νίκησε το θάνατο.

13. Ένα βιβλίο που διάβασα και μου άρεσε

Το βιβλίο που διάβασα και μου άρεσε πολύ είναι το γαλλικό μυθιστόρημα "Οι Άθλιοι" του Βίκτορα Ουγκώ. Το βιβλίο αυτό μιλάει για τη ζωή ενός κατάδικου του Γιάννη Αγιάννη, που στάλθηκε στα κάτεργα γιατί έκλεψε ένα ψωμί. Όταν αφέθηκε τελικά λεύτερος κανένας δεν ήθελε να τον δει. Η ιστορία εξελίσσεται γύρω στα 1815 μετά τους Ναπολεόντειους πολέμους. Ο μόνος που έδειξε συμπόνια στον Αγιάννη ήταν ο Μυριήλ, ο επίσκοπος της Ντην.

Ο Αγιάννης σταδιακά αλλάζει τρόπο ζωής, τα καταφέρνει να γίνει πλούσιος και δήμαρχος στο Μοντρέγι-συρ-μερ, αλλά ο αστυνομικός επιθεωρητής Ιαβέρης τον υποψιάζεται και τον κατατρέχει συνεχώς. Παίρνει την Τιτίκα, ένα ορφανό κοριτσάκι από την κηδεμονία των σκληρών Θερναδιέρων και την φροντίζει σαν να ήταν ένας στοργικός πατέρας. Η Τιτίκα τελικά παντρεύεται έναν επαναστάτη φοιτητή τον Μάριο ενώ ο Αγιάννης πεθαίνει ευτυχισμένος ύστερα από τόσες κακουχίες. Το μυθιστόρημα είναι πλούσιο σε περιγραφές και δίκαια θεωρείται ένα από τα αριστουργήματα της παγκόσμιας λογοτεχνίας.

14. Ένας ελληνικός γάμος

Την περασμένη Κυριακή πήγα σε ένα ελληνικό γάμο. Ο γαμπρός λεγόταν Νίκος και η νύφη λεγόταν Δάφνη. Η νύφη φορούσε ένα πολύ ωραίο δαντελωτό νυφικό και κρατούσε μια ανθοδέσμη από κρινάκια. Ο γαμπρός φορούσε ένα μαύρο κοστούμι και ένα άσπρο γαρίφαλο.

Μαζευτήκαμε όλοι στην εκκλησία του Αγίου Ιωάννη για την τελετή. Τα παρανυφάκια ήταν και αυτά όμορφα στολισμένα. Στην εκκλησία ήταν όλοι οι συγγενείς και οι φίλοι του Νίκου και της Δάφνης. Υπήρχαν πολλοί κουμπάροι και κουμπάρες (αυτό είναι κυπριακό έθιμο). Η εκκλησία ήταν ανθοστολισμένη.

Μετά την τελετή πήγαμε σε ένα ξενοδοχείο για τη δεξίωση. Φάγαμε ψητό κοτόπουλο, πατάτες του φούρνου, καρότα και μπιζέλι. Μετά είχαμε γλύκισμα και καφέ. Το μουσικό συγκρότημα έπαιζε ελληνικά και αγγλικά τραγούδια και έδινε ζωντάνια και πολλοί χόρευαν. Μετά, χόρεψαν οι νεόνυμφοι και όλοι τους καρφίτσωσαν πολλά λεφτά. Στο τέλος όλοι ευχηθήκαμε στο Νίκο και στη Δάφνη "να ζήσουν χρόνια πολλά και ευτυχισμένα".

15. Τα σχέδιά μου για τα επόμενα δύο-τρία χρόνια

Βρίσκομαι τώρα στην τελευταία τάξη του Λυκείου. Προετοιμάζομαι για τις εισαγωγικές εξετάσεις του πανεπιστημίου. Θέλω να σπουδάσω Ιστορία στο πανεπιστήμιο γιατί ελπίζω να γίνω κάποτε καθηγητής σ' αυτό το μάθημα. Μου αρέσει το μάθημα της Ιστορίας γιατί μελετώντας το παρελθόν μπορούμε να καταλάβουμε καλύτερα το παρόν.

Οι σπουδές μου στο πανεπιστήμιο θα διαρκέσουν τρία χρόνια. Θα ήθελα όμως να συνεχίσω να κάνω μετεκπαίδευση.

Όταν τελειώσω το πανεπιστήμιο θα αποταθώ σε σχολεία για να διδάξω Ιστορία. Ενδιαφέρομαι να διδάξω σε Λύκειο ή σε Κολέγιο. Θα ήθελα επίσης να γράψω μια μέρα την Ιστορία της σύγχρονης Ελλάδας και της Κύπρου. Φυσικά όλα τα σχέδιά μου και τα όνειρά μου θα εξαρτηθούν από τα αποτελέσματα των εξετάσεων που θα δώσω τον Ιούνιο. Νομίζω, ότι είναι καλό ο άνθρωπος να έχει κάποιο πρόγραμμα στη ζωή του, να έχει κάποιο σκοπό, μια αισιοδοξία, αν θέλει να πετύχει.

Ελληνικοί χοροί

THE GREEK INSTITUTE
SUMMER EXAMINATIONS 2000
PRELIMINARY CERTIFICATE

Oral Part - 10 Minutes

<u>1. Prepared Talk:</u> Select any TWO topics from the list below and talk to the Examiner for 4 minutes (i.e. 2 min. on each topic).
1. My family
2. My friends
3. My holidays
4. My home
5. My town or village
6. My school or work
7 . What I do at weekends
8. My town or village
9. My favourite TV programme
10. A visit

2. Basic Conversation: Talk to the Examiner for about 4-5 minutes on any TWO topics. The Examiner will play the part of the native Greek.

(A). At a restaurant: Order a meal for four people (four different types of food), some drinks and either fruit or some Greek cakes. Ask for the bill.

(B). At a hotel: Reserve two rooms for one week (ask about prices with and without breakfast, the time breakfast is served, and the facilities at the hotel.

(C). At the market: Ask about the prices of three different types of fruit and three different types of vegetables. Order some fruit and some vegetables.

(D). At the bank: Ask how many Greek drachmas there are in the pound (£). Say that you want to change £300 into drachmas. Ask if you need to show your passport.

(E). At the kiosk: Ask to buy one English newspaper and one Greek magazine. You also want to buy six post cards and some stamps for Britain.

PRELIMINARY CERTIFICATE
LISTENING COMPREHENSION (TEXT)
Time: 40 Minutes

Each statement will be read twice at normal speed. After the second reading you will be given 30 seconds to write in English a short answer, this could be a phrase or a short sentence. You will be given 2 more minutes at the end to check your answers.

1. Ο Κώστας πίνει μπίρα και η Ελένη πίνει ούζο.
2. Το μουσείο θα είναι ανοικτό από τις 8.00 π.μ. μέχρι τις 5.00 μ.μ.
3. Η Άννα σπουδάζει Αγγλικά και Γαλλικά στο πανεπιστήμιο της Αθήνας.
4. Ο Κώστας σπουδάζει Μαθηματικά και Φυσική στο πανεπιστήμιο της Πάτρας.
5. Η Μαρία αγόρασε ένα βιβλίο για τον Τάσο και μια βιντεοκασέτα για την Θεοδώρα.
6. Ο Μανώλης είναι γιατρός και η Χριστίνα είναι δασκάλα.
7. "Τριάντα πέντε λίτρα αμόλυβδη βενζίνη παρακαλώ."
8. Η οικογένεια θα πάει στην Σάμο τον Αύγουστο για τις διακοπές.
9. "Δύο εισιτήρια με επιστροφή για τους Δελφούς παρακαλώ."
10. Το Πάσχα πήγαμε στο χωριό για να γιορτάσουμε με τον παππού και τη γιαγιά.

11. "Τι έχετε να δηλώσετε παρακαλώ;"
12. "Πέντε κιλά πατάτες, ένα κιλό κρεμμύδια, ένα κιλό ντομάτες και δύο κιλά κολοκύθια."
13. "Πού είναι η ταβέρνα που λέγεται ΚΑΛΗ ΟΡΕΞΗ παρακαλώ;"
14. "Η Πάτρα μου άρεσε πολύ, αλλά η Ολυμπία μου άρεσε περισσότερο."
15. Αν θέλετε να ταξιδέψετε στην Κρήτη μπορείτε να πάτε με το καράβι "Καζαντζάκης" ή με το "Αρκάδι".
16. Στον κινηματογράφο "Ακρόπολη" μπορείτε να δείτε το έργο "Ο Τιτανικός".
17. Ο παππούς είναι ογδόντα χρονών και η γιαγιά είναι εβδομήντα δύο.
18. Το λεωφορείο για την Σπάρτη και την Καλαμάτα φεύγει στις οκτώ ακριβώς.
19. Η αναχώρηση για την Αίγινα είναι στις εφτά το πρωί και η επιστροφή στις οκτώ το βράδυ.
20. Ο Νίκος γιορτάζει τα γενέθλια του και την ονομαστική του γιορτή στις έξι Δεκεμβρίου.

PRELIMINARV CERTIFICATE
LISTENING COMPREHENSION (QUESTIONS)
Time: 40 Minutes

1. Who drinks what?
2. What happens betwen 8.00 a.m and 5.00 p.m. ?
3. What are we told about Anna?
4. What are we told about Costas ?
5. What did Maria buy and for whom?
6. What are we told about these two people?
7 . What did this person ask?
8. What are we told about this family?
9. What did this person request?

10. What did this family do at Easter?
11. Where are you likely to hear this statement?
12. Name the four items bought by this person.
13. What did this person want to know?
14. Which place did this person like most?
15. What are we told in this statement?
16. What is happening at this place?
17. What are we told about these two people?
18. What is happening at eight o'clock?
19. What are we told about Aegina?
20. What is happening on this date?

PRELIMINARY CERTIFICATE
READING COMPREHENSION
Time: 40 Minutes

Answer in English as many questions as you can.

1. Ο Γιάννης και η Ελένη πάνε στο θέατρο μια φορά το μήνα.
What are we told about these people?

2. Η αναχώρηση με το λεωφορείο για την Καλαμάτα είναι στις 7 .30.
What happens at 7 .30?

3. Ο Δημήτρης γιορτάζει την ονομαστική του γιορτή σης 26 Οκτωβρίου.
What is happening on this date?

4. Τα σχολεία και όλα τα καταστήματα είναι κλειστά στις 25 Μαρτίου και στις 28 Οκτωβρίου γιατί είναι εθνικές γιορτές.
What are we told about these two dates?

5. Ο Νικόλας είναι σαράντα τριών χρόνων και είναι ψαράς για είκοσι πέντε χρόνια τώρα.
What are we told about Nicholas?

6. Το καράβι "Ρόδος" φτάνει στο λιμάνι του Πειραιά στις έξι το πρωί.
What happens at six o'clock in the morning?

7. Το φαρμακείο θα είναι κλειστό τις πρώτες 15 μέρες του Αυγούστου.
What happens at this place?

8. Στις πέντε μπορείτε να παρακολουθήσετε το παιδικό πρόγραμμα για την ελληνική μυθολογία.
What happens at five o'clock?

9. Ο Νίκος ενοικίασε ένα αυτοκίνητο τον Ιούλιο για δέκα μέρες και πλήρωσε διακόσιες λίρες.
What did Nikos do in July?

10. Τον Αύγουστο θα πάμε στην Κρήτη και στη Ρόδο για τέσσερις βδομάδες. Θα μείνουμε δυο βδομάδες στο κάθε νησί.
Where is this family spending their holidays and for how long?

11. Η Νίκη ήταν πολύ χαρούμενη γιατί πέτυχε στις εξετάσεις της.
Why was Niki happy?

12. Ο Αντρέας και η Μαρίνα θα παντρευτούν τη δεύτερη Κυριακή του Οκτωβρίου στη Μύκονο.
What is happening to these two people?

13. Το αυτοκίνητο του Μανώλη χάλασε δέκα χιλιόμετρα έξω

από την Πάτρα.
What happened near Patra?

14. Η ομάδα του Ολυμπιακού έχασε το Ευρωπαϊκό πρωτάθλημα στον αγώνα καλαθόσφαιρας.
What are we told about Olympiakos?

15. Ο πρωθυπουργός της Ελλάδας συναντήθηκε με τον πρόεδρο της Αμερικής στα τέλη Απριλίου.
What happened at the end of April?

16. Τον Μάρτιο 1994 πέθανε η γνωστή ηθοποιός και υπουργός πολιτισμού Μελίνα Μερκούρη.
What happened in March 1994?

17. Πωλείται διαμέρισμα δύο υπνοδωματίων πολύ κοντά στη θάλασσα.
What is on offer here?

18. Η αξία της αγγλικής λίρας τον Απρίλιο 2000 ήταν γύρω στις 500 δραχμές.
What are we told here?

19. Τα παιδιά πήγαν να δουν τα ξαδέλφια τους στην Κατερίνη. Θα μείνουν εκεί για πέντε μέρες.
What happened to these children?

20. Η πτήση από το Λονδίνο στην Κέρκυρα διαρκεί γύρω στις τρεις ώρες.
What are we told about this flight?

PRELIMINARY CERTIFICATE
BASIC WRITING : 40 Minutes

Write about 80 - 100 words on one of the following topics:

(α) Ένα γράμμα σε μια εφημερίδα ή περιοδικό.

(β) Πού θέλω να περάσω τις διακοπές μου και γιατί.

(γ) Ο καλύτερος μου φίλος / Η καλύτερη μου φίλη.

THE GREEK INSTITUTE
SUMMER EXAMINATIONS 2000
INTERMEDIATE CERTIFICATE

ORAL PART - 15 Minutes

1.Prepared Talk: Select any two topics from the list below and talk to the examiner for three minutes on each topic.
1. Television
2. Young people today
3. A Greek custom
4. A wedding
5. A Greek Island
6. A book or a film
7. Newspapers
8. Life in a village or a town
9. My childhood
10. My ambition

2. Conversation: Talk to the examiner for about seven minutes on any TWO topics. The examiner will play the part of the Greek person.

(A). At a car hire: You want to hire a car for two weeks. Ask about the price and if the price includes insurance; if there is a map of Greece / Cyprus; if you can have the car at your hotel the next day; if you can leave the car at the airport; if you can pay by cheque / credit card.

(B). Holidays: You have arrived at a Greek Island and you want to book two rooms at a hotel; Ask about prices with breakfast / half board; ask about the facilities at the hotel; the times that breakfast / evening meals are served; ask about historical places on the Island.

(C). Restaurant: You are with three friends and you ask for the menu; you order four different types of food for yourself and your three friends; you order four different types of drinks; four different types of cakes / desserts and four coffees, one sweet, two medium and one with no sugar; you ask for the bill.

(D). At a shop: You want to buy some souvenirs and ask for the prices; you are interested in a T-shirt, a small Greek doll, a small Grecian vase, a map of Greece, a cassette with Greek songs, a bottle of ouzo and a bottle of retsina.

(E). Your work: Describe your work, i.e. what exactly you are doing, how long you have been doing the same work; what work you did previously; say if you are pleased or not with the present work; what are your plans for the next few years; say why you have chosen that kind of work.

INTERMEDIATE CERTIFICATE
LISTENING COMPREHENSION (TEXT)
Time: 50 Minutes

Each statement will be read twice at normal speed. After the second reading, you will be given 30 seconds to write in English or in Greek, a short answer, this could be a phrase or a short sentence. You will be given 2 more minutes at the end to check your answers.

1. Ο πρόεδρος Κλίντον , η σύζυγος του και η κόρη τους επισκέφτηκαν τον Παρθενώνα στην Ακρόπολη όταν ήταν στην Αθήνα.

2. Πωλείται αυτοκίνητο Νισάν σε άριστη κατάσταση σε τιμή ευκαιρίας λόγω αναχώρησης του ιδιοκτήτη στο εξωτερικό.

3. Ο Νίκος, ένα δωδεκάχρονο παιδί χτύπησε στο πόδι του ενώ έπαιζε ποδόσφαιρο με φίλους του.

4. Η τραγουδίστρια Αλεξία έδωσε ένα κονσέρτο ελληνικής μουσικής στο Λονδίνο τον Απρίλιο.

5. Για τις γιορτές του Πάσχα μπορείτε να τηλεφωνήσετε στην Ελλάδα και στην Κύπρο στην ειδική τιμή 20 πένες το λεπτό.

6. Θέλετε να αλλάξετε τα παράθυρα του σπιτιού σας; Η εταιρεία μας με την πολύχρονη πείρα σας προσφέρει ειδικές τιμές για τον Ιούνιο μόνο.

7. Τα πουκάμισα "Άλφα" θα τα βρείτε σε όλα τα καταστήματα μας στην Πάτρα και στην Κόρινθο.

8. Την Πρωτομαγιά στην Κύπρο όσο και στην Ελλάδα κρεμάνε στις πόρτες των σπιτιών στεφάνια από λουλούδια.

9. Περισσότερες πληροφορίες για το πανεπιστήμιο μας θα βρείτε στη διαφήμισή μας στην εφημερίδα ΤΟ ΒΗΜΑ.

10. Ο Γιώργος που είναι 15 χρονών παίζει ποδόσφαιρο κάθε Σάββατο με την ομάδα του Σχολείου του. Είναι άριστος τερματοφύλακας.

11. Μπορείτε και εσείς να αδυνατίσετε. Με την σωστή εξάσκηση και την κατάλληλη δίαιτα μπορείτε να απαλλαγείτε από τα περιττά κιλά.

12. Η Χριστίνα είναι εργάτρια σε ένα εργοστάσιο με τρία παιδιά. Η οικογένεια της συναντάει οικονομικές δυσκολίες

γιατί ο μισθός της είναι χαμηλός.

13. Στις εκλογές Απριλίου 2000 Το ΠΑΣΟΚ, το κόμμα του Κώστα Σημίτη κέρδισε με μικρή διαφορά από τη ΝΕΑ ΔΗΜΟΚΡΑΤΙΑ το κόμμα του Κώστα Καραμανλή.

14. Ο κ. Θεόδωρος Πάγκαλος είναι Υπουργός Πολιτισμού, ο κ. Πέτρος Ευθυμίου είναι Υπουργός Παιδείας και ο κ. Γιώργος Παπανδρέου είναι Υπουργός Εξωτερικών.

15. Το Πάσχα οι Έλληνες γιορτάζουν την Ανάσταση του Χριστού και βάφουνε τα αυγά κόκκινα.

16. Ο πρόεδρος της Κύπρου Γλαύκος Κληρίδης έκανε εγχείριση την πρώτη βδομάδα του Μαΐου. Οι συνομιλίες που έχει στην Νέα Υόρκη ίσως ακυρωθούν.

17. Φέτος συμπληρώνονται εκατό χρόνια από τη γέννηση του Έλληνα ποιητή Γιώργου Σεφέρη. Ο Σεφέρης κέρδισε το Βραβείο Νόμπελ στη Λογοτεχνία.

18. Πάνω από δέκα εκατομμύρια τουρίστες επισκέφτηκαν την Ελλάδα το 1999. Περίπου 1,5 εκατομμύριο ήταν Βρετανοί τουρίστες.

19. Η αξία της Αγγλικής λίρας σε δραχμές τον Απρίλιο ήταν 540 και της κυπριακής λίρας ήταν 93 σεντ.

20. Το Ελληνικό Ινστιτούτο Αγγλίας γιόρτασε το 1999, 30 χρόνια από την ίδρυσή του. Πολλοί ακαδημαϊκοί και λογοτέχνες έστειλαν συγχαρητήρια μηνύματα.

INTERMEDIATE CERTIFICATE
LISTENING COMPREHENSION (QUESTIONS)
Time: 50 Minutes

1. What are we told about the Clintons?
2. Give two details about this car?
3. What happened to Nikos?
4. What are we told about Alexia?
5. What is on offer at Easter?

6. What does this company offer?
7. What are we told about "Alpha" shirts?
8. What happens on Mayday in Greece and Cyprus?
9. What are you advised to do in this statement?
10. Give three details about Yiorgos.
11. What are you advised here?
12. What are we told about Christina?
13. What are we told in this statement?
14. What position(s) do these three people hold?
15. What are we told about Easter?
16. Why is Clerides not likely to go to New York?
17 . Give two details about George Seferis.
18. What happened in Greece in 1999?
19. What was the value of the English pound in April?
20. What are we told about the Greek Institute?

INTERMEDIATE CERTIFICATE
READING COMPREHENSION
Time: 50 Minutes

Answer in English or in Greek as many questions as you can.

1. Τριήμερη εκδρομή με πολυτελές πούλμαν: Θήβα, Δελφοί, Κόρινθος, Άργος, Σπάρτη, Καλαμάτα, Ολυμπία, Πάτρα. Τιμή μόνο £150 λίρες. Η Τιμή συμπεριλαμβάνει ξενοδοχείο με πρωινό και ξενάγηση στους αρχαιολογικούς χώρους.
What is on offer for £150?

2. Τη Δευτέρα παρουσιάζεται από την Ελληνική Τηλεόραση 1 το έργο *Αλέξης Ζορμπάς* στις 7.45 μ.μ.
What happens at 7.45 p.m.

3. Το Γραφείο Ενοικιάσεων Αυτοκινήτων "ΑΛΦΑ" σας

προσφέρει καινούργια αυτοκίνητα σε πολύ λογικές τιμές. Μόνο 20 λίρες την ημέρα.
What kind of office is this place and what does it offer?

4. Ο ´Ελληνας συγγραφέας Νίκος Καζαντζάκης πέθανε το 1957 και τάφηκε στο Ηράκλειο της Κρήτης. Ο Καζαντζάκης έγραψε πάνω από είκοσι βιβλία και τα περισσότερα μεταφράστηκαν σε πολλές ξένες γλώσσες.
Give *three* details about Kazantzakis.

5. ´Εκθεση ζωγραφικής του Φ.Π. εγκαινιάζεται το Σάββατο στο ξενοδοχείο Απολλώνια στη Λεμεσό και θα παραμείνει ανοικτή από τις 7 μέχρι τις 11 Μαΐου.
What is happening at this hotel?

6. Οι εφημερίδες "Τα Νέα" και "Φιλελεύθερος" έχουν τη μεγαλύτερη κυκλοφορία στην Ελλάδα και στην Κύπρο.
Why are these newspapers mentioned here?

7. Η Ασφαλιστική Εταιρεία ΑΜΕΡΙΚΑΝ σας προσφέρει τους καλύτερους όρους αν ενδιαφέρεστε να ασφαλίσετε το σπίτι ή την επιχείρηση σας.
What does this company offer you?

8. Ο Πρόεδρος Κληρίδης γιόρτασε τα 81ᵃ γενέθλια του μαζί με την οικογένεια και τους φίλους του στο προεδρικό Μέγαρο.
What happened at the Presidential Palace?

9. Το ξενοδοχείο "´Ολυμπος" προσφέρει ειδικές τιμές για το Πάσχα. Διαμονή για ένα βράδυ με πρόγευμα £25, με ημιδιατροφή £30.00 και με πλήρη διατροφή £35.00.
What do these three prices relate to?

10. Η εταιρεία ΑΡΙΣΤΟΝ πωλεί και ενοικιάζει σπίτια και διαμερίσματα πολυτελείας σε όλες τις περιοχές της Κύπρου. Μονοκατοικίες με πισίνα μόνο £100,000. Διαμερίσματα των δύο υπνοδωματίων από £35,000.
What do the above two prices relate to?

11. Τα Καλλιστεία για την Μις Κόσμος θα γίνουν φέτος στην Κύπρο. Πάνω από 500 εκατομμύρια κόσμος θα παρακολουθήσουν τα καλλιστεία από την τηλεόραση.
Give two details about this event.

12. Με 25.000 δραχμές το άτομο μπορείτε να περάσετε μια εύθυμη βραδιά στο κέντρο μας. Μουσική και τραγούδι από τους πιο γνωστούς τραγουδιστές από τις 10 μέχρι τις 2.00 το πρωί.
What is on offer for 25,000 drachmas?

13. Δικηγορικό Γραφείο Νίκος Ευτυχίου. Για οποιαδήποτε νομική συμβουλή αποταθείτε στο Γραφείο μας. Ανοικτοί από τις 8.00 - 13.00 και από τις 16.00 - 20.00.
Give two details about this place.

14. Τυπογραφεία ΚΟΣΜΟΣ. Εκτύπωση βιβλίων, εφημερίδων, περιοδικών, Τιμολογίων. Τιμές πολύ λογικές. Γρήγορη εκτύπωση με τα τελευταίου τύπου μηχανήματα.
For what purpose should one apply here?

15. Στις πρώτες Δημοτικές Εκλογές που έγιναν στο Λονδίνο τον Μάιο του 2000 κέρδισε ο ανεξάρτητος υποψήφιος Κεν Λίβινκστον. Ο υποψήφιος του Συντηρητικού κόμματος ήταν δεύτερος και τρίτος ήταν ο υποψήφιος του Εργατικού Κόμματος.
What happened in May 2000?

16. Γενικοί αντιπρόσωποι Ελληνικών Κρασιών στο Λονδίνο.

Επίσης Ρετσίνα Κουρτάκη. Ειδικές τιμές για γάμους. Το κατάστημά μας είναι ανοικτό κάθε μέρα. Την Κυριακή από τις 10.00 μέχρι τις 4.00.
Give *three* details about this place.

17. Ξενοδοχείο "Απόλλων" ντε λουξ. Όλες οι ανέσεις με τρία εστιατόρια. Φαγητά από όλο τον κόσμο. Με δύο μεγάλες πισίνες. Ακριβώς απέναντι από την θάλασσα. Γυμναστήριο. Καλλιτεχνικές βραδιές. Για μια αξέχαστη παραμονή κρατείστε δωμάτια έγκαιρα.
Mention four things offered at this place.

18. Στο Αρχαιολογικό Μουσείο της Αθήνας που βρίσκεται στο κέντρο της πόλης ένας μπορεί να θαυμάσει τον αρχαίο ελληνικό πολιτισμό από τον 12ο αιώνα π.Χ.
What are we told about this place?

19. Στο ελληνικό ποδοσφαιρικό πρωτάθλημα προηγείται ο Ολυμπιακός με 77 βαθμούς, ακολουθεί ο Παναθηναϊκός με 76 βαθμούς και ο ΟΦΗ με 54 βαθμούς. Τελευταίες ομάδες είναι ο Απόλλων και τα Τρίκαλα.
Which team(s) is likely to be champions and which is likely to be relegated?

20. Μια βδομάδα πριν το Πάσχα είναι η Κυριακή των Βαΐων, δηλαδή η μέρα που μπήκε ο Χριστός στα Ιεροσόλυμα και ο κόσμος τον καλωσόριζε με βάγια και κλωνάρια ελιάς. Στην Κύπρο οι γριούλες παίρνουν στην εκκλησία σακούλια με φρέσκα φύλλα ελιάς και τα αφήνουν εκεί για σαράντα μέρες για να ευλογηθούν.
What is the custom on Palm Sunday?

INTERMEDIATE CERTIFICATE
GREEK ESSAY
Time: 50 Minutes

Write about 150 - 200 words on ONE of the following topics:

1. ΄Ενα αξέχαστο ταξίδι στην Ελλάδα ή στην Κύπρο.
2. Πώς γιορτάζουν οι ΄Ελληνες το Πάσχα.
3. Τα παιδικά μου χρόνια.
4. Περίγραψε τον εαυτό σου με ειλικρίνεια.

Η Παναγία της Τήνου

EDEXCEL – GCSE MODERN GREEK 2000

Paper 1: Listening and Responding
(Transcript of part of the text – This is not the whole paper)

ΠΡΟΣΦΟΡΑ ΔΟΥΛΕΙΑΣ

Ερωτήσεις 19-22

Ψάχνουμε για νέους για να δουλεύουν στο εστιατόριό μας στην Πάφο.
Θα δουλέψετε από 1 Ιουλίου μέχρι τις 31 Αυγούστου. Θα κάνετε 37 ώρες την εβδομάδα.
Θα σας δώσουμε δωμάτιο χωρίς επιβάρυνση και θα πάρετε 30,000 δρχ. την εβδομάδα.
Εάν σας ενδιαφέρει, πρέπει να μας γράψετε. Όποιος μιλάει Ελληνικά θα έχει προτεραιότητα.

Η ΖΩΗ ΣΤΟ ΧΩΡΙΟ

Ερωτήσεις 30-37

-Λοιπόν, Μαρία. Μένεις στη Νεμέα;
-Ναι. Είναι ένα χωριό που βρίσκεται 50 χιλιόμετρα από την Κόρινθο.
-Σου αρέσει να μένεις εκεί;
-Γενικά ναι, αλλά ένα αυτοκίνητο είναι απαραίτητο.
-Τι θέλεις να πεις;
-Όλα είναι μακριά. Τα καταστήματα – υπάρχουν ορισμένα μικρά μαγαζιά όπως το χασάπικο, ο φούρνος αλλά για όλα τα άλλα πρέπει να πας στην Κόρινθο και η συγκοινωνία δεν είναι και θαυμάσια. Υπάρχουν λεωφορεία αλλά μόνο τρία την ημέρα και την Κυριακή δεν υπάρχουν καθόλου.

- Θα προτιμούσες να μένεις στην πόλη;
- Όχι με τίποτα. Μου αρέσει η πόλη. Πηγαίνω στην Κόρινθο δύο ή τρεις φορές την εβδομάδα για να ψωνίσω, να πάω σινεμά ή σε μια ταβέρνα. Μια μέρα είναι καλά αλλά κατά τη γνώμη μου υπάρχει πάρα πολύς θόρυβος στην πόλη. Και ας μη ξεχνάμε την κίνηση και τη μόλυνση.
- Λοιπόν δε σκέφτεσαι να μετακομίσεις στην πόλη;
- Αυτό όχι! Νομίζω πως βρήκα την ιδανική λύση, χάρη στο αυτοκίνητό μου έχω ό,τι χρειάζομαι – μια ήσυχη ζωή και τα προτερήματα μιας μεγάλης πόλης χωρίς τα μειονεκτήματα.

GSCE Paper 1 : Listening and Responding

Προσφορά Δουλειάς

Ψάχνεις για δουλειά στην Κύπρο και ακούς μια ανακοίνωση στο ραδιόφωνο. Γράψε τις λεπτομέρειες στα Ελληνικά.

1. Είδος δουλειάς ....
2. Ημερομηνίες..
3. Ώρες (την εβδομάδα) ....
4. Προτίμηση για νέους που..................................

Η ζωή στο χωριό

Η Μαρία μένει σ' ένα χωριό στην Ελλάδα. Εδώ μιλάει για το χωριό της.
Τι λέει;

Διάβασε τις φράσεις και σημείωσε αν είναι ΣΩΣΤΟ ή ΛΑΘΟΣ

	ΣΩΣΤΟ	ΛΑΘΟΣ
1. Χρειάζεται 50 λεπτά για να κατέβει στην Κόρινθο.		
2. Η Μαρία λέει πως πρέπει να έχει κανείς αυτοκίνητο όταν μένει στην επαρχία.		
3. Είναι εύκολο να πάει στην Κόρινθο με το λεωφορείο.		
4. Δεν υπάρχουν μαγαζιά στο χωριό		
5. Η Μαρία λέει πως υπάρχει πάρα πολύς κόσμος στην πόλη.		
6. Η Μαρία νομίζει πως η ζωή στην πόλη δεν είναι καλή για την υγεία.		
7. Μπορεί να επωφεληθεί από την πόλη χωρίς να μένει εκεί.		

EDEXCEL – GCSE MODERN GREEK 2000

Paper 2 : Speaking
(Extracts from Paper 2 – This is not the whole paper)

ΣΤΟ ΣΤΑΘΜΟ ΥΠΕΡΑΣΤΙΚΩΝ ΛΕΩΦΟΡΕΙΩΝ

It is the end of your holiday in Kalamata and you have to get to Patras to catch the ferry. You go to the bus station for information. Remember to reply to employee's questions.

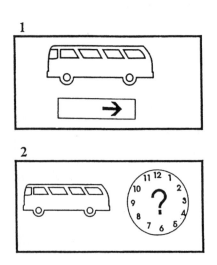

Suggested Scenario: Role-play A2

Introduction:
Βρίσκεσαι στο σταθμό υπεραστικών λεωφορείων. Εγώ είμαι ο υπάλληλος.

E: Καλημέρα. Μπορώ να σας βοηθήσω;

C: Έχει λεωφορείο για την Πάτρα;
E: Ναι. Έχει λεωφορείο που πηγαίνει κατευθείαν στο λιμάνι.
C: Τι ώρα φεύγει το λεωφορείο;
E: Υπάρχουν πολλά! Πότε θέλετε να φύγετε;
C: Αύριο το πρωί.
E: Τότε έχει λεωφορείο στις 8.
C: Πρέπει να κλείσω θέση;
E: Όχι. Δε χρειάζεται.

Role-play B2

You see this advert for summer jobs and decide to ring up to give details about yourself and to find out more information.

10,000 ΠΡΟΣΦΟΡΕΣ ΕΡΓΑΣΙΑΣ
ΚΑΛΟΚΑΙΡΙ 1998
Πωλητές / Πωλήτριες
Σερβιτόροι / Σερβιτόρες
Καθαριστές / Καθαρίστριες
ΤΗΛ. 00 30 175 3945

• ΓΙΑΤΙ ΤΗΛΕΦΩΝΕΙΣ
• ΟΝΟΜΑ, ΗΛΙΚΙΑ, ΚΛΠ.
• ΗΜΕΡΟΜΗΝΙΕΣ

Introduction

Τηλεφωνείς στο γραφείο. Εγώ είμαι ο υπάλληλος
Suggested Teacher examiner prompts and responses:
Παρακαλώ. Γραφείο εργασίας.

Μπορείτε να μου δώσετε κάποια στοιχεία;
Το όνομά σας, τα ενδιαφέροντά σας.
Πότε μπορείτε να δουλέψετε;
Εντάξει. Θέλετε να μας στείλετε το βιογραφικό σημείωμά σας;
You must ask the following:
Τι εμπειρία έχετε σ΄αυτό το είδος δουλειάς;
Ποιες γλώσσες ξέρετε;

CONVERSATION TOPICS – PROMPT QUESTIONS

TOPIC 1 – SHOPPING

Σου αρέσει να πηγαίνεις για ψώνια;
Πού πηγαίνεις για να ψωνίσεις;
Πότε ψωνίζεις; Με ποιον;
Τι αγοράζεις;
Τι σου αρέσει να αγοράζεις; Γιατί;
Ποιος κάνει τα ψώνια στο σπίτι σου;
Τον/τη βοηθάς;
Υπάρχουν πολλά μαγαζιά;
Τι μαγαζιά υπάρχουν;
Πού πηγαίνεις για να αγοράσεις τρόφιμα, καραμέλες;
Τι είδος μαγαζί προτιμάς; Γιατί;
Πήγες για ψώνια το περασμένο Σάββατο; Πού; Με ποιον; Τι ώρα;
Τι αγόρασες; Σε ποιο μαγαζί;
Θα πας για ψώνια το Σάββατο που μας έρχεται;

Περίγραψε ένα μαγαζί που ψωνίζεις.
Πες λίγα λόγια για την πόλη που ψωνίζεις.

Προτιμάς τα μεγάλα ή τα μικρά μαγαζιά; Γιατί;
Προτιμάς να ψωνίζεις στ... ή στ...; Γιατί;
Σου αρέσει να πηγαίνεις για ψώνια την Κυριακή; Γιατί;
Εάν είχες πολλά λεφτά, τι θα ήθελες να αγοράσεις;
Εάν ήθελες να κάνεις δώρο στ..., τι θα έπαιρνες;
Υπάρχουν αρκετά μαγαζιά στ... κατά την γνώμη σου;
Περίγραψε το ιδανικό εμπορικό κέντρο.

TOPIC 5 – FRIENDS

Έχεις πολλούς φίλους;
Πώς τον λένε το φίλο σου; / Πώς τη λένε τη φίλη σου;
Πόσων χρονών είναι;
Έχει αδέλφια;
Είναι ψηλός ή κοντός/ψηλή ή κοντή;
Τι χρώμα είναι τα μαλλιά του/της;
Τι χρώμα είναι τα μάτια του/της;
Είναι αθλητικός/ή;
Τι σπορ του/της αρέσουν;
Τι του/της αρέσει να κάνει;
Τι κάνετε μαζί;
Τι έχετε κάνει τώρα τελευταία;
Πήγατε στο κέντρο; Για να κάνετε τι;
Τι σας αρέσει να κάνετε το Σαββατοκύριακο;
Τι θα κάνετε το Σαββατοκύριακο που μας έρχεται;

Περίγραψε τον/την καλύτερο/η φίλο/η σου.
Σου μοιάζει;
Πότε γνωριστήκατε;
Βγαίνετε συχνά μαζί; Πότε; Πού; Με ποιους;
Προτιμάς να βγαίνεις μόνος/η σου; Με την οικογένειά σου;
Με τους φίλους σου; Γιατί;

Εάν μπορούσες να διαλέξεις, πού θα πήγαινες με τους φίλους σου;

Τι κάνετε με τους φίλους σου στις διακοπές;

Τι κάνατε πέρσυ;

Τι θα κάνετε φέτος;

Τι γνώμη έχει ο/η/ φίλος/η σου για το σχολείο;

Τι σκοπεύει να κάνει του χρόνου;

Τι φιλοδοξεί να κάνει στη ζωή του/της;

EDEXCEL - GSCE   MODERN GREEK
Paper 3: Reading and Responding
Summer 2000 – Time: 55 minutes

ΣΤΗΝ ΑΓΟΡΑ

1.   Τι μπορείς ν΄ αγοράσεις; Βάλε το σωστό γράμμα δίπλα στην κάθε λέξη:

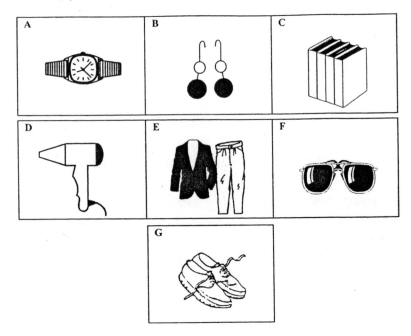

Π.χ. Κοσμήματα	B
(i) Ρούχα	
(ii) Ρολόι	
(iii) Βιβλία	
(iv) Ηλεκτρικά είδη	
(v) Παπούτσια	

ΣΤΟ ΣΠΙΤΙ

2. Βάλε το σωστό γράμμα:

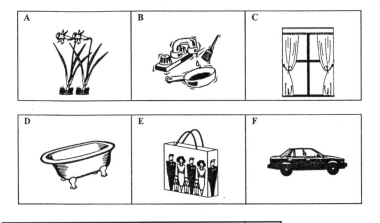

Π.χ. Θα κάνω τα παράθυρα	C
(i) Θα πλύνω το αυτοκίνητο	
(ii) Θα κάνω το μπάνιο	
(iii) Θα πλύνω τα πιάτα	
(iv) Θα κάνω τον κήπο	

ΥΓΕΙΑ

3. Με ένα γιαούρτι την ημέρα... η υγεία δεν έχει ηλικία

Καθώς μεγαλώνουμε, χρειαζόμαστε τροφές που μπορούν να βοηθήσουν το σώμα και τον οργανισμό μας να αποκτήσουν την υγεία και την ενεργητικότητα που είχαμε όταν ήμαστε παιδιά. Το νέο αγελαδινό γιαούρτι της ΑΛΦΑ με την υπέροχη γεύση και τις θρεπτικές ουσίες που περιέχει, είναι η πολύτιμη τροφή που θα μας βοηθήσει να διατηρήσουμε την υγεία της νεανικής μας ηλικίας.

Σημείωσε με ένα ➹ τις 4 σωστές απαντήσεις:

Π.χ. Αυτή είναι μια διαφήμιση για γιαούρτι	➹
(i) Το γιαούρτι είναι καινούριο	
(ii) Το γιαούρτι αυτό είναι για παιδιά	
(iii) ΑΛΦΑ είναι η εταιρεία που κατασκευάζει το γιαούρτι	
(iv) Το γιαούρτι είναι νόστιμο	
(v) Το γιαούρτι είναι μόνο για αρρώστους	
(vi) Το γιαούρτι κοστίζει πολύ	
(vii) Πρέπει να τρώμε τουλάχιστον ένα την ημέρα	
(viii) Το γιαούρτι κάνει καλό στον ανθρώπινο οργανισμό	

ΣΤΗΝ ΠΟΛΗ

4.   Διάβασε το σημείωμα και βάλε τη σωστή ώρα:

> **Θα φύγουμε από το σπίτι το πρωί
> και θα φτάσουμε στην εκκλησία στις
> 8.30. Μετά έχουμε ραντεβού με το
> γιατρό στις 11. Στις 2.30 το μεσημέρι
> μας περιμένουν τα παιδιά στην παραλία.
> Στις 7 το βράδυ θα πάμε στο θέατρο.**

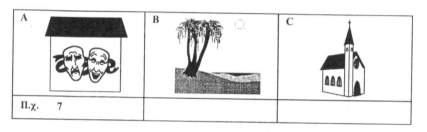

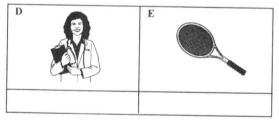

ΣΤΟ ΑΕΡΟΔΡΟΜΙΟ

5. Βάλε το σωστό γράμμα:

Π.χ. Απαγορεύεται το κάπνισμα	B
(i) Τουαλέτα	
(ii) Εστιατόριο	
(iii) Εισιτήρια	

ΤΟ 2.000 ΕΙΝΑΙ ΠΙΑ ΕΔΩ!

6. Η πόλη μας υποδέχεται το 2.000 με πλήθος εκδηλώσεων!

- Υπαίθρια μαθητικά συνέδρια για το μέλλον της παιδείας
- Αγώνες ποδοσφαίρου και καλαθόσφαιρας
- Εκθέσεις βιβλίων
- Διαλέξεις με θέμα τη ζωή στη νέα χιλιετία
- Διαγωνισμός ποίησης
- Παραστάσεις χορού από σχολεία του εξωτερικού

Τι θα κάνουμε για να γιορτάσουμε τη νέα χιλιετία;
6. Σημείωσε με ένα ➥ τις 4 σωστές απαντήσεις

Π.χ. Θα παρακολουθήσουμε αθλητικές εκδηλώσεις	➥
(i) Θα δούμε θεατρικά έργα	
(ii) Θα μιλήσουμε με άλλους μαθητές για την εκπαίδευση	
(iii) Θα δούμε ξένους μαθητές να χορεύουν	
(iv) Θα κάνουμε εκδρομές στο εξωτερικό	
(v) Θα πάμε σε εκθέσεις ζωγραφικής	
(vi) Θα παρακολουθήσουμε ομιλίες για το νέο αιώνα	
(vii) Θα γράψουμε εκθέσεις	
(viii) Θα γράψουμε ποιήματα	

ΕΝΔΙΑΦΕΡΟΝΤΑ

7. Βάλε ένα ➡ στο σωστό τετράγωνο

Είμαι 18 χρονών και το πάθος μου είναι η ιππασία.
Στέργιος

Μαζεύω τα πάντα! Από γραμματόσημα μέχρι χαρτοπετσέτες!
Άννα

Έχω πάθος με την ιστιοπλοΐα.
Τίκα

Εμένα μου αρέσει να... μην κάνω τίποτα!
Παύλος

Περνώ όλο το χρόνο μου στην πισίνα. Χειμώνα, καλοκαίρι!
Μαρίνα

Δεν χάνω καμία ταινία! Βλέπω τουλάχιστον δύο την εβδομάδα.
Έλλη

Δεν έχω χρόνο για τίποτα. Μόνο για διάβασμα!
Χρήστος

	Στέργιος	Έλλη	Τίκα	Μαρίνα	Άννα	Παύλος	Χρήστος
Π.χ. Κολυμπάει				➡			
Μελετά							
Κάνει συλλογές							
Αγαπά τα άλογα							
Πηγαίνει κινηματογράφο							
Διασκεδάζει με τα πλοία							
Τεμπελιάζει							

Η ΕΡΓΑΣΙΑ

8. Διάβασε το κείμενο και βάλε το σωστό αριθμό:

Στη δουλειά μου κάνω τα πάντα!
1. Δουλεύω στον υπολογιστή.
2. Απαντώ στο τηλέφωνο.
3. Πηγαίνω στην τράπεζα.
4. Ταχυδρομώ τα γράμματα.
5. Μιλώ με τους πελάτες.
6. Μέχρι και καφέδες κάνω!

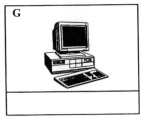

ΤΟ ΣΠΙΤΙ ΤΗΣ ΕΛΛΗΣ

9. Βάλε το σωστό γράμμα

Για να έρθεις στο σπίτι μου από το σχολείο, θα πας ίσια και θα περάσεις το κρεοπωλείο που είναι αριστερά. Στρίψε δεξιά στη γωνία και θα δεις το σπίτι μου στο τέλος του δρόμου στα δεξιά. Έλλη

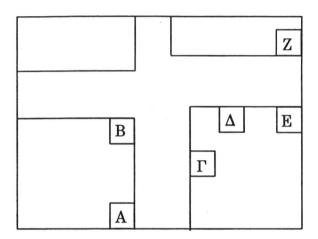

Βάλε το σωστό γράμμα.

Π.χ.	Το σχολείο της Έλλης	Α
(i)	Το κρεοπωλείο	
(ii)	Το σπίτι της	

433

10. Την Κυριακή ξυπνήστε νωρίς...
(Τη Δευτέρα θα είστε στη νέα σας δουλειά!)

(5.000 νέες θέσεις εργασίας κάθε εβδομάδα)

Κάθε Κυριακή στο ένθετο της Χρυσής Ευκαιρίας δημοσιεύονται χιλιάδες αγγελίες για την αγορά εργασίας. Από θέσεις διευθυντών μέχρι δακτυλογράφων! Θα βρείτε εύκολα και γρήγορα αυτό που ζητάτε, αφού τοποθετούμε τις αγγελίες με σωστό τρόπο και μεγάλα ευανάγνωστα γράμματα.

Επιλέξτε με σιγουριά και ασφάλεια, αφού οι αγγελίες μας ανανεώνονται κάθε εβδομάδα και ελέγχονται πριν δημοσιευτούν.

ΧΡΥΣΗ ΕΥΚΑΙΡΙΑ: ΒΡΙΣΚΕΙΣ ΠΑΝΤΑ ΑΥΤΟ ΠΟΥ ΨΑΧΝΕΙΣ!

Διάβασε τη διαφήμιση και βάλε ένα ➡ στις 4 σωστές

απαντήσεις

Π.χ. Χρυσή Ευκαιρία είναι το όνομα της εφημερίδας.	➡
(i) Την Κυριακή θα ξυπνήσετε για να πάτε στη δουλειά σας.	
(ii) Οι αγγελίες δημοσιεύονται μια συγκεκριμένη μέρα της εβδομάδας.	
(iii) Ο τρόπος που είναι γραμμένες οι αγγελίες σας βοηθά.	
(iv) Μπορείς να βρεις ό,τι δουλειά θέλεις.	
(v) Διαβάζεις τις ίδιες αγγελίες κάθε εβδομάδα.	
(vi) Θα σου πάρει πολύ χρόνο να βρεις την αγγελία που ζητάς.	
(vii) Η εφημερίδα δεν δημοσιεύει αγγελίες χωρίς να τις ελέγξει.	
(viii) Οι αγγελίες είναι για δουλειές σε γραφείο μόνο.	

Answer this question in English

11. ΟΙ ΤΕΧΝΕΣ

ΜΕΓΑΡΟ ΜΟΥΣΙΚΗΣ ΘΕΣΣΑΛΟΝΙΚΗΣ

Στέγη Τεχνών

Σε χρόνο ρεκόρ ετοιμάζεται το Μέγαρο Μουσικής Θεσσαλονίκης. Οι υπεύθυνοι το θέλουν ανοιχτό σε μερικούς μήνες και σε όλα τα είδη μουσικής – με κριτήριο την ποιότητα. Την τελευταία λέξη όμως θα έχει ο καλλιτεχνικός διευθυντής που, όπως λένε, θα είναι ένας Έλληνας του εξωτερικού.

Πρωτοχρονιά 2000. Η ώρα είναι 8 το βράδυ και ως συνήθως τέτοια εποχή στη Θεσσαλονίκη βρέχει. Η παραλιακή λεωφόρος έχει έντονη κίνηση, ιδιαιτέρως αυξημένη για τη μέρα και την ώρα. Πολυτελή αυτοκίνητα ανάμεσα – ανάμεσά τους και πολλά κρατικά – κατευθύνονται προς ένα ολόφωτο κτίριο δίπλα στη θάλασσα. Σε λίγο θα ξεκινήσει η συναυλία της ορχήστρας Καμεράτα, η οποία θα παρουσιάσει σε παγκόσμια πρώτη το νέο έργο του Μίκη Θεοδωράκη.
Ο συνθέτης το έγραψε μετά από παραγγελία του Υπουργείου Πολιτισμού για αυτήν ακριβώς τη στιγμή. Το Μέγαρο Μουσικής Θεσσαλονίκης ανοίγει για πρώτη φορά τις πόρτες του. Όταν γύρω στα μεσάνυχτα η συναυλία θα έχει τελειώσει, η μουσική ζωή της πόλης θα έχει γυρίσει σελίδα οριστικά......

(a)　　What kind of music is going to be played at the new Concert Hall?
(b)　　What do we know about the new Artistic Director?
(c)　　Where in Thessaloniki is the Concert Hall?

(d)   What kind of cars are likely to be driving towards the Concert Hall? Give **two** details.

(e)   What is so special about the concert of the opening night? Give **two** details.

(f)   How is the Concert Hall going to affect life in the city?

Κέρκυρα: Η Παναγία των Βλαχερνών και το Ποντικονήσι.

EDEXCEL – GCSE MODERN GREEK
Paper 4: Writing

Summer 2000 – Time: 1 hour 15 minutes

1. Γράψε δέκα πράγματα που υπάρχουν στο δωμάτιό σου.

1. ....   2. ....
3. ....   4. ....
5. ....   6. ....
7. ....   8. ....
9. ....   10. ....

2.   Βρίσκεσαι στην Κύπρο. Γράψε μια κάρτα 30 περίπου λέξεων σε μια φίλη στην Αγγλία. Πρέπει ν΄ αναφέρεις:

• Τι κάνεις εκεί
• Με ποιον είσαι
• Πού μένεις
• Πώς περνάς
• Τι σου αρέσει πιο πολύ εκεί

3. Μόλις τελείωσες τις εξετάσεις σου. Γράψε ένα γράμμα, 70 περίπου λέξεων, σ' ένα φίλο. Πρέπει ν' αναφέρεις:

- Πώς προετοιμάστηκες για τις εξετάσεις
- Τι μαθήματα έδωσες
- Πώς νομίζεις ότι τα πήγες
- Τι σκοπεύεις να κάνεις τώρα

Answer **either** question 4 **or** question 5

4. Γράψε ένα γράμμα, 150 λέξεων, ζητώντας δουλειά για το καλοκαίρι. Πρέπει να αναφέρεις:

- Προσωπικά στοιχεία
- Για τι δουλειά ενδιαφέρεσαι
- Τι πείρα έχεις
- Τι ωράριο προτιμάς

ΓΡΑΦΕΙΟ ΕΥΡΕΣΕΩΣ ΕΡΓΑΣΙΑΣ
εκατοντάδες θέσεις για την καλοκαιρινή περίοδο

Σε εστιατόρια, κάμπινγκ, ξενοδοχεία, πρακτορεία ταξιδίων, γραφεία!

Γράψτε τώρα: Αγίου Παντελεήμονος 5, Πάρος.

---

5. Διαβάζεις αυτή την ανακοίνωση σ΄ ένα περιοδικό.

Σ.Ο.Σ.
Η πόλη μας κινδυνεύει.

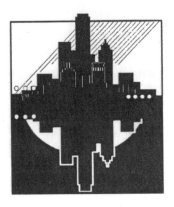

• Καυσαέρια
• Μόλυνση της θάλασσας
• Σκουπίδια στους δρόμους
• Ακατάλληλα νυχτερινά κέντρα στο κέντρο της πόλης μας
• Σχέδιο για καινούριο αεροδρόμιο κοντά σε μια από τις ωραιότερες γειτονιές μας
• Λίγα Σχολεία
• Κακές Συγκοινωνίες

Τι νομίζετε για όλα αυτά; Γράψτε μας και πείτε μας τη γνώμη σας.

Γραφείο Ανάπτυξης: Τσιμισκή 22, Θεσσαλονίκη

Να γράψεις ένα γράμμα 150 περίπου λέξεων και να αναφερθείς σε τουλάχιστον 3 από τα παραπάνω θέματα. Μπορείς να συμφωνήσεις ή να διαφωνήσεις.

Ρόδος, το λιμάνι.

The Island of Halki.

ANSWERS

EXERCISE 1

1. η	7. το	13. ο	19. το
2. το	8. το	14. η	20. η
3. η	9. η	15. ο	21. η
4. το	10. ο	16. ο	22. το
5. το	11. η	17. ο	23. η
6. ο	12. ο	18. το	24. ο

EXERCISE 2

1. ένα	6. ένας	11. μία	16. ένας
2. μία	7. μία	12. ένα	17. ένας
3. ένα	8. μία	13. ένας	18. ένα
4. ένας	9. ένας	14. ένα	19. μία
5. ένας	10. ένας	15. μία	20. μία

EXERCISE 3 (self expalatory)

EXERCISE 4

1. ένα ποτήρι	8. ο μαθητής	15. η Χριστίνα
2. μια πένα	9. ο Αντρέας	16. ο δάσκαλος
3. ένα φλιτζάνι	10. η Ελένη	17. η μητέρα
4. ένα κουτάλι	11. η Άννα	18. το τσάι
5. το ψωμί	12. το νερό	19. ένα πιάτο
6. η καρέκλα	13. ένα πιρούνι	20. ένα μολύβι
7. η κουζίνα	14. ο πίνακας	

EXERCISE 5 (self - explanatory)

EXERCISE 6

1. οι δάσκαλοι	11. οι κοπέλες	21. τα ξενοδοχεία
2. οι χτίστες	12. οι ταβέρνες	22. τα εστιατόρια
3. οι ράφτες	13. οι κουζίνες	23. τα μαθήματα
4. οι ταχυδρόμοι	14. οι μύτες	24. τα λουλούδια
5. οι εργάτες	15. οι μηχανές	25. τα καρπούζια
6. οι πατέρες	16. οι κάρτες	26. τα αχλάδια
7. οι μανάβηδες	17. οι μέρες	27. τα μάτια
8. οι αδελφοί	18. οι τράπεζες	28. τα ψωμιά
9. οι ταμίες	19. οι δραχμές	29. τα λεωφορεία
10. οι ψαράδες	20. οι τιμές	30. τα γράμματα

EXERCISE 7

1. ο Έλληνας	11. η ταβέρνα	21. το φρούτο
2. ο άντρας	12. η πόλη	22. το ψάρι
3. ο οδηγός	13. η τάξη	23. το βιβλίο
4. ο δάσκαλος	14. η εκκλησία	24. το χρώμα
5. ο βοσκός	15. η πατάτα	25. το πόδι
6. ο ναυτικός	16. η εφημερίδα	26. το δόντι
7. ο μαθητής	17. η βάρκα	27. το λεωφορείο
8. ο γιατρός	18. η ντομάτα	28. το μήλο
9. ο ψωμάς	19. η δραχμή	29. το καφενείο
10. ο γείτονας	20. η τιμή	30. το βουνό

EXERCISE 8

1. Άγγλος, ίδα	6. Έλληνες, ίδες	11. Σκωτσέζος
2. Κύπριος, ια	7. Κύπριοι	12. Γερμανίδα
3. Γάλλος	8. Αγγλίδες	13. Αμερικάνοι, ίδες
4. Ιταλίδα	9. Ουαλός, έζα	14. Άγγλοι, ίδες
5. Βρετανοί, ίδες	10. Ιρλανδός, έζα	15. Σουηδοί

EXERCISE 9 - Already answered.

EXERCISE 10

1. στα αριστερά	5. μακριά	9. απέναντι
2. στα δεξιά	6. στα αριστερά	10. ευθεία
3. ευθεία	7. στο δεύτερο στενό δεξιά	11. πέντε λεπτά με το λεωφορείο
4. εδώ κοντά	8. στο τρίτο στενό δεξιά	12. στο τέταρτο στενό αριστερά

EXERCISE 11, 12, 13 & 14 (Self – explanatory)

EXERCISE 15

1. κοντός	11.ψηλή	21. καλό
2. καλός	12. κοντή	22. κόκκινο
3. χοντρός	13. λεπτή	23. πράσινο
4.ζεστός	14.φτηνή	24. κίτρινο
5. ακριβός	15. ανοιχτή	25. πράσινο
6. φτηνός	16. κλειστή	26. φτηνό
7. ψηλός	17. ξανθή (ια)	27. ακριβό
8. ωραίος	18. γαλάζια (νη)	28. ανοιχτό
9. φτωχός	19. κοντή	29. ζεστό
10. πλούσιος	20. ελληνική	30. κλειστό

EXERCISE 16

1. Τα φορέματα είναι γαλάζια.
2. Τα πανταλόνια είναι γκρίζα.
3. Οι μπλούζες είναι άσπρες.
4. Τα παλτά είναι γαλάζια.
5. Τα πουκάμισα είναι άσπρα.
6. Οι γραβάτες είναι κόκκινες.
7. Τα παπούτσια είναι καφετιά (καφέ).
8. Τα μαντίλια είναι ροζ.
9. Οι φούστες είναι πράσινες.
10. Τα πανταλόνια είναι γαλάζια.
11. Οι μπλούζες είναι πορτοκαλιές.
12. Οι γραβάτες είναι γκρίζες.
13. Τα πουκάμισα είναι κίτρινα.
14. Τα παπούτσια είναι μαύρα.

15. Τα μαντίλια είναι άσπρα.
16. Οι ράφτες είναι κοντοί.
17. Οι Έλληνες είναι φιλόξενοι.
18. Οι γιατροί είναι ψηλοί.
19. Οι δάσκαλοι είναι καλοί.
20. Οι μαθητές είναι έξυπνοι.

EXERCISE 17

1.κόκκινο	5. πράσινη	9. πράσινο	13. καφετί
2.γκρίζο	6. μαύρη	10. μαύρο	14. κόκκινο
3.άσπρο	7. κόκκινη	11. μαύρη	15. άσπρος
4.γαλάζιο	8. πορτοκαλί	12. κίτρινο	16. μαύρη

EXERCISE 18

1. Τα σπίτια είναι μεγάλα.
2. Οι κουζίνες δεν είναι μικρές.
3. Οι κήποι είναι ωραίοι.
4. Τα τραπέζια δεν είναι μεγάλα.
5. Οι καρέκλες είναι άσπρες.
6. Τα βάζα είναι στα τραπέζια.
7. Αυτά δεν είναι μαχαίρια.
8. Αυτά είναι πιρούνια.
9. Εκείνα δεν είναι κουτάλια.
10. Εκείνα είναι πιάτα.
11. Αυτά είναι φλιτζάνια.
12. Οι φρυγανιές είναι στα πιάτα.
13. Τα αυγά δεν είναι τηγανητά.
14. Τα αυγά είναι βραστά.
15. Τα τσάγια είναι ζεστά.
16. Οι καφέδες είναι ζεστοί.

EXERCISE 19

1. Αυτό είναι ένα κουτάλι.
2. Εκείνο είναι ένα φλιτζάνι.
3. Το σπίτι δεν είναι μικρό.
4. Το αυγό είναι άσπρο.
5. Αυτός είναι Άγγλος.
6. Ο καφές δεν είναι ζεστός.
7. Εκείνο είναι το πιρούνι.
8. Το ψάρι είναι τηγανητό.
9. Εκείνη είναι μια καρέκλα.
10. Το πιάτο είναι καθαρό.
11. Το ποτήρι δεν είναι γεμάτο κρασί.
12. Η ταβέρνα είναι γεμάτη.
13. Η κουζίνα είναι μεγάλη.
14. Η καρέκλα είναι μικρή.
15. Η γυναίκα δεν είναι Αγγλίδα.
16. Ο άντρας είναι ΄Ελληνας.
17. Αυτός είναι τουρίστας.
18. Αυτός είναι Γάλλος.

EXERCISE 20

1. μου	4. της	7. τους	10. τους	13. της
2. σου	5. μας	8. του	11. μου	14. σας
3. του	6. σας	9. μας	12. σου	15. του

EXERCISE 21

1. ο φίλος μου
2. η φιλενάδα σου
3. το όνομά του
4. το όνομά της
5. το φόρεμά της
6. το πουκάμισό του
7. η γραβάτα του
8. η θεία μου

9. ο θείος σου
10. ο αδελφός της
11. η μητέρα μας
12. ο θείος τους
13. η αδελφή τους
14. το βιβλίο μας

15. το πανταλόνι του
16. το αυτοκίνητό σου
17. η φούστα της
18. τα παπούτσια μας
19. τα μάτια τους
20. οι φίλοι σας.

EXERCISE 22

1. Άγγλος	5. κοντός	9. γραμματέας	13. κόκκινο
2. Αγγλίδα	6. νέα	10. δάσκαλος	14. γαλάζια
3. χοντρός	7. ψηλός	11. ξανθιά	15. μαύρα
4. ψηλή	8. Έλληνας	12. μαύρο	16. λεπτή

EXERCISES 23 & 24 - Self explanatory

EXERCISE 25

1 της Μαρίας
2. της Άννας
3. του Νίκου
4. του Γιάννη
5. του πατέρα
6. της μητέρας
7. της Ελένης

8. του παιδιού
9. του δασκάλου
10. του ψαρά
11. του ψωμά
12. του μανάβη
13. του Γιώργου
14. του κρεοπώλη

15. του Μάρκου
16. του παππού
17. της γιαγιάς
18. του Χρίστου
19. της Χριστίνας
20. του Πέτρου

EXERCISE 26

1 του
2. του
3. της
4. της
5. του
6. του

7. του
8. της
9. της
10. του
11. του
12. της

13. της
14. της
15. της
16. της
17. του
18. της

EXERCISE 27

1. των ψαράδων	5. των ξενοδοχείων	9. των σπιτιών
2. των παιδιών	6. των ταβερνών	10. των παραθύρων
3. των γυναικών	7. των μαθητών	11. των φρούτων
4. των μανάβηδων	8. των παιδιών	12. των Ελλήνων

EXERCISE 28

1. τον	6. την	11. την	16. την
2. την	7. την	12. το	17. τον
3. την	8. το	13. το	18. την
4. το	9. την	14. το	19. την
5. τον	10. τον	15. την	20. τον

EXERCISE 29

1. έναν	6. ένα	11. ένα	16. μια	21. έναν
2. μια	7. έναν	12. έναν	17. έναν	22. μια
3. ένα	8. έναν	13. μια	18. μια	23 μια
4. ένα	9. ένα	14. ένα	19. ένα	24. ένα
5. μια	10. μια	15. μια	20. ένα	25. ένα

EXERCISE 30

1. τα	6. τις	11. τα & τις	16. τους
2. τις	7. τις	12. τις	
3. τις	8. τα	13. τα	
4. τα	9. τα & τις	14. τα & τις	
5. τους τις	10. τα	15. τους & τις	

EXERCISE 31

1. στην ταβέρνα	10. στο σπίτι	19. στην πόλη
2. στο ξενοδοχείο	11. στην Ελλάδα	20. στο γραφείο
3. στο τραπέζι	12. στην Αγγλία	19. στην πόλη
4. στο παράθυρο	13. στην Κρήτη	21. στους φίλους
5. στην κουζίνα	14. στην Κύπρο	τους
6. στην Αθήνα	15. στον κήπο	22. στις τάξεις
7. στο Λονδίνο	16. στην Αθήνα	23. στα πιάτα
8. στο τραπέζι	17. στην πόλη	24. στους δρόμους
9. στη δουλειά	18. στο Ηράκλειο	25. στα δέντρα

EXERCISE 32

1. στο φούρνο	6. στο νοσοκομείο	11. στο κουρείο
2. στο ιατρείο	7. στο σχολείο	12. στο ραφτάδικο
3. στο φαρμακείο	8. στην εκκλησία	13. στο κρεοπωλείο
4. στο γραφείο	9. στο μπακάλικο	14. στην κουζίνα
5. στο χωράφι	10. στην ταβέρνα	15. στην τάξη

EXERCISE 33

1. -ε	6. -ε	11. -ε
2. -η	7. -ε, -ε, -η	12. -α, -ου
3. -ε, -ε	8. -ε, -ε, -ε	13. -α
4. -η	9. -η, -ου	14. -ου
5. -ε	10. -οι	15. -ε

EXERCISE 34

1. στην τράπεζα	7. στην Ακρόπολη	13. στο κουρείο
2. στο γραφείο	8. στο καφενείο	14. στο νοσοκομείο
3.στο ξενοδοχείο	9. στην εκκλησία	15. στην εκκλησία
4. στην ταβέρνα	10. στο σχολείο	16. στο χωράφι
5 . στο εστιατόριο	11. στη δουλειά	17 . στο ιατρείο
6. στο σχολείο	12. στο κατάστημα/	18. στην κουζίνα
	μαγαζί	

EXERCISE 35

1. θέλω, εις, ει, ουμε, ετε, ουν
2. ταξιδεύω, εις, ει, ουμε, ετε, ουν
3. αγοράζω, εις, ει, ουμε, ετε, ουν
4. δουλεύω, εις, ει, ουμε, ετε, ουν
5. χορεύω, εις, ει, ουμε, ετε, ουν
6. ξέρω » » » »
7. μένω » » » »
8. κάνω » » » »

EXERCISE 36

1. γελώ, -ας, -α, -ούμε (-άμε), -άτε, -ουν (-άνε)
2. διψώ, -ας, -α, -ούμε (-άμε), -άτε, -ουν (-άνε)
3. ξυπνώ, -ας, -α, -ούμε (-άμε), -άτε, -ουν (-άνε)
4. βαστώ, βαστάς, βαστά, βαστούμε, (-άμε), βαστάτε, βαστούν (-άνε).

EXERCISE 37

1. δουλεύει	9. καπνίζει	17. διδάσκει
2. γράφει	10. δουλεύει	18. ταξιδεύουν
3. μαθαίνει	11. πουλά	19. πηγαίνουμε
4. μαθαίνουμε	12. διαβάζουν	20. πηγαίνετε
5. μιλά	13. πουλά	21. μιλά
6. τρώ(γ)ει	14. αγοράζει	22. στέλλουν
7. πίνετε	15. μιλάς	23. αγαπούν
8. πίνει	16. ξέρω	24. αγαπά
		25. τραγουδάτε

EXERCISE 38

1. μιλά	6. θέλω	11. αρχίζεις
2. πίνει	7. αγοράζει	12. φεύγει
3. δουλεύει	8. φεύγουν	13. στέλλουν
4. μένω	9. πουλά	14. αγοράζουμε
5. γράφει	10. ψάλλει	15. δουλεύετε

EXERCISE 39

1. πάει
2. μείνει
3. πάνε
4. πάει
5. είναι

6. χορεύω
7. δω
8. πάτε
9. έχουμε
10. μάθουμε

11. αγοράσετε
12. φάνε
13. δεις
14. αγοράσει
15. κόψουν

EXERCISE 40

1. θα αγοράσει
2. θα χορέψει
3. θα μαγειρέψει
4. θα ετοιμάσει
5. θα πιει
6. θα μάθει
7. θα δουν (ε)

8. θα διαβάσει
9. θα γράψει
10. θα δουλέψει
11. θα κόψει
12. θα δούνε
13. θα πάει
14. θα ταξιδέψουν

15. θα βοηθήσουν
16. θα τηγανίσει
17. θα πιει
18. θα στείλει
19. θα πάμε
20. θα πάω

EXERCISE 41

1. Έφαγα
2. Ήπια
3. Δούλεψες
4. Αγόρασα
5. Τηγανίσαμε

6. Έκανες
7. Μαγείρεψα
8. Τηγάνισαν
9. Χορέψατε
10. Διάβασε

11. Δούλεψε
12. Πήγε
13. Έραψες
14. Μαγείρεψε
15. Αρχίσαμε

EXERCISE 42

1. έφυγα, ες, ε, αμε, ατε, αν,
2. ταξίδεψα,   »   »
3. ξύπνησα   »   »
4. συνάντησα   »   »
5. οδήγησα   »   »
6. ήπια   »   »

7. πούλησα, ες, ε, αμε, ατε, αν
8. αγόρασα   »   »
9. έστειλα   »   »
10. έκανα   »   »
11. φίλησα   »   »
12. τραγούδησα   »   »

EXERCISE 43

1. Έφυγα	6. Είχε	11. Είδατε
2. Έφαγες	7. Φάγαμε	12. Πήγα
3. Μαγείρεψε	8. Ήπιε	13. Έστειλες
4. Έφαγε	9. Έγραψε	14. Αγοράσαμε
5. Έφαγαν	10. Διάβασαν	15. Έμειναν

EXERCISE 44

1. έγραφα, ες, ε, αμε, ατε, αν	6. τραγουδούσα, ες, ε, αμε, ατε,αν
2. αγόραζα, ες, ε, αμε, ατε, αν	7. φιλούσα, ες, ε, αμε, ατε, αν
3. έστελλα, ες, ε, αμε, ατε, αν	8. γελούσα, ες, ε, αμε, ατε, αν
4. έμενα, ες, ε, αμε, ατε, αν	9. σταματούσα, ες, ε, αμε, ατε, αν
5. έτρωγα, ες, ε, αμε, ατε, αν	10. ρωτούσα, ες, ε, αμε, ατε, αν

EXERCISE 45

1. έγραφε	6. μιλούσε	11. έγραφαν
2.αγοραζε	7.τραγουδούσατε	12.αγοράζατε
3. έστελναν	8. φιλούσα	13. έμενε
4. μέναμε	9. σταματούσε	14. τραγουδούσαμε
5. έτρωγες	10. ρωτούσαμε	15. πήγαιναν

EXERCISE 46

1. γράφε	7. τρώγε	12. πηγαίνετε
γράφετε	8. φεύγε,	13. αγοράζεις
2. φιλάτε	φεύγετε	14. μιλάς
3. ρώτα	9. φεύγεις	μιλάτε
4. ρωτάτε	φεύγετε	15. τρέχεις
5 . Φόρα	10. μίλα	τρέχετε
6. μιλάς	11. πήγαινε	16. λες, λέτε
μιλάτε		

EXERCISE 47

1. Γράψε	8. φύγε, ετε	15. λέτε
2. Στείλε	9. Μίλησε	16. Φέρνεις, ετε
3. πας, πάτε	10. Γράψε	17. Αγόρασε
4. Φέρεις, ετε	11. Ρωτάτε	18. Αγοράστε
5. στειλεις, ετε	12. Δουλέψτε	19. Φίλησε
6. πάτε	13. Γράψετε	20. Φίλησε
7. Φιλήσεις, ετε	14. Δίνεις, ετε	21. Διάβασε
		22. πάτε

EXERCISE 48

1. παντρεύομαι, εσαι, εται, όμαστε, εστε, ονται
2. σκέφτομαι, εσαι, εται, όμαστε, εστε, ονται
3. δροσίζομαι, εσαι, εται, όμαστε, εστε, ονται
4. Χάνομαι, εσαι, εται, όμαστε, εστε, ονται
5. ξεχνιέμαι, έσαι, έται, όμαστε, έστε, ούνται
6. κοιμούμαι, άσαι, άται, ούμαστε, άστε, ούνται

EXERCISE 49

1. παντρεύεται	8. χαιρόμαστε	15. σκέφτεται
2. θυμάται	9. είμαστε, είμαστε	16. σκεφτόμαστε
3. κουραζόμαστε	10. κουράζονται	17. ετοιμάζομαι
4. διδάσκεστε	11. διδάσκεται	18. ετοιμάζεστε
5. λυπάται	12. ετοιμάζεται	19. λυπάσαι
6. αρραβωνιάζεται	13. κοιμάσαι	20. διδάσκεται
7. στέκονται	14. κοιμάστε	

EXERCISE 50 - For oral practice.

EXERCISE 51

1. επισκεφτόταν
2. ξυριζόταν, ξυριζόταν
3. σκεφτόμουν
4. λυπούνταν
5. χαιρόταν
6. εξεταζόσουν
7. ντύνονταν
8. έρχονταν
9. σκεφτόσαστε
10. χαίρονταν
11. διδασκόταν
12. ήσαστε (αν)
13. επισκεφτόταν
14. στεκόμαστε (αν),
15. στέκονταν, κάθονταν

EXERCISE 52

1. ήρθα, ες, ε, αμε, ατε, αν
2. γεύτηκα, ες, ε, αμε, ατε, αν
3. επισκέφτηκα, ες, ε, αμε, ατε, αν
4. ονειρεύτηκα, ες, ε, αμε, ατε, αν
5. διδάχτηκα, ες, ε, αμε, ατε, αν
6. κουράστηκα, ες, ε, αμε, ατε, αν
7. αγαπήθηκα, ες, ε, αμε, ατε αν
8. στενοχωρήθηκα, ες, ε, αμε ατε, αν

EXERCISE 53

1. επισκέφτηκαν
2. γεύτηκαν
3. χάθηκε
4. φοβήθηκε
5. παντρεύτηκε
6. αρραβωνιάστηκε
7. λυπήθηκαν
8. κοιμήθηκαν
9. ήρθε
10. επισκεφτήκαμε
11. γεύτηκες
12. στενοχωρήθηκε
13. κουραστήκαμε
14. παντρεύτηκαν
15. εξετάστηκε
16. χάρηκα
17. διδαχτήκαμε
18. διδαχτήκατε
19. κουράστηκαν
20. ξεκουραστήκαμε

EXERCISE 54

1. θα λυπηθώ, εις, ει, ούμε, είτε, ούν
2. θα χαρώ, εις, εί, ούμε, είτε, ούν
3. θα ονειρευτώ, εις, ει, ούμε, είτε, ούν

4. θα εξεταστώ, είς, εί, ούμε, είτε, ούν
5 . θα διδαχτώ, είς, εί, ούμε, είτε, ούν

EXERCISE 55

1.σηκωθούν	8.επισκεφτούν	15.λυπηθώ
2. χαρεί	9. ξεκουραστούν	16. κοιμηθείς
3. κοιμηθούν	10. είναι	17. κοιμηθούμε
4. ονειρευτεί	11. εξεταστεί	18. σηκωθείτε
5. είμαι	12. παντρευτείτε	19. ξεκουραστούμε
6. είσαι	13. ξεκουραστεί	20. εξεταστούν
7. θυμηθεί	14. επισκεφτούμε	

EXERCISE 56

1. εξεταστείς, εξεταστείτε	12 .συλλογίζεσαι,
2. κρυφτείτε	συλλογίζεστε
3. δανείσου, δανειστείτε	13. αρραβωνιαστείς,
4. δανειστείς, δανειστείτε	αρραβωνιαστείτε
5.κρύβεσαι	14. σκεφτείτε
6. δροσίζεστε	15. αγωνίζεσαι
7. εξεταστείς, εξεταστείτε	16. δανείζεις, δανείζεσαι
8. εξεταστείς, εξεταστείτε	17 . είσαι, είστε
9. κοιμήσου	18. είσαι, είστε
10. κοιμηθείς, κοιμηθείτε	19. είσαι, είστε
11. παντρεύεστε, παντρευτείτε	20. είστε

EXERCISE 57

1. του τηλεφώνησα	7 . μου αγόρασε	12. την συνάντησα
2. της τηλεφώνησα	8. μας αγόρασε	13. τον είδα
3. του έγραψα	9. τους την διάβασα	14. την είδα
4. της έγραψα	10. του (το)	15. μας
5. μου έστειλε	διάβασα	επισκέφτηκαν
6. μου το εξήγησε	11. τους κέρασα	16. τους
		επισκεφτήκαμε

17.μου έστειλε   20. με έστειλε   23. μου έγραψε
18.τον εξέτασε   21. τον έδιωξε   24. μου τηλεφώνησε
19. με βοήθησε   22. την συνάντησα

EXERCISE 58   Here you write your own sentences

EXERCISE 59

1. λαχταρώντας   5. ψάχνοντας   9. βλέποντας
2. αγοράζοντας   6. θέλοντας   10. ρωτώντας
3. θέλοντας   7. ευχαριστώντας   11. τραγουδώντας
4. βλέποντας   8. μένοντας   12. περπατώντας

EXERCISE 60

1. κλαίοντας   5. βλέποντας   9. χορεύοντας
2. γελώντας   6. αγοράζοντας   10.επιστρέφοντας
3. μουρμουρώντας   7. βλέποντας   11.ξυπνώντας
4. πουλώντας   8. ακούοντας   12. φεύγοντας

EXERCISE 61

1. κουρασμένος, η   5. παντρεμένος   9. κλεισμένη
2. αγαπημένο   6. λυπημένη   10. χαρούμενος, η
3. κλεισμένη   7. κουρασμένοι   11. απογοητευμένος
4. φορτωμένο   8. στενοχωρημένος   12.ενθουσιασμένος, η

EXERCISE 62

1. έχω   7. έχει   13.έχουν
2. έχω   8. έχουν   14. έχει
3. έχει   9. έχουμε   15. έχει
4. έχει   10. έχετε   16. έχετε
5.έχουν   11.έχουν   17 . έχουν
6. έχει   12.έχουμε   18.έχουμε

EXERCISE 63

1. Είχα πάει	6. Είχες χορέψει	11. Είχαν φτάσει
2. Είχαμε πάει	7. Είχαν ταξιδέψει	12. Είχαμε φάει
3. Είχε στείλει	8. Είχε φάει	13. είχαμε πιει
4. Είχε αγοράσει	9. Είχε στείλει	14. είχαν φύγει
5. Είχαν δει	10. Είχε ετοιμάσει	

EXERCISE 64

1. ωραία	5. νωρίς	9. του χρόνου
2.θαυμάσια	6. προσεκτικά	10. φέτος
3.γρήγορα	7. αμέσως	11. ποτέ
4. αφηρημένα	8. αργά	12. πάντα

EXERCISE 65

1. Στα δεξιά	9. Σιδηροδρομικώς (με το τρένο)
2. Στα αριστερά	10. Αεροπορικώς
3. Μακριά	11. Με επιταγή (τσεκ)
4. Κοντά	12. Με τα πόδια
5. Αύριο	13. 80 Ευρώ
6. Απόψε	14. Πολύ μακριά
7. Τον Ιούλιο	15. 300 Ευρώ
8. Σε λίγο	16. Δυο βδομάδες

EXERCISE 66

1 όταν	8. γιατί	15. μα, αλλά
2. ότι	9. καθώς	16. όμως, αλλά
3. αφού	10. τι	17. γιατί
4.και	11. και	18. μόλις
5. αλλά	12. όμως	19. όσο
6. αλλά	13. ή, ή	20. Σαν, όταν
7. που	14. ούτε, ούτε	

EXERCISE 67

1. ο ψηλότερος
2. πιο έξυπνη
3. πιο ψηλό
4. κοντότερος
5. μικρότερο
6. μεγαλύτερη
7. πιο μακρύς
8. πιο ωραίο
9. ακριβότερη
10. πιο φτηνό
11. πιο ακριβή
12. ζεστότερος, τατος
13. ακριβότερο
14. πιο ακριβά
15. πιο καθαρό
16. καλύτερα
17. πιο καλοί
18. πιο ωραία
19. πιο μεγάλο
20. μικρότερη

EXERCISE 68

1. έχει
2. σαχλαμάρες
3. πειράζει
4. έτσι και έτσι
5. εδώ που τα λέμε
6. μ' αρέσουν
7. προπαντός
8. μ' αρέσουν
9. τα 'κανε θάλασσα
10. κόψε το
11. χωρίς άλλο
12. έχεις δίκιο
13. τα έχασε
14. για παράδειγμα
15. οπωσδήποτε
16. έχεις δίκιο
17. στην υγεία
18. κόψε τα
19. Άστα αυτά
20. δε βαριέσαι

EXERCISE 69

1. με
2. στο
3. από
4. χωρίς
5. από-μέχρι
6. κατά
7. παρά
8. σαν
9. μέχρι
10. προς
11. με
12. για
13. κάτω από
14. πίσω από
15. μαζί με
16. μέσα σε
17. κοντά σε
18. γύρω σε
20. έξω από
21. πριν από
22. έξω από
23. ανάμεσα σε
24. μακριά από
25. πάνω σε

EXERCISE 70

1. και τα λοιπά

2. πριν το Χριστό

3. μετά το Χριστό
4. μετά το Χριστό
5. Κύριος, Κυρία, δεσποινίδα.
6. Ευρώ
7. Ευρώ
8. πριν το μεσημέρι

9. μετά το μεσημέρι
10. μετά το μεσημέρι
11. και άλλους
12. δεσποινίδα
13. παραδείγματος χάρη
14. δηλαδή - και τα λοιπά

EXERCISE 71

1. Αγαπητέ /ή
2. πατέρα
3. δάσκαλος
4. μητέρα

5.γιατρός
6. αδελφό
7. αδελφή
8. δεκαέξι

9.δεκατεσσάρων
10. δεκαοκτώ
11. γλώσσες
12. με χαιρετισμούς

EXERCISE 72

1. Αγαπητέ / η
2. σχολείο
3. Τρίτη
4. κοντά
5. πεντακόσιους

6. τριάντα
7. μαθήματα
8. Αγγλικά
9. Ιστορία
10. Γαλλικά

11. Μαθηματικά
12. Μουσική
13. Τέταρτη
14. λιγότερα
15. Με
χαιρετισμούς

EXERCISE 73

1. Αγαπητέ
2. Κύριε
3. τρεις βδομάδες
4. οικογένεια

5. δύο δωμάτια
6. 1η Αυγούστου
7. 20η Αυγούστου
8. δεύτερον όροφο

9. δείπνο / βραδινό
10. Κοντά στη
θάλασσα
11. Με τιμή

EXERCISE 74

στέλνω, εις, ει, ουμε, ετε, ουν
θα στείλω, εις, ει, ουμε, ετε, ουν
έστειλα, ες, ε, αμε, ατε, αν

σκέφτομαι, σαι, ται, όμαστε, εστε,
ονται
θα σκεφτώ, εις, ει, ούμε, είτε, ουν
σκέφτηκα, ες, ε, αμε, ατε, αν

PART TWO
ANSWERS

EXERCISE 1

1. παντρεμένος, μένουν
2. αδελφή, κουνιάδα
3. γιος, Αλέκου
4. Σίφνο, Κρήτη
5. αδελφές, αδελφό
6. μητέρα, Αγγελικής
7. σύζυγος
8. πατέρας, μητέρα
9. αδελφός

10. πατέρας
11. σύζυγος, γαμπρός
12. πεθερά
13. κουνιάδος
14. γονείς
15. θείος, θεία
16. καθηγητής
17. δημοσιογράφος
18. Κρήτη, Σίφνο

EXERCISE 2 (Essay)

EXERCISE 3

1. Α´ Λυκείου.
2. Δ´ Δημοτικού
3. Στην Κρήτη
4. 20 Μαρτίου
5. όταν ήταν 23 χρόνων
6. δημοσιογράφος
7. μαύρα μαλλιά, καστανά μάτια

8. είναι ψηλή γυναίκα
9. βραχιόλια, ρολόι, δακτυλίδια
10. ένα χρυσό σταυρό
11. την ενδιαφέρει τι γίνεται στον κόσμο και να παίρνει συνεντεύξεις
12. το θέατρο, η μουσική, το κολύμπι.

EXERCISE 4 (Essay)

EXERCISE 5

1. Τον Δεκέμβρη

2. γαλανά μάτια, γκρίζα μαλλιά

3. στη Σίφνο, έφυγε
για να σπουδάσει
4. Αιγόκερο
5. καθηγητής
6. 28 χρόνων
7. το θέατρο, το ποδόσφαιρο
και το διάβασμα
8. είναι το αγαπημένο του
χρώμα

9. είναι καθηγητής της
Ιστορίας
10. Ολυμπία, Σπάρτη, Μιστρά.
Μυκήνες, Άργος
11. να αγοράσει μια
εφημερίδα
12. διάφορα θέματα και το
ποδόσφαιρο.

EXERCISE 6 (Essay)

EXERCISE 7

1. Στην Οδό Κορίνθου
2. Το σαλόνι
3. Ροζ
4. Την Ακρόπολη με τον
Παρθενώνα
5. Χρωματιστό χαλί
6. Το γραφείο

7. Είναι καθηγητής
8. Η τραπεζαρία
9. Έξι
10. ένα βάζο με λουλούδια
11. μεγάλο δωμάτιο
12. ψυγείο, πλυντήριο κλπ.

EXERCISE 8 (Essay)

EXERCISE 9

1. η Έλλη
2. ο Σοφοκλής
3. στο τέταρτο
4. κρεβάτι, καρέκλες και
τουαλέτα
5. τέσσερα
6. στο μπάνιο
7. τις πετσέτες

8. στο ντουλάπι
9. δίπλα στο λουτρό
10. πενήντα μέτρα
11. τριαντάφυλλα,
κρίνα, γαρίφαλα
12. μηλιές, αχλαδιές
και ροδακινιές.

EXERCISE 10 (Essay)

EXERCISE 11

1. Στις εφτά
2. Στο μπάνιο
3. ΄Επλυνε το πρόσωπό του
4. σχολική στολή
5. μαχαιροπίρουνα, πιάτα, φλιτζάνια κλπ.
6. όλη η οικογένεια

7. χυμό πορτοκάλι
8. αυγά και φρυγανιές
9. στο σχολείο
10. μια εφημερίδα
11. όλη η οικογένεια
12. στην εργασία τους

EXERCISE 12 (Essay)

EXERCISE 13

1. Τρίτη μεσημέρι
2. Στην πλατεία Συντάγματος
3. Καλή όρεξη
4. καθίστε, ορίστε τον κατάλογο
5. Μια κανάτα νερό και ένα βάζο με λουλούδια

6. μοσχάρι και πατάτες
7. η ΄Ελλη
8. πορτοκαλάδα
9. αρνίσιες μπριζόλες
10. μπίρα
11. κανταΐφι και καφέ
12. Στην Ακρόπολη

EXERCISE 14 (Essay)

EXERCISE 15

1. το σπίτι του κ. Νικολάου
2. Τρίτη 15 Δεκεμβρίου
3. στο Χαλάνδρι
4. Η ΄Ελλη χτύπησε το κουδούνι. Η Ντίνα άνοιξε την πόρτα.
5. η οικογένεια Νικολάου
6. γλυκά και αναψυκτικά

7. για το σχολείο και την τηλεόραση
8. για την πολιτική, τη μόδα, τις δουλειές, τα γεγονότα της ημέρας
9. ούζο

10. έβγαλε φωτογραφίες
11. στις 11. 30

12. τους κάλεσαν να τους
επισκεφτούν στο σπίτι τους

EXERCISE 16 (Essay)

EXERCISE 17

1. Πάει στην αγορά
2. στο πάρκιν
3. στην κρεαταγορά και ψαραγορά
4. στην λαχαναγορά
5. στην φρουταγορά

6. γαρίδες και μπαρμπούνια
7. χοιρινό
8. κουνουπίδι και αρακά
9. ροδάκινα, δαμάσκηνα, σταφύλια και μήλα
10. πορτοκάλια και μανταρίνια

EXERCISE 18 (Essay)

EXERCISE 19

1. Στην οδό Σαλαμίνας
2. Στην οικογένεια του κυρ. Θανάση
3. 65
4. 7 το πρωί - 8 το βράδυ
5. Η κυρία Θανάση
6. ο γιος τους

7. το βράδυ
8. Καφέ, αυγά, λάδι
9. σαπούνια σαμπουάν, χαρτί τουαλέτας
10. 40 Ευρώ
11. για τον Σωκράτη
12. μια σοκολάτα

EXERCISE 20 (Essay)

EXERCISE 21

1. Πλατεία της Ομόνοιας
2. βιβλιοπωλείο
3. στο κομμωτήριο
4. για να κάνει ένα χτένισμα

5. Πανταλόνια, πουκάμισα και ένα φόρεμα
6. Ρένα
7. Φαρμακευτικά είδη

8. Είδαν ηλεκτρονικούς
υπολογιστές, τηλεοράσεις,
ραδιόφωνα, κασετόφωνα και
βίντεο

9. πολύχρωμες εικόνες
10. στο ζαχαροπλαστείο

EXERCISE 22 (Essay)

EXERCISE 23

1. Κρίτωνας
2. Θεοδώρα
3. δύο
4. φοιτητής
5. 18
6. Κηφισιά
7. πάνε να ετοιμάσουν
το τραπέζι

8. σούπα αυγολέμονο και
αρνί ψητό
9. αναψυκτικά
10. μπίρα
11. μπακλαβά,
γαλατομπούρεκα
12. στον κήπο

EXERCISE 24 (Essay)

EXERCISE 25

1. Σούζαν
2. Πέτρος - Σοφία
3. Αίθουσα Αναμονής
4. όταν σπούδαζε στο
Λονδίνο
5. στις 6
6. Ολυμπιακή
7. στο τελωνείο

8. δύο μπουκάλια ουίσκι και
κολόνιες
9. για το ταξίδι
10. θαυμάσια πτήση
11. η Ακρόπολη με τον
Παρθενώνα
12. φαγοπότι και πρόγραμμα
για επισκέψεις

EXERCISE 26 (Essay)

EXERCISE 27

1. για να δουν την Αθήνα
2. με το λεωφορείο

3. το μετρό, κόσμο,
καταστήματα

4. ο τόπος όπου πίνουμε
καφέ ή αναψυκτικό
5. εφημερίδες, περιοδικά,
κάρτες κλπ.
6. σε κλασικό ρυθμό
7. εξέγερση για σύνταγμα

8. ο Φειδίας, ο Ικτίνος και ο
Καλλικράτης
9. από την Αθηνά την
Παρθένα Θεά
10. στενά δρομάκια, μαγαζιά

EXERCISES 28 & 29 (Essays)

EXERCISE 30

1. με το Μετρό
2. καταστήματα,κόσμο
3. για τα εισιτήρια
4. πολλά πλοία
5. έφευγαν για τα νησιά
6. στο λιμάνι, στα εργοστάσια

7. στο Μικρολίμανο
8. ψάρια, κεφτέδες, σαλάτα,
ρετσίνα και αναψυκτικά
9. Φάληρο, Καλαμάκι, Άλιμο,
Γλυφάδα, Βούλα
10. Βουλιαγμένη

EXERCISE 31 & 32 (Essays)

EXERCISE 33

1. Για να δουν την τραγωδία
Αντιγόνη
2. Στην Κόρινθο
3. στα 1893
4. Βασιλιάς του Άργους
5. Στο Άργος

6. πολλά αυτοκίνητα και
κόσμο
7. ο Κωστής Παλαμάς
8. ένα καρναβάλι
9. στην Ολυμπία και Σπάρτη
10. την ελληνική ιστορία

EXERCISE 34 & 35 (Essays)

EXERCISE 36

1. Για να αποφύγουν τη ζέστη
2. η Θήβα

3. δύο ώρες
4. μια κοιλάδα

5.Αλέξανδρο, Αριστοτέλη,
Αγ. Δημήτριο.
6. ο Κάσσανδρος το 315
π.Χ.
7. Από την αδελφή του Μ.
Αλεξάνδρου, γυναίκα του

Κάσσανδρου
8. Ο Άγιος Δημήτριος
9. Τον Πύργο, το Μουσείο,
τον Δημοτικό Κήπο
10. εστιατόρια, καφενεία

EXERCISE 37 (Essay)

EXERCISE 38 (Essay)

EXERCISE 39

1. τρεις βδομάδες
2. με το αεροπλάνο
3. με τη γεωργία, εμπόριο κλπ.
4. τα Λευκά Όρη, ο
Ψηλορείτης, η Δίκτη
5. το παλάτι του Μίνωα

6. το Ηράκλειο, τα Χανιά, το
Ρέθυμνο, Αγ. Νικόλαος
7. ο Ελευθέριος Βενιζέλος
8. ο Νίκος Καζαντζάκης
9. 500.000
10. ο Βιτσέντζος Κορνάρος

EXERCISE 40 - 41 (Essays)

EXERCISE 42

1. στη Λεμεσό
2. οι Φράγκοι
3. το 1878
4. 780.000
5. 200.000, στα νότια
6. η Αμμόχωστος, η Κερύνεια

η Μόρφου
7. στην Πάφο
8. ο τουρισμός
9. ο Αρχιεπίσκοπος Μακάριος
10.Οι Απόστολοι Παύλος
και Βαρνάβας

EXERCISE 43 (Essay)

EXERCISE 44

1. Καθαρίζουν τα σπίτια και ψήνουν τα κουλούρια
2. για να πάνε στην εκκλησία
3. με Χριστουγεννιάτικα δέντρα
4. Πίτα για τον Άγιο Βασίλη (για την Πρωτοχρονιά)
5. Λένε ιστορίες, παρακολουθούν τηλεόραση
ή παίζουν χαρτιά
6. Ομιλίες, απαγγελίες, σκετς, κλήρωση λαχείου
7. "Χρόνια Πολλά"
8. Ραντίζει τα σπίτια με αγιασμό
9. Για να φύγουν τα κακά πνεύματα
10. Λουκουμάδες

EXERCISE 45 (Essay)

EXERCISE 46

1. Υπάρχει ησυχία, ο κόσμος δεν βιάζεται.
2. για να πάνε τα παιδιά στο σχολείο
3. στα χωράφια τους
4. οι γέροι
5. πίνουν καφέ και μιλάνε
6. Για να βρουν δουλειά στην πόλη ή στο εξωτερικό
7. ότι το χωριό μικραίνει
8. στη βουνοπλαγιά
9. το ηλιοβασίλεμα
10. φασολάδα, ελιές, σαλάτα.

EXERCISE 47 (Essay)

EXERCISE 48

1. Φτιάχνουν στεφάνια και τραγουδάνε για την ανάσταση του Λαζάρου
2. αυγά ή λεφτά
3. για να ευλογηθούν
4. για τα Πάθη του Χριστού
5. Μαζεύουν λουλούδια και στολίζουν τον επιτάφιο
6. για την ταφή του Χριστού
7. Φέρνουν ξύλα στον αυλόγυρο της εκκλησίας
8. το "Χριστός Ανέστη"

9. μαγειρίτσα και αρνί στη σούβλα

10. οι συγγενείς και οι φίλοι

EXERCISE 49 (Essay)

EXERCISE 50

1. το Μάρτιο
2. Φτιάχνουν στεφάνια και γίνονται εργατικές διαδηλώσεις
3. στη θάλασσα ή στο βουνό
4. ροδάκινα, καρπούζια, πεπόνια, σταφύλια κλπ.

5.το Σεπτέμβριο
6. στα χωράφια τους
7. μερικοί με τα τρακτέρ και μερικοί με το αλέτρι
8. το Δεκέμβριο
9. μάλλινα ρούχα
10. για τις γιορτές

EXERCISE 51 & 52 (Essay)

Κύπρος, Πάφος.

VOCABULARY
GREEK - ENGLISH

A

το αβγό (αυγό)= egg
η αγάπη = love
αγαπώ = I love
η αγγελία = advert
η Αγγλία = England
ο Άγγλος = Englishman
η Αγγλίδα = English woman
το αγγούρι = cucumber
η αγελάδα = cow
ο άγιος = saint
η αγορά = market
αγοράζω = I buy
ο αγρότης = farmer
η αδελφή = sister
ο αδελφός = brother
ο αέρας = wind, air
το αεροδρόμιο = airport
το αεροπλάνο = aeroplane
η Αθήνα = Athens
ο αθλητής = athlete
Αθηναίος, α = Athenian person
αθόρυβος, η, ο = noiselessly
το Αιγαίο = Aegean
το αίμα = blood
ακόμα = still, yet, even

ακολουθώ = I follow
ακριβής = exact
ακριβός, η, ο = dear, expensive
η Ακρόπολη = Acropolis
το αλάτι = salt
το αλέτρι = plough
αλλά = but
αλλάζω = I change
αλλιώς = otherwise
άλλος, η, ο = the other , another
άλλοτε = formerly
αλλού = elsewhere
άλλωστε = besides
το άλογο = horse
το αμάξι = car, cab, cart
ο Αμερικάνος = American
η Αμερική = America
αμέσως = at once
η αμμουδιά = sandy beach
το αμύγδαλο = almond
αν = if
η ανάσταση - resurrection
η Ανατολή = East
ανατολικός, η, ο = to the east
αναφέρω = I mention

η αναχώρηση = departure
αναχωρώ = I depart
το αναψυκτικό = soft drink
ανεβαίνω = I go up
η ανεψιά = niece
ο ανεψιός = nephew
ανήκω = I belong
ανήσυχος, η, ο = uneasy
ο άνθρωπος = man, person
αν και = although, even if
ανόητος, η, ο = silly
ανοίγω = I open
η άνοιξη = spring
ανοιχτός, η, ο = open
αντιλαμβάνομαι = I understand, perceive
αντίο = goodbye
ο άντρας = man, husband
το αντρόγυνο = married couple
η αξία = value
αξίζει = it is worthly
τα αξιοθέατα = sights
ο αξιωματικός = officer
απαγορεύεται = it is forbidden
η απάντηση =answer
απαντώ = I answer, reply
απαραίτητος, η, ο = indispensable
απέναντι = opposite
απέχει = it is distant

απίθανος, η, ο = unlikely
απλός = simple, plain
απλώνω = I spread
από = from, by
το απόγευμα = afternoon
η αποθήκη = store, warehouse
απολαμβάνω = I enjoy
απολυταρχικός, η, ο = absolute
απότομα = abruptly
αποφασίζω = I decide
η απόφαση = decision
αποφεύγω = I avoid
το αποχωρητήριο = toilet, W.C.
αποχτώ = I get, acquire
απόψε = tonight
ο Απρίλιος, ης = April
απροσδόκητα = unexpectedly
άραγε = (particle introducing question) perhaps
ο αρακάς = peas
αργά = late, slowly
η αργία = time off
αριστερός, η, ο = left
αρκετός, η, ο = enough, sufficient
το αρνί = lamb
αρραβωνιάζω = to engage
αρραβωνιαστικός, ια = fiance, -e

αρχαίος, α, ο = ancient
ο αρχηγός = leader
αρχίζω = I begin
άσπρος, η, ο = white
το αστείο = joke
αστείος, α, ο = funny
το αστέρι = star
η αστυνομία = police (station)
ο αστυφύλακας = policeman
άσχημος, η, ο = bad, ugly
το άτομο = person
το ατσάλι = steel
ο Αύγουστος = August
ο αυλόγυρος = courtyard
η Αυστραλία = Australia
αύριο = tomorrow
η Αυστρία = Austria
αυτή = she
το αυτί = ear
το αυτοκίνητο = motor-car
αυτός = he, this
αφήνω = I let, leave
η άφιξη = arrival
αφού = since, after
η Αφρική = Africa
ο αχθοφόρος = porter
το αχλάδι = pear
άχρηστος, η, ο = useless

Β
το βάζο = vase

βάζω = I put
βαθύς, ια, υ = deep
η βαλίτσα = suitcase
το βαπόρι = ship
η βάρκα = small boat
ο βαρύς = heavy
το βάσανο = trouble, suffering
η βασιλεία = kingdom
βασιλεύω = reign
ο βασιλιάς = king
η βασιλόπιτα = New Year Cake
το βάφτισμα = baptism
βγαίνω = I go out
η βδομάδα = week
βέβαια = surely, of course
το Βέλγιο = Belgium
η βενζίνη, α = petrol
η βεράντα = veranda
το βερίκοκο = apricot
το βιβλίο = book

η βιβλιοθήκη = library
το βιβλιοπωλείο = bookshop
το βίντεο = video
η βιομηχανία = industry
η βιοτεχνία = handicrafts
ο βλάκας = stupid person
το βλέμμα = look
βλέπω = I see
το βόδι = ox

το βοδινό = beef
η βοήθεια = help, aid
βοηθώ = I help, aid
βολικός, η, ο = convenient
βόρειος, α, ο = northern
ο βοριάς = north
ο βοσκός = shepherd
η βουλή = Parliament
το βουνό = mountain
το βούτυρο = butter
το βράδυ = evening
βραστός, η, ο = boiled
ο βράχος = rock
βρίσκω = I find
βρίσκομαι = to be found
η βροχή = rain
βυθίζω = I sink, immerse
το βραχιόλι = bracelet

Γ

το γάλα = milk
γαλάζιος, α, ο = blue
γαλανός, η, ο = blue
η Γαλλία = France
γαλλικός, η, ο = French
ο Γάλλος, ίδα = Frenchman, woman
ο γάμος = marriage, wedding
ο γαμπρός = bridegroom, son-in law
το γαρίφαλο = carnation

η γάτα = cat
γεια σου = your health! hello, good-bye!
ο γείτονας = neighbour
το γέλιο = laughter
γελώ = I laugh
γεμάτος, η, ο = full
ο Γενάρης = January
τα γενέθλια = birthday
η Γερμανία = Germany
γερμανικός, η, ο = German
ο Γερμανός = German
ο γέρος = old man
ο γερός, η, ο = strong and healthy
το γεύμα = lunch
ο γεωργός = farmer
για = for , about
η γιαγιά = grandmother
για να = in order to
το γιαούρτι = yoghurt
γιατί = why? because
ο γιος = son
ο γιατρός = doctor
γίνομαι = I become
η γιορτή = holiday, festivity
το γκαράζ = garage
το γκαρσόνι = waiter
γκρίζος, α, ο = grey
γλυκός, ια, ο = sweet
η γλώσσα = tongue

γνωρίζω = I know
γοητευμένος, η, ο = charmed
ο γονέας (γονιός) = parent
η γραβάτα = tie
το γράμμα = letter
το γραμματοκιβώτιο = letter box
το γραμματόσημο = postage stamp
το γραφείο = office
γράφω = I write
γρήγορος, η, ο = quick
τα γυαλιά = spectacles
το γυμνάσιο = gymnasium, grammar school
η γυναίκα = woman, wife
γυρεύω = I look for
γυρίζω = I turn, return
ο γυρισμός = return
γύρω = round
η γωνιά = corner

Δ

το δάκρυ = tear
το δαμάσκηνο = plum
η δασκάλα = teacher (f)
ο δάσκαλος = teacher (m)
το δάσος = forest
το δείπνο = supper
δείχνω = I show, point at
δέκα = ten
ο Δεκέμβριος = December
το δέμα = packet, parcel
δεμένος, η, ο = tied
δεν = negative particle
το δέντρο = tree
δεξιός, α, ο = to the right
η δεσποινίδα = miss
η Δευτέρα = Monday
δεύτερος, η, ο = second
δηλαδή = that is, namely
δηλώνω = I declare
δημιουργώ = I create
διαβάζω = I read
το διαβατήριο = passport
η διαδήλωση = demonstration
η διαδρομή = trip, route
διαθέσιμος, η, ο = available
διακόσια = two hundred
διαλέγω = I choose
το διαμέρισμα = apartment, flat
διαρκώς = continually
το διάστημα = space
διάφανος, η, ο = transparent
η διαφήμιση = advertisement
διάφοροι = different, various
διδάσκω = I teach
η διεύθυνση = address
ο διευθυντής = director , manager
δικός, η, ο μου = mine

διπλός, η, ο = double
ο δίσκος = record, tray
διψώ = I am thirsty
δοκιμάζω = I try, sample
το δόντι = tooth
το δόρυ = spear
η δουλειά = work
δουλεύω = I work
η δραχμή = drachma
δεκατρείς = thirteen
ο δρόμος = road, street, way
δροσερός, η, ο = cool
δυνατός, η, ο = strong
δύο = two
η δύση = west
δυσκολεύομαι = I find it difficult
δύσκολος, η, ο = difficult
δυστυχισμένος, η, ο = unhappy
δυτικός, η, ο = western
δώδεκα = twelve
το δωμάτιο = room

E
ο εαυτός = myself
η εβδομάδα = week
εβδομήντα = seventy
έβδομος, η, ο = seventh
εγώ = I
εδώ = here
το έθιμο = custom

η είδηση = news
η εικόνα = picture, icon
είκοσι = twenty
εικοστός, η, ο = twentieth
ειλικρινής = sincere
είμαι = I am (to be)
η ειρήνη = peace
η εισβολή = invasion
το εισιτήριο = ticket
η είσοδος = entrance
είτε... είτε = either ... or
εκατόν = a hundred
το εκατομμύριο = million
ο εκατομμυριούχος = millionaire
εκατοστός = hundredth
η εκδρομή = excursion, outing
εκεί = there
εκείνος, η, ο = that, the other
η εκκλησία = church
η έκπληξη = surprise
έκτακτος = excellent
έκτος = sixth
έλα = come
το έλατο = fir tree
η ελιά = olive (tree)
η Ελλάδα = Greece
Έλληνας, ίδα = Greek person
ελληνικός, η, ο = Greek
εμείς = we
το εμπόριο = trade

ένας = one, a
ένατος, η, ο = ninth
ενενήντα = ninety
ενθουσιάζομαι = I get excited
το ενθύμιο = souvenir
εννιά = nine
εννιακόσια = nine hundred
ενοικιάζω = I hire, rent
εντάξει = fine, o.k.
έντεκα = eleven
εντελώς = completely
η εντύπωση = impression
ενώ = while
(ε) ξάδελφος, η = cousin
εξακόσια = six hundred
εξαργυρώνω = I cash
εξετάζομαι = I am examined
εξετάζω = I examine
εξήντα = sixty
έξι = six
η έξοδος = exit
έξυπνος, η, ο = intelligent, clever
επειδή = because, since
επευφημώ = I cheer
ο επιβάτης = passenger
επιβλητικός, η, ο = imposing
το επίπεδο = level
επίσης = also
επισκέπτομαι = I visit
η επίσκεψη = visit

ο επιτάφιος = sepulchre
τα Επιφάνια = Epiphany
ο επιχειρηματίας = business-man
επόμενος, η, ο = following, next
η εποχή = season
ο εργάτης = worker
το έργο = work
το εργοστάσιο = factory
έρχομαι = I come
ερχόμενος, η, ο = coming, next
η ερώτηση = question
εσείς = you
το εστιατόριο = restaurant
ετοιμάζομαι = I get ready
ετοιμάζω = I prepare
έτοιμος, η, ο = ready
έτσι και έτσι = so, so
η ευγένεια = politeness
ευγενικός, η, ο = polite, noble
εύθυμος, η, ο = merry, cheerful
η ευκαιρία = opportunity
εύκολος, η, ο = easy
το ευρώ = euro (currency)
η Ευρώπη = Europe
η ευτυχία = happiness
ευχαριστημένος, η, ο = pleased
ευχάριστος, η, ο = pleasant

ευχαριστώ = I thank
η εφημερίδα = newspaper
εφτά = seven
εφτακόσια = seven hundred
έχω = I have

Z

η ζακέτα = jacket
η ζάχαρη = sugar
το ζαχαροπλαστείο = confec-
tionery, patisserie
ζεστός, η, ο = hot, warm
το ζευγάρι = couple, pair
ζηλεύω = I am jealous
το ζήτημα = question, problem
ζήτω = I ask for, look for
το ζυμάρι = dough, pastry
ζω = I live
ο ζωγράφος = artist, painter
η ζωή = life
η ζώνη = belt
ο ζωολογικός κήπος = zoo

H

ή = or
ο ηθοποιός = actor
ηλεκτρικός, η, ο = electric
ο ηλεκτρολόγος = electrician
ο ηλεκτρονικός υπολογιστής =
computer
η ηλικία = age

η ηλιοθεραπεία = sunbathing
ο ήλιος = sun
η (η) μέρα = day
ήμερος, η, ο = tame
η ησυχία = quiet, peace
ήσυχος, η, ο = quiet

Θ

η θάλασσα = sea
θαλασσινός, η, ο = sea (adj.)
το θάρρος = courage
θαρρώ = I think
το θαύμα = miracle
θαυμάζω = I admire
θαυμάσιος, α, ο = wonderful
η θέα = view
το θέαμα = spectacle
θεατρικός = theatrical
το θέατρο = theatre
η θεία = aunt
ο θείος = uncle
η θέληση = will
θέλω = I want
το θέμα = subject
οι Θερμοπύλες = Thermopylai
το θέρος = harvest
η θέση = position, seat
η Θεσσαλονίκη = Salonica
το θρανίο = desk
ο θρύλος = legend
θυμάμαι = I remember

ο θυμός = anger,
θυμώνω = I get angry

I

ο Ιανουάριος = January
το ιατρείο = surgery
η ιδέα = idea
ιδιαίτερος, η, ο = special
ο ιδιοκτήτης = owner
ίδιος, α, ο = same
η ιδιοτροπία = whim
ιδιωτικός, η, ο = private
ο Ιούλιος, ης = July
ο Ιούνιος, ης = June
η Ιρλανδία = Ireland
ο Ιρλανδός, η/έζα = Irish
person
ο ισθμός = isthmus, canal
ίσιος, ια, ο = straight
ο ίσκιος = shade
ίσος, η, ο = equal
η Ισπανία = Spain
ο Ισπανός, η/ίδα = Spanish
person
η ιστορία = history, story
ίσως = perhaps
η Ιταλία = Italy
ιταλικός, η, ο = Italian
Ιταλός, ίδα = Italian person

K

ο καημός = sorrow
η καθαριότητα = cleanliness
καθαρίζω = I clean
καθαρός, η, ο = clean
κάθε = every
τα καθέκαστα = particulars
ο καθηγητής = professor
καθιστός, η, ο = sitting
κάθομαι = I sit
ο καθρέφτης = mirror
καθώς = as
και = and, even
καινούριος, α, ο = new
ο καιρός = weather, time
κακός, η, ο = bad, evil
το καλάθι = basket
τα κάλαντα = carols
καλημέρα = good morning
καλησπέρα = good evening
ο καλλιτέχνης = artist
το καλοκαίρι = summer
καλός, η, ο = good, nice
η κάλτσα = sock, stocking
καλώ = I invite
καλωσορίζω = I welcome
η καμπάνα = church bell
καμπόσος, η, ο = a lot
καν = at all
ο καναπές = sofa
κανένας = no one, anyone

κανονίζω = I arrange
κανονικός, η, ο = regular
κάνω = I do, make
το καπέλο = hat
καπνίζω = I smoke
κάποιος, α, ο = someone
κάποτε = sometime(s), then
η καπνοδόχος = chimney
ο καπνός = smoke
το καράβι = ship
η καρδιά = heart
η καρέκλα = chair
το καρότο = carrot
το καρπούζι = water melon
η κάρτα = card
καρφώνω = I nail, fix
το κάστανο = chestnut
καστανός, η, ο = brown, chestnut colour
καταλαβαίνω = I understand
ο κατάλογος = list, menu
κατάμαυρος, η, ο = jet black
καταπληκτικός, η, ο = amazing
το κατάστημα = shop
καταφέρνω = I succeed
κατεβαίνω = I go down
κάτι = something
κατοικώ = I live
το κατόρθωμα = achievement
η κατοχή = occupation
κάτω = down

το καφενείο = coffee shop
ο καφές = coffee
το κέντημα = embroidery
το κέντρο = centre, place of refreshment
το κεράσι = cherry
το κερί = candle, wax
η Κέρκυρα = Corfu
το κεφάλι = head
ο κεφτές = meat ball
ο κήπος = garden
κηρύσσω = I proclaim, preach
ο κίνδυνος = danger
το κινητό = mobile phone
κιόλας = already
κλαίω = I cry , weep
κλασικός, η, ο = classic
κλείνω = I close
κοιμάμαι (ούμαι) = I sleep
κοιτάζω = I look at
κόκκινος, η, ο = red
το κολέγιο = college
το κολοκύθι = marrow
κολυμπώ = I swim
το κομμάτι = piece
η κομψότητα = smartness
το κονιάκ = brandy
κοντά = near
κοντός, η, ο = short
η κοπέλα = girl
η κορδέλα = ribbon

το κορίτσι = girl
το κορμί = body
ο κόσμος = world, people
η κότα = hen
το κοτόπουλο = chicken
ο κουβάς = bucket
η κουβέντα = conversation
η κουβέρτα = blanket
το κουδούνι = doorbell
η κουζίνα = kitchen
το κουλούρι = bread ring
ο κουμπάρος = best man
(wedding)
το κουνουπίδι = cauliflower
κουνώ = I move
κουράζω = I tire
κουράζομαι = I get tired
η κούραση = fatigue
η κουρτίνα = curtain
το κουτάλι = spoon
το κουτί = box
κούφιος, ια, ο = empty, hollow
το κρασί = wine
κρατημένος, η, ο = reserved
το κρεβάτι = bed
η κρεβατοκάμαρα = bedroom
το κρεμμύδι = onion
το κρεοπωλείο = butcher's
η Κρήτη = Crete
το κρίμα = pity
κρύβομαι = I hide

κρύος, α, ο = cold
κτλ. (και τα λοιπά) = etc.
η Κύπρος = Cyprus
ο Κύπριος, ία = Cypriot person
κυρ = mister (familiar)
η κυρία = Mrs., lady
η Κυριακή = Sunday
ο κύριος = Mr., gentleman

Λ
λαβαίνω = I receive
το λάδι = oil
το λάθος = mistake
ο λαιμός = throat, neck
ο λάκκος = hole, pit
η Λαμπρή = Easter Sunday
το λαχανικό = vegetable
το λάχανο = cabbage
λείπω = I am away, am lacking
η λειτουργία = church service
η λεμονάδα = lemonade
το λεμόνι = lemon
η λέξη = word
το λεξιλόγιο = vocabulary
το λεπτό = minute
λεπτός, η, ο = thin, delicate
λευκός, η, ο = white, blank
η Λευκωσία = Nicosia
τα λεφτά = money
λησμονώ = I forget

λίγος, η, ο = a little, some
το λιμάνι = harbour , port
η λίρα = pound sterling
ο λογαριασμός = bill
ο λόγος = speech, reason
το Λονδίνο = London
ο λουκουμάς = honey ball
το λουλούδι = flower
το λουτρό = bathroom
λυπημένος, η, ο = sad

Μ
μα = but
το μαγαζί = store, shop
η μαγειρίτσα = Easter soup
ο μάγειρος (ας) = chef, cook
μαγειρεύω = I cook
μαγευτικός, η, ο = charming,
delightful
το μαγιό = bathing costume
μαζεύω = I gather
μαζί = together
μαθαίνω = I learn
το μάθημα = lesson
ο μαθητής = pupil
ο Μάιος, ης = May
μακάρι = (particle introducing
wish)
μακρινός, η, ο = distant
μακριά = far
μακρύς = long

τα μαλλιά = hair
μάλλον = rather
ο μανάβης = greengrocer
το μανάβικο = greengrocer -
shop
το μανιτάρι = mushroom
το μανταρίνι = mandarin
το μαντίλι = handkerchief
το μαργαριτάρι = pearl
το μαρούλι = lettuce
ο Μάρτης = March
το μάτι = eye
μαύρος, η, ο = black
το μαχαίρι = knife
τα μαχαιροπίρουνα = knives
and
forks, cutlery
με = with
μεγάλος, η, ο = big, great
μεθώ = I get drunk
το μέλι = honey
η μελιτζάνα = aubergine
η μέλισσα = bee
μένω = I stay
η μέρα = day
η μερίδα = portion, serving
μερικός, η, ο = some
μέσα = in, inside
η μέση = waist
το μεσημέρι = noon
το μεσημεριανό = lunch

μέσος, η, o = middle
μετά = after
το μετάξι = silk
το μετρό = underground
το μήλο = apple
ο μήνας = month
μήπως = (particle introducing question)
η μητέρα = mother
η μηχανή = engine, machine
ο μηχανικός = engineer, mechanic
μια, μία = one, a
μικρός, η, o = small
μιλώ = I speak, talk
μισός, η, o = half
μοιάζω = I resemble
μόλις = as soon as, just
μολονότι = although
το μολύβι = pencil
η μόλυνση = pollution
μόνο = only
μόνος, η, o = single
το μοσχάρι = veal
μουρμουρίζω = I murmur
η μουσική = music
ο μπακάλης = grocer
το μπακάλικο = grocer's shop
η μπάλα = ball
η μπάμια = okra, lady's fingers
η μπανάνα = banana

το μπάνιο = bath, bathroom
το μπαρ = bar
το μπαρμπούνι = red mullet
το μπιζέλι = peas
η μπίρα = beer
το μπιφτέκι = hamburger
μπλε = blue
μποδίζω = I prevent
μπορώ = I can
το μπουκάλι = bottle
το μπράτσο = arm
η μπριζόλα = chop, cutlet
μπροστά = in front
το μυαλό = brain
η Μύκονος = Mykonos
το μυθιστόρημα = novel
η μύτη = nose

N

να = (verbal particle) = to
ναι = yes
ο ναύτης, ναυτικός = seaman
τα νέα = news
ο νεαρός = youth
νέος, α, o = young, new
το νερό = water
το νησί = island
νικώ = I win, beat
νιώθω = I feel
ο Νοέμβριος, ης = November
το νοίκι = rent

η νοικοκυρά = housewife
νομίζω = I think, consider , believe
η νοσοκόμα = nurse
το νοσοκομείο = hospital
νοσταλγικός, η, ο = nostalgic
νότιος, α, ο = southern
ο νότος = south
ο ντολμάς = stuffed vine leaves
η ντομάτα = tomato
ντρέπομαι = I am ashamed, I am shy
ντύνομαι = I get dressed
ντύνω = I dress (someone)
η νύφη = bride
το νυχτικό = night dress
νωρίς = early

Ξ
ξάδερφος, η = cousin
ξαναβλέπω = I see again
ξαναδίνω = I give back, I give again
ξανθός, η, ο = fair , blonde
ξαπλώνω = I lie down
ξάφνου = suddenly
ξαφνικά = suddenly
ξεκουράζομαι = I rest
η ξεκούραση = rest
το ξενοδοχείο = hotel

ο ξένος = stranger , guest
ξέρω = I know
ξεχνώ = I forget
ξοδεύω = I spend
το ξύδι = vinegar
ξύλινος, η, ο = wooden
το ξύλο = wood
ξυπνώ = I wake up
ξυρίζομαι = I shave

Ο
ογδόντα = eighty
όγδοος, η, ο = eighth
ο οδηγός = driver
η οδοντόβουρτσα = toothbrush
η οδοντόκρεμα/η οδοντόπαστα = toothpaste
η οδός = street
η οικογένεια = family
οκτακόσια = eight hundred
οκτώ = eight
ο Οκτώβριος, ης = October
ολάκερος, η, ο = whole
όλο = all the time
ολόισια = straight on
ολόκληρος, η, ο = whole
όλος, η, ο = whole
ολότελα = completely
η ομάδα = team, group
η ομελέτα = omelette

η ομιλία = talk, speech
η ομορφιά = beauty
όμως = but, nevertheless
το όνειρο = dream
το όνομα = name
όποτε = whenever
όπου = where, whenever
όπως = as, like
οπωσδήποτε = in any case, without fail
η όρεξη = appetite
ορίστε = here you are
η οροφή = roof
όσο = as much as
ότι = that
ό,τι = whatever
το ούζο = ouzo, raki
ο ουρανός = sky
ούτε... ούτε = neither ... nor
οχτώ = eight

Π
παγωμένος, η, ο = frozen ice-cold
το παγωτό = ice-cream
το παιδί = child
παίζω = I play
παίρνω = I take
το παιχνίδι = game, toy
το πακέτο = packet
πάλι = again

παλιός, α, ο = old
το παλτό = overcoat
η Παναγία = Virgin Mary
το Πανεπιστήμιο = University
πάντα = always
το πανταλόνι = trousers
το παντζάρι = beetroot
πάντοτε = always
η παντόφλα = slipper
παντρεμένος, η, ο = married
παντρεύομαι = I marry
πάνω = up
ο παπάς = priest
το παπούτσι = shoe
ο παππούς = grandfather
πάρα πολύ = very much
ο παράδεισος = paradise
το παράθυρο = window
παρακαλώ = I request, please
παρακολουθώ = I attend
η παραμονή = eve
παραξενεύομαι = I am taken aback, surprised
παράξενος, η, ο = strange
το Παρίσι = Paris
η Παρασκευή = Friday
η παράταξη = parade
παρατώ = I abandon
η παροιμία = proverb
το πάρτι = party
η πατάτα = potato

ο πατέρας = father
το πάτωμα = floor
το Πάσχα = Easter
πάω = I go
το πεζοδρόμιο = pavement .
πεθαίνω = I die
πειράζει = it matters
ο πελάτης = customer
η Πέμπτη =Thursday
πέμπτος, η, ο = fifth
πενήντα = fifty
η πένα = pen, penny
πεντακόσια = five hundred
πέντε = five
το πεπόνι = sweet melon
πέρα = beyond
περίεργος, η, ο = curious
περιμένω = I wait (for)
το περιοδικό = magazine
η περιουσία = property
η περιπέτεια = adventure
περίπου = about
το περίπτερο = kiosk
περισσότερος, η, ο =
more,most
περίφημος, η, ο = famous
η πετσέτα = towel
πέφτω = I fall
το πεύκο = pine-tree
πηγαίνω = I go
το πιάνο = piano

πιάνω = I take hold of
το πιάτο = plate
ο πιλότος = pilot
πίνω = I drink
πιο = more
πιότερο = more
το πιοτό = drink
το πιρούνι = fork
πιστεύω = I believe
πίσω = behind
η πιτζάμα = pyjama
πλάι = beside
πλατύς, ια, υ = wide
ο πληθυσμός = population
η πληροφορία = information
πληρώνω = I pay
πλησιάζω = I approach
ο πλοίαρχος = captain
το πλοίο = ship
πλούσιος, α, ο = rich
ο πλούτος = wealth
το πλυντήριο = washing machine
πνευματικός, η, ο = mental, spiritual
το ποδάρι = foot
το πόδι = foot, leg
το ποδόσφαιρο = football
πόθος = longing
ποιος; α, ο, = who?
η ποιότητα = quality

ο πόλεμος = war
πολεμώ = I fight
η πόλη = city, town
πολλοί = many
η πολυθρόνα = armchair
πολύς = much
η πολυτέλεια = luxury
η πορεία = course, march
η πόρτα = door
η πορτοκαλάδα = orangeade
το πορτοκάλι = orange
πόσος, η, ο = how much
το ποτάμι = river
πότε;= when?
ποτέ = never
το ποτήρι = glass
πού = where?
που = that
το πουκάμισο = shirt
το πούλμαν = coach
το πράγμα = thing
το πρακτορείο = agency
πράσινος, η, ο = green
πρέπει = it is necessary
πριν = before
τις προάλλες = the other day , recently
το πρόγευμα = breakfast
προς = towards
προσέχω = I pay attention

προσκαλώ = I invite
η προσοχή = attention
προσπαθώ = I try
ο πρόσφυγας = refugee
το πρόσωπο = face
η πρόταση = suggestion, sentence
προτείνω = I suggest
προτιμώ = I prefer
προχωρώ = I proceed
το πρωινό = breakfast, morning
η πρωτεύουσα = capital
πρώτος, η, ο = first
η Πρωτοχρονιά = New Year's day
η πτήση = flight
πυκνός, η, ο = thick
ο πυρετός = fever
πώς = how?
πως = that

Ρ
ράβω = I sew up
το ραδιόφωνο = radio
ο ράφτης = tailor
το ρεπό = time off
τα ρέστα = change
η ρετσίνα = retsina wine
ρίχνω = I throw
το ροδάκινο = peach

485

ροζ = pink
το ρόδι = pomegranate
το ρολόι = clock, watch
η ρόμπα = dressing gown
ο ρυθμός = style, rhythm
ρωτώ = I ask, inquire

Σ

σαν = like
το Σάββατο = Saturday
η σαλάτα = salad
το σαλόνι = living room
το σαπούνι = soap
σαράντα = forty
σβήνω = I rub off, delete
σε = to
η σειρά = row , series
το σέλινο = celery
σηκώνομαι = I get up
η σημαία = flag
η σημασία = meaning, impor-
tance
το σημείο = point
σήμερα = today
σιγά = slowly
σιδηροδρομικώς = by train
ο σιδηρόδρομος = railway
το σινεμά = cinema
σιωπηλός, η, ο = silent
η σκάλα = staircase
σκεπάζω = I cover

σκέπτομαι = I think
η σκέψη = thought
σκληρός, η, ο = cruel, hard
σκοπεύω = I intend
σοβαρός, η, ο = serious
η σούπα = soup
ο Σπαρτιάτης = Spartan
το σπίρτο = match
το σπίτι = house, home
σπουδαίος, α, ο = important
ο σταθμός = station
σταματώ = I stop
η στάση = bus stop
η σταύρωση = crucifixion
το σταφύλι = grapes
στέκομαι = I stand
στέλλω (στέλνω) = I send
το στενό = side road
στενός, η, ο = narrow
στενοχωρημένος, η, ο = wor-
ried, upset
στερούμαι = I lack
τα σταφύλια = grapes
σταυρωμένος, η, ο = crossed
το στεφάνι = wreath
το στήθος = breast, chest
η στιγμή = moment
στοιχίζω = I cost
στολίζω = I decorate
το στόμα = mouth
ο στρατιώτης = soldier

στρίβω = I turn
το στρίψιμο = turning
στρώνω = I spread
ο συγγενής = relative
ο συγγραφέας = author
η συγκέντρωση = meeting
συγκινημένος, η, ο = moved
συγκινητικός, η, ο = moving sad
συζητώ = I discuss, argue
το σύκο = fig
το συκώτι = liver
συλλογίζομαι = I think about, reflect
συναντώ = I meet
η συνέπεια = consequence
συνεπής = consistent
συνεχίζω = I continue
συνήθως = usually
συνοδεύω = I accompany
ο συνωστισμός = crowding
συχνά = often
συχνάζω = I frequent
σφίγγω = I squeeze
σχεδόν = almost
το σχολείο = school
σωστός, η, ο = correct, whole

T
η ταβέρνα = tavern, pub
ο ταβερνιάρης = tavern owner

η τάξη = class
το ταξί = taxi
ταξιδεύω = I travel
το ταξίδι = journey
το ταχυδρομείο = Post Office
ο ταχυδρόμος = postman
τέλειος, α, ο = perfect
τελειώνω = I finish
τελείως = completely
τελευταίος, α, ο = last
το τέλος = end
το τελωνείο = customs-office
ο τεμπέλης = lazy
η τεμπέλα = lazy
τέσσερις = four
η Τετάρτη = Wednesday
το τέταρτο = quarter
τέταρτος, η, ο = fourth
τετρακόσια = four hundred
η τέχνη = art
το τζάκι = hearth, fireplace
η τηλεόραση = television
το τηλέφωνο = telephone
τηλεφωνώ = I telephone
τι; = what?
τινάζω = I push away
τίποτε = nothing, anything
τονίζω = I stress
τόσος, η, ο = so much
τότε = then
η τουαλέτα = toilet, WC

487

ο τουρίστας = tourist
το τραγούδι = song
τραγουδώ = I sing
η τράπεζα = bank
το τραπεζάκι = small table
το τραπέζι = table
το τραπεζομάντιλο = table cloth
τρεις = three
το τρένο = train
τρέχω = I run
τριακόσια = three hundred
τριάντα = thirty
το τριαντάφυλλο = rose
η Τρίτη = Tuesday
τρίτος, η, ο = third
τρομάζω = I get frightened
τρομερά = awfully , terribly
τρώγω = I eat
το τσάι = tea
η τσάντα = handbag
η τσέπη = pocket
το τσιγάρο = cigarette
τυχερός, η, ο = lucky
τώρα = now

Y

(υ) βρίζω = I insult
ο υπάλληλος = clerk, shop assistant
υπάρχω = I exist

η υπεραγορά = supermarket
υπέροχος, η, ο = excellent
ο ύπνος = sleep
το υπόγειο = basement, underground
η υπόθεση = case, matter
ο υπολογιστής = computer
η υπομονή = patience
η υπόσχεση = promise
υπόσχομαι = I promise
υπόχρεος, η, ο = obliged
υποχρεωμένος, η, ο = forced, obliged
ύστερα = after, later
η υγεία = health
ο ύμνος = hymn

Φ

το φαγητό = food, meal
το φαγοπότι = eating and drinking
το φαΐ = food, meal
φαίνομαι = I appear , I seem
ο φάκελος = envelope
ο φαντάρος = soldier
το φαρμακείο = chemist
ο Φεβρουάριος = February
το φεγγάρι = moon
φέρνω = I bring
φεύγω = I go away , leave
το φθινόπωρο = autumn

το φιλμ = film
ο φίλος = friend
ο φιλόσοφος = philosopher
το φλιτζάνι = cup
η φλογέρα = flute
φοβάμαι (ούμαι) = I am afraid
η φορά = time
το φορτηγό = lorry
το φόρεμα = dress
ο φουκαράς = poor chap
ο φούρνος = oven, furnace, bakery
η φούστα = skirt
το φουστάνι = dress
φρέσκος, η, ο = fresh
η φράουλα = strawberry
φροντίζω = I take care
το φρούτο = fruit
η φρυγανιά = toast
τα φρύδια = eyebrows
φτηνός, η, ο = cheap
φτωχός = poor
η φυλακή = prison
φυσικά = naturally
φυσώ = I blow
φωνάζω = I cry
η φωνή = voice
το φως = light
η φωτιά = fire
φωτισμένος, η, ο = lit
η φωτογραφία = photograph

Χ

χαϊδεμένος, η, ο = pampered
χαϊδεύω = pamper , caress
ο χαιρετισμός = greeting
χαίρομαι = I am glad
το χαλί = carpet
χαλώ = I spoil, demolish, change
χαμένος, η, ο = lost
χαμηλός, η, ο = low
το χαμόγελο = smile
χάνω = I lose
το χάπι = pill, tablet
η χαρά = joy
η χάρη = grace, charm
χαρούμενος, η, ο = joyful
ο χάρτης = map
το χαρτί = paper
τα χαρτιά = playing cards, papers
χάρτινος, η, ο = paper
το χαρτομάντιλο = paper tissue
το χαρτονόμισμα = currency note
χασμουριέμαι = I yawn
τα χείλη = lips
χειρότερος, η, ο = worse
ο χειμώνας = winter

το χέρι = hand, arm
η χήρα = widow
χθες, χτες = yesterday
χίλια = a thousand
το χιόνι = snow
το χοιρινό = pork
το χοιρομέρι = bacon, ham
χοντρός, η, ο = fat, thick
χορεύω = I dance
ο χορός = dance, chorus
τα χρήματα = money
χρήσιμος, η, ο = useful
τα Χριστούγεννα = Christmas
ο χρόνος = year, time
χρυσός, η, ο = gold
το χρώμα = colour
χρωστώ = I owe
χτες = yesterday
ο χτίστης = builder
ο χυμός = juice
χωμάτινος, η, ο = earthen
η χώρα = country
το χωράφι = field
ο χωριάτης = villager
το χωριό = village
χωρίς = without

Ψ
ψάλλω = I chant
ο ψαράς = fisherman
ψαρεύω = I fish

το ψάρι = fish
η ψαρόσουπα = fish soup
η ψαροταβέρνα = fish-restaurant
ψάχνω = I search
το ψέμα = lie
ψες = last night
ψηλός, η, ο = tall
ψήνω = I cook
η ψησταριά = barbecue, roaster
ψητός, η, ο = baked, roast
ψόφιος, α, ο = lifeless
το ψυγείο = refrigerator
ψυχρός, η, ο = cold
ο ψωμάς = baker
το ψωμί = bread
τα ψώνια = shopping

Ω
ο ωκεανός = ocean
η ώρα = hour , time
ωραίος, α, ο = beautiful
ως = up to
ώσπου = till
ώστε = so that
ωφέλιμος, η, ο =useful

ENGLISH – GREEK

A

a, an = ένας, μια, ένα
I abandon = παρατώ
about = για, περίπου
abrupt = απότομος, η, ο
I accompany = συνοδεύω
I acquire = αποκτώ
address = η διεύθυνση
adventure = η περιπέτεια
advertisement = η διαφήμιση
aeroplane = το αεροπλάνο
afraid, I am = φοβούμαι
after = μετά, ύστερα
afternoon = το απόγευμα
again = πάλι, ξανά
agency = το πρακτορείο
I agree = συμφωνώ
aid = η βοήθεια
airport = το αεροδρόμιο
all = όλος, η, ο
almonds = τα αμύγδαλα
almost = σχεδόν
alone = μόνος, η, ο
already = κιόλας
also = επίσης
although = αν και, μολονότι
always = πάντα, πάντοτε
I am = είμαι

amazing = καταπληκτικός, η, ο
America = η Αμερική
American = Αμερικάνος, α
ancient = αρχαίος, α, ο
and = και
anger = ο θυμός
animal = το ζώο
another = άλλος, η, ο
I answer = απαντώ
anyone = κάποιος, κανένας
apartment = το διαμέρισμα
I appear = φαίνομαι
appetite = η όρεξη
apple = το μήλο
I approach = πλησιάζω
apricot = το βερίκοκο
April = ο Απρίλιος
I argue = συζητώ
arm = το μπράτσο, το χέρι
armchair = η πολυθρόνα
arrival = η άφιξη
art = η τέχνη
artist = ο καλλιτέχνης
as = καθώς, όπως
as much as = όσο
as soon as = μόλις
ashamed, I am = ντρέπομαι
I ask for = ζητώ

assistant = ο υπάλληλος, ο βοηθός

at once = αμέσως

Athens = η Αθήνα

I attend = παρακολουθώ

attention = η προσοχή

aubergine = η μελιτζάνα

August = ο Αύγουστος

aunt = η θεία

author = ο συγγραφέας

autumn = το φθινόπωρο

available = διαθέσιμος, η, ο

awful = τρομερός, η, ο

B

bad = κακός, άσχημος, η, ο

baker = ο ψωμάς

bakery = ο φούρνος

ball = η μπάλα

banana = η μπανάνα

bank = η τράπεζα

bar = το μπαρ

basket = το καλάθι

bath = το μπάνιο, το λουτρό

bathing costume = το μαγιό

bean = το φασόλι

beautiful = ωραίος, α, ο

because = γιατί

I become = γίνομαι

bed = το κρεβάτι

bedroom = η κρεβατοκάμαρα

beef = το βοδινό

beef-burger = το μπιφτέκι

beer = η μπίρα

beetroot = το παντζάρι

before = πριν

I begin = αρχίζω

behind = πίσω

I believe = πιστεύω

bell = η καμπάνα, το κουδούνι

I belong = ανήκω

belt = η ζώνη

beside = δίπλα, πλάι

besides = άλλωστε

beyond = πέρα

big = μεγάλος, η, ο

bill = ο λογαριασμός

bird = το πουλί

birthday = τα γενέθλια

birthplace = η γενέτειρα

black = μαύρος, η, ο

blanket = η κουβέρτα

blonde = ξανθός, η, ο

blood = το αίμα

I blow = φυσώ

blue = γαλάζιος, μπλε

book = το βιβλίο

bottle = το μπουκάλι

box = το κουτί

brain = το μυαλό

bread = το ψωμί

breakfast = το πρόγευμα,

το πρωινό
breast = το στήθος
I bring = φέρνω
brother = ο αδελφός
brown = καφετής, ια, ι, (καφέ)
builder = ο χτίστης
bus = το λεωφορείο
bus stop = η στάση
but = αλλά, μα όμως
butter = το βούτυρο
by = κοντά, με
by air = αεροπορικώς

C
cafe = το καφενείο
cake = το γλύκισμα
capital = η πρωτεύουσα
I can = μπορώ
captain = ο πλοίαρχος
car = το αυτοκίνητο, το αμάξι
cards = τα χαρτιά, οι κάρτες
I caress = χαϊδεύω
carnation = το γαρίφαλο
carpet = το χαλί
I cash = εξαργυρώνω
cat = η γάτα
celery = το σέλινο
centre = το κέντρο
cheerful = εύθυμος, η, ο
chair = η καρέκλα
I change = αλλάζω, χαλώ

change = τα ρέστα
charm = η χάρη
charmed = γοητευμένος
charming = μαγευτικός
chemist = το φαρμακείο
cherry = το κεράσι
chicken = το κοτόπουλο
child = το παιδί
chips = οι τηγανητές πατάτες
Christmas = τα Χριστούγεννα
church = η εκκλησία
cigarette = το τσιγάρο
cinema = το σινεμά, ο κινηματογράφος
city = η πόλη
class = η τάξη
clean = καθαρός, η, ο
cleanliness = η καθαριότητα
clever = έξυπνος, η, ο
clock = το ρολόι
I close = κλείνω
club = το σωματείο
coach = το πούλμαν
cod = ο μπακαλιάρος
coffee = ο καφές
cold = κρύος, ψυχρός, η, ο
college = το κολέγιο
colour = το χρώμα
completely = εντελώς
computer = ο κομπιούτερ, υπολογιστής

consequence = η συνέπεια
consistent = συνεπής
I continue = συνεχίζω
convenient = βολικός, η, ο
conversation = η κουβέντα, συνδιάλεξη
I cook = μαγειρεύω
cook = ο μάγειρας, ος
cool = δροσερός, η, ο
corner = η γωνιά
correct = σωστός, η, ο
I cost = στοιχίζω, κοστίζω
country = η χώρα
couple = το ζευγάρι
courage = το θάρρος
course = η πορεία
cousin = ξάδελφος, η
I cover = σκεπάζω
Crete = η Κρήτη
crowding = ο συνωστισμός
cruel = σκληρός, η, ο
I cry = κλαίω, φωνάζω
crystal = το κρύσταλλο
cucumber = το αγγούρι
cup = το φλιτζάνι, το κύπελλο
curious = περίεργος, η, ο
currency = το νόμισμα, το συνάλλαγμα
curtain = η κουρτίνα
custom = το έθιμο
customer = ο πελάτης

customs office = το τελωνείο
Cypriot = Κύπριος, α
Cyprus = η Κύπρος

D

daily = καθημερινός, η, ο
dance = ο χορός
I dance = χορεύω
date = η ημερομηνία
date = ο χουρμάς
daughter = η κόρη
dawn = τα χαράματα, η αυγή
day = η μέρα
dear = ακριβός, η, ο
αγαπητός, η, ο
December = ο Δεκέμβριος
I decide = αποφασίζω
decision = η απόφαση
I declare = δηλώνω
deep = βαθύς, ια, υ
delicate = λεπτός, η, ο
I demolish = χαλώ
departure = η αναχώρηση
I die = πεθαίνω
different = διαφορετικός, η, ο
difficult = δύσκολος, η, ο
director = ο διευθυντής
I discuss = συζητώ
distance = η απόσταση
distant = μακρινός, η, ο
distant, it is = απέχει

I do = κάνω
doctor = ο, η γιατρός
dog = ο σκύλος

door = η πόρτα
double = διπλός, η, ο
down = κάτω
I dream = ονειρεύομαι
dream (the) = το όνειρο
dress (the) = το φουστάνι, φόρεμα
I dress = ντύνομαι
dressing gown = η ρόμπα
I drive = οδηγώ
driver = ο οδηγός
I drown = πνίγομαι
duck = η πάπια
during = κατά τη διάρκεια

E
ear = το αυτί
early = νωρίς
east = η ανατολή
Easter = το Πάσχα, η Λαμπρή
easy = εύκολος, η, ο
I eat = τρώγω
egg = το αβγό (αυγό)
eight = οκτώ
eight hundred = οκτακόσια
eighty = ογδόντα
either... or = είτε... είτε

elephant = ο ελέφαντας
eleven = έντεκα
elsewhere = αλλού
end = το τέλος
engine = η μηχανή
engineer = ο μηχανικός
engineering = η μηχανική
I enjoy = απολαμβάνω
enough = αρκετός, η, ο
envelope = ο φάκελος
equal = ίσος, η, ο
euro = το ευρώ
Europe = η Ευρώπη
even = ακόμα
even if = αν και
ever = ποτέ
every = κάθε
eye = το μάτι
exact = ακριβής
I examine = εξετάζω
excellent = έκτακτος, η, ο
υπέροχος, η, ο
excursion = η εκδρομή
I expect = περιμένω
expensive = ακριβός, η, ο
experience = η πείρα
expert = ειδικός

F
face = το πρόσωπο
factory = το εργοστάσιο

fair = ξανθός, πανηγύρι
I fall = πέφτω
family = η οικογένεια
famous = περίφημος, η, ο
far = μακριά
fat = χοντρός, η, ο
father = ο πατέρας
fatigue = η κούραση
feat = το κατόρθωμα
February = ο Φεβρουάριος
I feel = νιώθω
field = το χωράφι
fig = το σύκο
fight = πολεμώ
film = το φιλμ, η ταινία
I finish = τελειώνω
I find = βρίσκω
I find it difficult = δυσκολεύομαι
fire = η φωτιά
first = πρώτος, η, ο
fish = το ψάρι
fisherman = ο ψαράς
five = πέντε
five hundred = πεντακόσια
flat = το διαμέρισμα
flight = η πτήση
flower = το λουλούδι
follow = ακολουθώ
following = επόμενος, η, ο
food = το φαγητό

foot = το πόδι
football = το ποδόσφαιρο
forced = υποχρεωμένος, η, ο
I forget = λησμονώ, ξεχνώ
fork = το πιρούνι
formerly = άλλοτε
forty = σαράντα
four = τέσσερις
four hundred = τετρακόσια
France = η Γαλλία
French (person) = Γάλλος, ίδα
I frequent = συχνάζω
Friday = η Παρασκευή
friend = ο φίλος
from = από
frozen = παγωμένος, η, ο
fruit = το φρούτο
full = γεμάτος, η, ο
funny = αστείος, α, ο
furnace = ο φούρνος

G
game = το παιχνίδι
garage = το γκαράζ, το συνεργείο
garden = ο κήπος
I gather = μαζεύω
gentleman = ο κύριος
Germany = η Γερμανία
German (person) = Γερμανός, ίδα

I get dressed = ντύνομαι
I get angry = θυμώνω
I get frightened = τρομάζω
I get ready = ετοιμάζομαι
I get tired = κουράζομαι
I get up = σηκώνομαι
girl = το κορίτσι, η κοπέλα
I give = δίνω
glad = χαίρομαι
glass = το ποτήρι
I go = πηγαίνω, πάω
I go away = φεύγω
I go down = κατεβαίνω
I go out = βγαίνω
I go up = ανεβαίνω
gold = ο χρυσός
good = καλός, η, ο
goodbye = αντίο, γεια σου
good morning = καλημέρα
good night = καληνύχτα
grace = η χάρη
grammar-school = το λύκειο
granddaughter = η εγγονή
grandfather = ο παππούς
grandmother = η γιαγιά
grandson = ο εγγονός
grapes = τα σταφύλια
great = μεγάλος, η, ο
Greece = η Ελλάδα
Greek = ελληνικός, η, ο

Greek (person) = ΄Ελληνας, ίδα
green = πράσινος, η, ο
greengrocer = ο μανάβης
greengrocer's = το μανάβικο
greeting = ο χαιρετισμός
grey = γκρίζος
grocer = ο μπακάλης
grocer's = το μπακάλικο
guest = ο ξένος

H
hair = τα μαλλιά
half = μισός, η, ο
hamburger = το μπιφτέκι
hand = το χέρι
handbag = η τσάντα
happiness = η ευτυχία
happy = ευτυχής, ευτυχισμένος, η, ο
harbour = το λιμάνι
hard = σκληρός, η, ο
hat = το καπέλο
I have = έχω
he = αυτός
head = το κεφάλι
I hear = ακούω
heart = η καρδιά
heavy = βαρύς, ια, υ
here = εδώ
I hide = κρύβομαι

I hire = ενοικιάζω
history = η ιστορία
holiday = η γιορτή, διακοπές
home = το σπίτι
horizon = ο ορίζοντας
horse = το άλογο
hospital = το νοσοκομείο
hot = ζεστός, η, ο
hotel = το ξενοδοχείο
hotelier = ο ξενοδόχος
hour = η ώρα
house = το σπίτι
housewife = η νοικοκυρά
how? = πως
how much = πόσος, η, ο
husband = ο άντρας, ο σύζυγος

I

I = εγώ
ice cream = το παγωτό
I immerse = βυθίζω
important = σπουδαίος, α, ο
in = μέσα
in front = μπροστά
in order to = για να
indispensable = απαραίτητος, η, ο
information = η πληροφορία
ink = το μελάνι
I inquire = ρωτώ

inside = μέσα
intelligent = έξυπνος, η, ο
I intend = σκοπεύω
invasion = η εισβολή
invitation = η πρόσκληση
I invite = προσκαλώ
island = το νησί
Italy = η Ιταλία

J

jacket = η ζακέτα
jam = η μαρμελάδα
January = ο Ιανουάριος
jaw = το σαγόνι
job = η δουλειά
joke = το αστείο
journey = το ταξίδι
joy = η χαρά
jug = η κανάτα
juice = ο χυμός
July = ο Ιούλιος
jump = πηδώ
June = ο Ιούνιος

K

I keep = κρατώ, συντηρώ
key = το κλειδί
kill = σκοτώνω
kind = ευγενικός, η, ο
kiosk = το περίπτερο
kipper = καπνιστή ρέγγα

I kiss = φιλώ,
kiss = το φιλί
kitchen = η κουζίνα
knee = το γόνατο
knife = το μαχαίρι
I knock = χτυπώ
I know = ξέρω, γνωρίζω

L
I lack = στερούμαι
lady = η κυρία
lamb = το αρνί
last = τελευταίος, α, ο
late = αργά
I laugh = γελώ
laughter = το γέλιο
lazy = τεμπέλης
I learn = μαθαίνω
left = αριστερός, η, ο
legend = ο θρύλος, ο μύθος
lemon = το λεμόνι
lemonade = η λεμονάδα
lesson = το μάθημα
I let = αφήνω, ενοικιάζω
letter = το γράμμα
letter box = το
γραμματοκιβώτιο
level = το επίπεδο
library = η βιβλιοθήκη
lie = το ψέμα
I lie down = ξαπλώνω

life = η ζωή
lifeless = ψόφιος, α, ο
light = το φως
I light = ανάβω
lightning = η αστραπή
like = σαν
lips = τα χείλη
list = ο κατάλογος
literature = η λογοτεχνία
little = λίγος, μικρός, η, ο
I live = ζω
liver = το συκώτι
living room = το σαλόνι
London = το Λονδίνο
long = μακρύς, ια, υ
look = το βλέμμα
I look = κοιτάζω
I look for = γυρεύω, ζητώ
I lose = χάνω
lost = χαμένος, η, ο
lottery = το λαχείο
a lot = καμπόσος, η, ο
I love = αγαπώ
love = η αγάπη
low = χαμηλός, η, ο
lucky = τυχερός, η, ο
luggage = οι αποσκευές
lunch = το γεύμα, το
μεσημεριανό

M

machine = η μηχανή
magazine = το περιοδικό
I make = κάνω
man = ο άνθρωπος, ο άντρας
many = οι πολλοί
March = ο Μάρτης
I marry = παντρεύομαι
match = το σπίρτο, ο αγώνας
It matters = πειράζει
May = ο Μάιος
meal = το φαγητό
meaning = η σημασία
mechanic = ο μηχανικός
I meet = συναντώ
meeting = η συγκέντρωση
melon = το πεπόνι
mental = πνευματικός, η, ο
menu = ο κατάλογος
merry = εύθυμος, η, ο
message = το μήνυμα
middle = μέσος, η, ο
milk = το γάλα
million = το εκατομμύριο
millionaire = ο εκατομμυριούχος
mine = δικός μου, το ορυχείο
minute = το λεπτό
miracle = το θαύμα
mirror = ο καθρέφτης
Mr. = ο κύριος
Mrs. = η κυρία

mobile phone = το κινητό
moment = η στιγμή
money = τα λεφτά, τα χρήματα
moon = το φεγγάρι
month = ο μήνας
more = περισσότερος, η, ο
more (adj) = πιο
morning = το πρωί, το πρωινό
mother = η μητέρα, η μάνα
motor-car = το αυτοκίνητο
mountain = το βουνό
mouth = το στόμα
I move = κουνώ
moving (sad) = συγκινητικός, η, ο
much = πολύς
music = η μουσική

N
name = το όνομα
napkin = η πετσέτα
naturally = φυσικά
near = κοντά
necessary, it is = πρέπει
need = η ανάγκη
neighbour = ο γείτονας
niece = η ανεψιά
neither... nor = ούτε... ούτε
nephew = ο ανεψιός
never = ποτέ
nevertheless = όμως

new = νέος, καινούριος, α, ο
news = τα νέα, οι ειδήσεις
newspaper = η εφημερίδα
next = ο επόμενος, ερχόμενος
nice = καλός, ωραίος
Nicosia = η Λευκωσία
night = η νύχτα
night club = το καμπαρέ, το
κέντρο
nine = εννιά
nine hundred = εννιακόσια
ninety = ενενήντα
no = όχι
no one = κανένας, καμιά,
κανένα
noiselessly = αθόρυβα
noon = το μεσημέρι
north = ο βοριάς
northern = βόρειος, α, ο
βορινός, η, ο
nose = η μύτη
nothing = τίποτε
November = ο Νοέμβριος

O
obliged = υπόχρεος, η, ο
of course = βέβαια, βεβαίως
office = το γραφείο
officer = ο αξιωματικός
often = συχνά
old = παλιός, α, ο

old person = ο γέρος, η γριά
olive = η ελιά
one = ένας
onion = το κρεμμύδι
only = μόνο
open = ανοιχτός, η,ο
I open = ανοίγω
opposite = απέναντι
or = ή
orange = το πορτοκάλι
orangeade = η πορτοκαλάδα
other = άλλος, η, ο
otherwise = αλλιώς
out = έξω
outing = η εκδρομή
outside = έξω
oven = ο φούρνος
overcoat = το παλτό
I owe = χρωστώ
owner = ο ιδιοκτήτης

P
packet = το πακέτο
pair = το ζευγάρι
paper = το χαρτί
parade = η παράταξη,
η παρέλαση
paradise = ο παράδεισος
parent = ο γονέας, γονιός
party = το πάρτι
I pass = περνώ

passport = το διαβατήριο
pavement = το πεζοδρόμιο
I pay = πληρώνω
I pay attention = προσέχω
peach = το ροδάκινο
pear = το αχλάδι
pearl = το μαργαριτάρι
peas = τα μπιζέλια, αρακάς
pen = η πένα, το στυλό
pencil = το μολύβι
penny = η πένα
people = ο κόσμος
perfect = τέλειος, α, ο
person = το άτομο
petrol = η βενζίνη (α)
petrol station = το πρατήριο βενζίνης
philosopher = ο φιλόσοφος
photograph = η φωτογραφία
piano = το πιάνο
pilot = ο πιλότος
pine-tree = το πεύκο
pity = το κρίμα
plate = το πιάτο
I play = παίζω
pleasant = ευχάριστος, η, ο
please = παρακαλώ
pleased = ευχαριστημένος, η, ο
piece = το κομμάτι
poem = το ποίημα

poet = ο ποιητής
poetic = ποιητικός, η, ο
point = το σημείο
I point = δείχνω
policeman = ο αστυφύλακας
polite = ευγενικός, η, ο
politeness = η ευγένεια
poor = φτωχός, η, ο
population = ο πληθυσμός
pork = το χοιρινό
porter = ο αχθοφόρος
portion = η μερίδα
position = η θέση
postage-stamp = το γραμματόσημο
postman = ο ταχυδρόμος
post office = το ταχυδρομείο
potato = η πατάτα
I prefer = προτιμώ
president = ο πρόεδρος
I prevent = εμποδίζω
priest = ο παπάς
private = ιδιωτικός, η, ο
problem = το πρόβλημα, το ζήτημα
I proceed = προχωρώ
I promise = υπόσχομαι
property = η περιουσία
proud = περήφανος, η, ο
pub = η ταβέρνα
pupil = ο μαθητής

I put = βάζω

Q

quality = η ποιότητα
quantity = η ποσότητα
quarrel = ο καυγάς
quarter = το τέταρτο
queen = η βασίλισσα
question = η ερώτηση
quick = γρήγορος, η, ο
quiet = ήσυχος, η, ο
quietness = η ησυχία

R

radio = το ραδιόφωνο
rain = η βροχή
rather = μάλλον
I reach = φτάνω
I read = διαβάζω
ready = έτοιμος, η, ο
reason = ο λόγος
I receive = λαμβάνω, παίρνω
red = κόκκινος, η, ο
regular = κανονικός, η, ο
τακτικός, η, ο
I remember = θυμάμαι
rent = το νοίκι
I request = παρακαλώ, ζητώ
I resemble = μοιάζω
reserved = κρατημένος, η, ο
restaurant = το εστιατόριο

I return = γυρίζω
ribbon = η κορδέλα
rich = πλούσιος, α, ο
ring = το δαχτυλίδι
river = το ποτάμι
road = ο δρόμος
roast = ψητός, η, ο
roof = η οροφή, η στέγη
room = το δωμάτιο
rose = το τριαντάφυλλο
round = γύρω
row = η σειρά
I rub off = σβήνω
I run = τρέχω

S

sad = λυπημένος, η, ο
salad = η σαλάτα
Salonica = η Θεσσαλονίκη
same = ίδιος, α, ο
Saturday = το Σάββατο
I say = λέγω
sea = η θάλασσα
I search = ψάχνω
season = η εποχή
second = δεύτερος, η, ο
secretary = ο, η γραμματέας
I see = βλέπω
I seem = φαίνομαι
I sell = πουλώ
I send = στέλνω

sentence = η πρόταση
September = ο Σεπτέμβριος
series = η σειρά
serious = σοβαρός, η, ο
I set off = ξεκινώ
seven hundred = εφτακόσια
seventy = εβδομήντα
speech = ο λόγος, η ομιλία
shade = η σκιά
I shave = ξυρίζομαι
ship = το πλοίο, το καράβι
shirt = το πουκάμισο
shoes = τα παπούτσια
shop = το κατάστημα, το μαγαζί
shopping = τα ψώνια
I show = δείχνω
silent = σιωπηλός, η, ο
silk = το μετάξι
silly = ανόητος, η, ο
simple = απλός, η, ο
sincere = ειλικρινής
I sing = τραγουδώ
single = μόνος, η, ο
sister = αδελφή
six = έξι
six hundred = εξακόσια
sixty = εξήντα
skirt = η φούστα
sky = ο ουρανός
sleep = ο ύπνος

I sleep = κοιμάμαι
slow = σιγανός, η, ο
slowly = σιγά, σιγά
small = μικρός, η, ο
smartness = η κομψότητα
smile = το χαμόγελο
I smile = χαμογελώ
smoke = ο καπνός
I smoke = καπνίζω
snow = το χιόνι
so = έτσι, τόσο
soap = το σαπούνι
socks = οι κάλτσες
soldier = ο στρατιώτης
some = λίγος, μερικό
someone = κάποιος, α, ο
sometime (s) = κάποτε
son = ο γιος
song = το τραγούδι
sorry, I am = λυπούμαι
soup = η σούπα
souvenir = το ενθύμιο
I speak = μιλώ
special = ιδιαίτερος, η, ο
spectacles = τα γυαλιά
I spend = ξοδεύω
I spoil = χαλώ
spoon = το κουτάλι
I spread = απλώνω
Spring = η Άνοιξη
square = η πλατεία

staircase = η σκάλα
stamp = το γραμματόσημο
standing = όρθιος, α, ο
star = το άστρο, το αστέρι
station = ο σταθμός
I stay = μένω
still = ακόμα
I stop = σταματώ
story = η ιστορία
straight on = ίσια
strange = παράξενος, η, ο
stranger = ο ξένος
street = ο δρόμος, η οδός
I stress = τονίζω
strong = δυνατός, η, ο
stupid person = ο βλάκας
subject = το θέμα
suddenly = ξαφνικά
sugar = η ζάχαρη
summer = το καλοκαίρι
sun = ο ήλιος
sunbathing = η ηλιοθεραπεία
Sunday = η Κυριακή
supper = το δείπνο
sure = βέβαιος, η, ο
surely = βέβαια
surgery = το ιατρείο
surprise = η έκπληξη
sweet = το γλυκό, η καραμέλα
swim = κολυμπώ

swimming = το κολύμπι
swimming pool = η πισίνα

T

table = το τραπέζι
tailor = ο ράφτης
I take = παίρνω
I take care = φροντίζω
I take hold of = πιάνω
talk = η ομιλία
I talk = μιλώ
tall = ψηλός, η, ο
taxi = το ταξί
tea = το τσάι
teacher = ο δάσκαλος, η δασκάλα
tears = τα δάκρυα
telephone = το τηλέφωνο
I telephone = τηλεφωνώ
television = η τηλεόραση
ten = δέκα
I thank = ευχαριστώ
that = εκείνος, ότι, πως
theatre = το θέατρο
then = τότε
thick = πυκνός, η, ο
thing = το πράγμα
I think = νομίζω, θαρρώ, σκέφτομαι
thirteen = δεκατρία
thirty = τριάντα

this = αυτός, η, ο
thought = η σκέψη
a thousand = χίλια
three = τρία, τρεις
three hundred = τριακόσια
I throw = ρίχνω
Thursday = η Πέμπτη
thus = έτσι
tie = η γραβάτα
tied = δεμένος, η, ο
till = ως, ώσπου
time = ο χρόνος, η ώρα
tired = κουρασμένος, η, ο
to = σε
toast = η φρυγανιά
today = σήμερα
toilet = η τουαλέτα
toilet paper = χαρτί τουαλέτας
together = μαζί
tomato = η ντομάτα
tomorrow = αύριο
tongue = γλώσσα
tonight = απόψε
tooth = το δόντι
tooth brush = η οδοντόβουρτσα
toothpaste = η οδοντόκρεμα, οδοντόπαστα
tower = ο πύργος
town = η πόλη
train = το τρένο

travel = ταξιδεύω
tree = το δέντρο
troubles = τα βάσανα
trousers = το πανταλόνι
I try = δοκιμάζω, προσπαθώ
Tuesday = η Τρίτη
I turn = γυρίζω, στρίβω
turning = το στρίψιμο
twelve = δώδεκα
twenty = είκοσι
two = δύο
two hundred = διακόσια

U
ugly = άσχημος, η, ο
umbrella = η ομπρέλα
uncle = ο θείος
under = κάτω
underground = το μετρό
I understand = καταλαβαίνω, αντιλαμβάνουαι
underwear = τα εσώρουχα
uneasy = ανήσυχος, η, ο
unhappy = δυστυχισμένος, η, ο
University = το Πανεπιστήμιο
unlikely = απίθανος, η, ο
untidy = ακατάστατος
up = πάνω
up to = ως
I use = χρησιμοποιώ
useful = χρήσιμος, η, ο

usually = συνήθως

V

value = η αξία
variety = η ποικιλία
various = διάφοροι
veal = το μοσχάρι
vegetable = το λαχανικό
veranda = η βεράντα
very much = πάρα πολύ
video = το βίντεο
view = η θέα
village = το χωριό
villager = ο χωριάτης / ισσα
vine = το αμπέλι
vinegar = το ξύδι
Virgin Mary = η Παναγία
visit = η επίσκεψη
I visit = επισκέπτομαι
voice = η φωνή

W

I wait = περιμένω
waiter = το γκαρσόνι
I wake up = ξυπνώ
I walk = περπατώ
wall = ο τοίχος
I want = θέλω
war = ο πόλεμος
warm = ζεστός, η, ο
watch = το ρολόι

I watch = παρακολουθώ
water = το νερό
water-melon = το καρπούζι
way = ο δρόμος
we = εμείς
wealth = ο πλούτος
I wear = φορώ
weather = ο καιρός
wedding = ο γάμος
Wednesday = η Τετάρτη
week = η εβδομάδα
week-end = το Σαββατοκύριακο
weekly = εβδομαδιαίος, α, ο
I weep = κλαίω
west = η δύση
western = δυτικός, η, ο
what? = τι; ότι
when? = πότε;
whenever = όποτε
where = όπου
while = ενώ
whim = η ιδιοτροπία
white = άσπρος, η, ο
whole = ολάκερος, ολόκληρος, σωστός, η, ο
why? = γιατί
wide = πλατύς, ια, υ
widow = η χήρα
wife = η γυναίκα, η σύζυγος
will = η θέληση

I win = νικώ, κερδίζω
wind = ο άνεμος
window = το παράθυρο
wine = το κρασί
winter = ο χειμώνας
with = με
without = χωρίς
without fail = οπωσδήποτε
woman = η γυναίκα
word = η λέξη
work = η δουλειά
I work = δουλεύω
worker = ο εργάτης
world = ο κόσμος
worried = στενοχωρημένος, η, ο
worse = χειρότερος, η, ο
worth = αξίζει
I write = γράφω
writer = ο συγγραφέας

Y
year = ο χρόνος
yellow = κίτρινος, η, ο
yes = ναι
yesterday = χτες
yet = ακόμα
yoghurt = το γιαούρτι
you = εσύ, εσείς

young = νέος, α
youth = νέος, νεαρός

Z
zero = μηδέν
zip = το φερμουάρ
zither = το σαντούρι
zoo = ο ζωολογικός κήπος

THE GREEK INSTITUTE
ΕΛΛΗΝΙΚΟ ΙΝΣΤΙΤΟΥΤΟ ΑΓΓΛΙΑΣ
(Founded 1969)

For the Promotion of Modern Greek Studies and British-Greek and Cypriot Friendship

Past Presidents: Sir Maurice Bowra, Sir Compton Mackenzie, Prof. Robert Browning
Hon. President: H. E. Archbishop of Thyateira and Gt. Britain
Hon. Fellows: Dido Soteriou (Novelist), Antonis Samarakis (Novelist), Mikis Theodorakis (Composer)

Director
Dr. Kypros Tofallis, BA, MA, PhD, DipEd, FIL

34, BUSH HILL ROAD, LONDON N21 2DS
Telephone and Fax: 020 8360 7968

REGIONAL REPRESENTATIVES

LONDON, ABERDEEN, BASINGSTOKE, BELFAST, BIRMINGHAM, BLACKBURN, BLACKPOOL, BRIGHTON, CHESHUNT (HERTS), DERBY, DORSET, DURHAM, GLASGOW, HEMEL HEMPSTEAD, HULL, LEEDS, LEICESTER, LETCHWORTH (HERTS), LIVERPOOL, MAIDSTONE, MANCHESTER, NEWCASTLE, NORTHAMPTON, NORTHUMBERLAND, NORWICH, NOTTINGHAM, OXFORD, PETERBOROUGH, PLYMOUTH, PRESTON, SHEFFIELD, SUNDERLAND, TRURO, TYNE AND WEAR, WARE (HERTS), WILTSIRE.

REGULATIONS & SYLLABUSES 2001 and 2002

THE GREEK INSTITUTE

The Greek Institute was founded in 1969 and its aims are academic and cultural. It is listed in the *World of Learning,* the *Directory of British Associations* and *British Qualifications.* It promotes Modern Greek Studies in the United Kingdom through lectures, publications, literary competitions, Greek cultural evenings and through examinations and awards Certificates and Diplomas to the successful candidates. Above all it promotes British-Greek and Cypriot friendship and understanding.

The qualifications awarded by the Greek Institute are professional qualifications. Many British Universities recognise and accept the Greek Institute Certificates as equivalent in standard to the GCSE and GCE "A" level in Modern Greek.

Modern Greek courses and Examinations are offered all over the United Kingdom (see our *Directory of Greek Language Courses in the UK* - £4.00 inc. postage). The Greek Institute has Local Representatives and Examiners in most parts of the country . The Institute, besides its cultural role is a professional and examining body and its Members (Associates and Fellows) work as translators and interpreters, language teachers, research workers and in other fields of employment or professions in which high standards of proficiency in the Greek and English languages are required.

The cultural functions are usually held in London and in other parts of the U.K. where there are Greek Institute Local Representatives.

Annual Subscription: Ordinary Members: £30.00 Associates: £35.00   Fellows: £40.00.

Advantages of Membership: Membership is open to anyone interested in Greece or Cyprus. There is no entry requirement for the ordinary membership but Associates and Fellows must first pass the respective examinations or hold such other qualifications which may exempt them.

1. All Members may attend any of the cultural activities organised by the Institute or any other Greek or Cypriot organisation in the U.K.
2. Receive free of charge the *Anglo- Greek Review* and Newsletters.
3. Purchase the Institute's publications at reduced rates.
4. Enrol for the Greek Correspondence Courses at reduced rates.
5. Travel to Greece or Cyprus at specially reduced rates (10% Discount) on producing a valid Greek Institute Membership Card.

Greek Institute Publications. Books by Dr Kypros Tofallis

1. A TEXTBOOK OF MODERN GREEK - For Beginners up to GCSE (New Edition 2001)
2. MODERN GREEK TRANSLATION (for GCE "0" and GCE "A" level) New Edition £7.50
3. ENGLISH-GREEK TRANSLATION (for GCE "0" and GCE "A" level) New Edition £7.50
4. A SHORT HISTORY OF CYPRUS - New Edition, 2001 £7.50
5. DIRECTORY OF GREEK LANGUAGE COURSES IN THE U.K £4.00
6. GREECE AND CYPRUS - A Yearbook 1986 and 1990 .£5.00
7. SOCRATES - MAN AND PHILOSOPHER £3.00

8. DIRECTORY OF HIGHER EDUCATION IN THE UK £4.00
9. GREEK INSTITUTE EXAMINATION PAPERS (Each stage) £2.50

The above books are obtainable from the Institute.

GREEK INSTITUTE EXAMINATIONS 2001

The Examinations of the Institute are held once a year, in early June. Candidates wishing to enter must submit their entry form by the 31st January. Late entries are accepted up to the 30th April but a late fee of £20 is payable in addition to the examination fee.

Examination Fees for 2001
Examination Stages
Preliminary Certificate £40.00
Intermediate Certificate £50.00
Advanced Certificate £70.00
Diploma in Greek Translation £150.00

PRELIMINARY CERTIFICATE

The aim of this examination is to test candidates in four basic skills: 1. Listening, 2. Reading, 3. Speaking and 4. Writing. The examination is suitable for people who complete one year's study of Modern Greek at School, College, Adult Education Centre, University or Private study. The oral part of the examination is carried out by the Local Teacher. The standard of this examination is about the same as the Basic Level of the GCSE.

Examination Fee: £40.00

The Examination will consist of the following **four** papers:

Paper 1. Oral (About 10- 15 minutes).

(A) Prepared Talk. The candidate must select two topics from the following list and talk to the Examiner for 2 minutes on each topic. The topics for the year 2001 and 2002 are:

1. My Family 2. My friends 3. My Holidays 4. My home 5. My town / village 6. My school/work 7.A visit 8. Easter/Christmas 9. My favourite T.V. Programme 10. What I do at week-ends.

(B) Conversation. To talk to the Examiner for about five minutes on simple topics, e.g. ordering a meal at a restaurant, booking rooms at a hotel, likes and dislikes, shopping, holidays, visiting friends or places

Paper 2. Listening and Responding (40 Minutes).
Candidates will listen to a number of simple statements in Greek. Each statement will be read twice and immediately afterwards candidates will respond to the questions indicating whether the statements are true or false or give short answers in English. They will have 30 seconds for each answer.

Paper 3. Reading and Responding (40 Minutes).
Candidates will read a number simple statements in Greek and will respond to the questions indicating whether the statements they have read are true or false or give short answers in English.

Paper 4. Basic Writing (40 Minutes).
Candidates will have a choice of *either* writing a letter *or* a short essay in Greek of about 100 words.

Examination Assessment: Each Paper carries 40 Marks. Candidates must score at least 80 marks (out of 160) in order to pass. There are three Grades of Pass: Grade A = 131 - 160, Grade B = 101 - 130 Grade C = 80- 100.

INTERMEDIATE CERTIFICATE

The aim of this examination is to test candidates in four skills at Intermediate Level: **1. Listening, 2. Speaking, 3. Reading and 4. Writing.** The examination is suitable for people who complete two years of study of Modern Greek. The oral part of the examination is carried out by the Local teacher. The standard of this examination is similar to the Higher level of the GCSE examination.

Examination Fee: £50.00

The Examination will consist of the following **four** papers:

Paper 1. Oral (About 15- 20 Minutes)

(A) Prepared Talk. The candidate must select two topics from the following list and talk to the examiner for 3 minutes on each topic. The topics for the year 2001 and 2002 are:

1. A visit to Greece or Cyprus 2. The Greek Church 3. A Greek Custom 4. A Wedding 5. My plans for the future 6. Greek Literature (Any book you have read) 7. Life in a town or village 8. My childhood 9. My relatives 10. An important event in my life.

(B) Conversation. To talk to the examiner for about 6- 8 minutes on general topics, e.g. your work / studies, holidays, interests, visits to friends/places, books, films, etc.

Paper 2. Listening and Responding (50 Minutes)

Candidates will listen to a number of statements in Greek. Each statement will be read twice and candidates will be given 30 seconds to respond to the questions (true or false) or write short answers in English or in Greek.

Paper 3. Reading and Responding (50 Minutes).

Candidates will read a number of statements in Greek and will respond to the questions (true or false) or write short answers in **Greek.**

Paper 4. Greek Essay (50 Minutes).

Candidates will write an essay in Greek (150 -200 words) on a general topic.

Examination Assessment: Each Paper carries 40 Marks. Candidates must score at least 80 marks (out of 160) in order to pass. There are three Grades of Pass: Grade A = 131 -160, Grade B = 101 - 130 and Grade C = 80- 100.

ADVANCED CERTIFICATE

The aim of this examination is to test candidates' ability to speak, read, write and understand the Greek language at an Advanced level. The examination is suitable for people who have *either* the Intermediate Certificate *or* the GCSE in Modern Greek. The standard of this examination is about the same as the GCE "A" level.

Examination Fee: £70.00

There will be **two written papers** of 3 hours each and an Oral Paper of 20 minutes.
(Please note that books related to all the Papers and sections listed below are available from the Greek Institute. Please send a SAE for the current price list).

Paper 1. Language (3 hours)

(a) To translate **one** passage from Greek into English (about 250 words).
(b) To translate **one** passage from English into Greek (about 250 words).
(c) To write **one** essay in Greek (250- 300 words).

Paper 2. (A) Literature, (B) History, (C) Geography & Tourism (3 hours)

Candidates must write **THREE** essays **in Greek** (about 250- 300 words each): **one** from **each** section.

Section A: Modern Greek Literature (Prescribed texts for 2001 & 2002)

Candidates must write an essay on ONE of the following books:
1. Nikos Kazantzakis : O Christos Xanastavronetai
2. Lilika Nakou : I Kyria Doremi
3. Antonis Samarakis : I Kontra

Section B: *Either* History of Greece (1912 - 1981) *Or* History of Cyprus (1878 -1993)

The paper will be divided into two parts and candidates may answer questions from *either* the History of Greece *or* the History of Cyprus. There will be questions of the "Either - Or" type on Greece and on Cyprus.

Topics to be studied for the *History of Greece:* (a) The Balkan Wars (b) The 1922 Asia Minor Disaster, (c) The Metaxas Dictatorship (d) Greece and the 2nd World War (e) The Civil War (f) The Military Dictatorship (1967- 74) (g) Restoration of Democracy and the first PASOK Government.

Topics to be studied for the *History of Cyprus:* (a) British rule from 1878- 1931 (b) The 1931 Uprising (c) The formation of political parties and trade unions (d) The Struggle for Enosis 1955-59 (e) The Zurich-London Agreements and Independence (f) The 1974 military coup and the Turkish invasion (g) Cyprus from 1974 to 1993.

Section C: Geography and Tourism. *Either* Greece *Or* Cyprus

Candidates will write *one* essay on *either* Greece *or* Cyprus. There will be two questions of the "Either - Or" type on Greece and on Cyprus. For Greece candidates should study the following regions: Athens and the Attica region, The Peloponnese, Aegean Islands, The Ionian Islands, Macedonia and Thessaly. For Cyprus candidates are expected to know about all the parts of Cyprus.

Paper 3. Oral Test (20 Minutes)
Conversation with the Examiner on current affairs and general topics to test the candidate's fluency in the language.

Examination Assessment: Papers 1 and 2 carry 100 marks each. Paper 3 carries 40 marks. Candidates must score at least 120 marks (out of 240) in order to pass. There are five grades of Pass: Grade A = 205- 240, Grade B = 185- 204, Grade C = 165- 184, Grade D = 145- 164 and Grade E = 120- 144.

DIPLOMA IN GREEK TRANSLATION

The aim of this examination is to test candidates' ability to translate *either* from Greek into English *or* from English into Greek at a professional standard, i.e. at University Degree level. The standard of this examination is about the same as a First University Degree. Candidates must pass in all papers in order to qualify for the Diploma. The Diploma is a useful qualification to all those who are interested to work as professional translators and interpreters in the European Union, or in other professions where Translation and Interpreting constitute a major part.

The Examination is held in June only, in Britain, Greece and Cyprus. The Examination fee for the Diploma is £150.00

Examination Entry Forms and Fees must be returned by the 28th February.

There will be **THREE** Papers of 3 hours each. The use of Dictionaries is allowed.

Paper 1. General Translation (3 hours)

To translate **two Passages** into the mother tongue *either* from Greek into English *or* from English into Greek (each passage about 750 words). The passages will be of a demanding but non-specialised nature. The text of the passages will relate to any of these subjects: Current affairs, Politics, Tourism, History, Literature, the European Union or the Economy.

Paper 2. Specialised Translation (3 hours)

To translate **two passages** into the mother tongue *either* from Greek into English *or* from English into Greek (each passage about 750 words). The text of the passages will relate to any of these subjects: Humanities, Business Studies, Law, Education, Travel and Tourism or Social Sciences.

Paper 3. Specialised Translation (3 hours)

To translate **two passages** into the mother tongue *either* from Greek into English *or* from English into Greek (each passage about 750 words). The passages will relate to any of these subjects: Science, Technology, Commerce, Computer Studies, Hotel & Catering Management or Medicine.

Examination Assessment: Each Paper carries 100 marks. In order to qualify for the Diploma candidates must pass in **all three Papers.** There are three Grades of Pass: First Class (Distinction), Second Class (Very Good), Third Class (Pass).

Professional Designation: Successful candidates in the Diploma may use the designation **Dip. Gr. Tran.**(GI) and may also be elected Fellows of the Institute and may append after their names the initials FGI, denoting Fellowship of the Greek Institute, so long as they remain Fellows.

THE GREEK INSTITUTE

ΕΛΛΗΝΙΚΟ ΙΝΣΤΙΤΟΥΤΟ ΑΓΓΛΙΑΣ

Director : Dr. KYPROS TOFALLIS, BA, MA, PhD, DipEd, FIL
34, BUSH HILL ROAD, LONDON N21 2DS. Tel: 020 - 8360 7968

MEMBERSHIP FORM

NAME (Mr. / Mrs./ Miss)_____

ADDRESS _____

_____

DATE OF BIRTH _____

TELEPHONE _____

PROFESSION _____

QUALIFICATIONS (If any) _____

I wish to become a Member of the Greek Institute.

I enclose the sum of £ _____ this being my Subscription.

Signature _____ Date _____

MEMBERSHIP FEES   2001

Members £ 30.00 - Associates £ 35.00 - Fellows £ 40.00

All cheques and P.O. should be made payable to
THE GREEK INSTITUTE

FOR OFFICIAL USE

Application Received_____ Result Sent_____

521